# A amiga genial

**Índice geral da obra**

Volume 1
*A amiga genial*

Volume 2
*História do novo sobrenome*

Volume 3
*História de quem foge e de quem fica*

Volume 4
*História da menina perdida*

# Elena Ferrante

# A amiga genial

INFÂNCIA, ADOLESCÊNCIA

Tradução
Maurício Santana Dias

Posfácio
Maria Carolina Casati

BIBLIOTECA AZUL

Copyright © Edizioni E/O 2011
Publicado em acordo com The Ella Sher Literary Agency
Copyright da tradução © 2023 by Editora Globo S.A.

Todos os direitos reservados. Nenhuma parte desta edição pode ser utilizada ou reproduzida — em qualquer meio ou forma, seja mecânico ou eletrônico, fotocópia, gravação etc. — nem apropriada ou estocada em sistema de banco de dados sem a expressa autorização da editora.

Texto fixado conforme as regras do novo Acordo Ortográfico da Língua Portuguesa (Decreto Legislativo nº 54, de 1995).

Título original: *L'amica geniale: infanzia, adolescenza*

Editor responsável: Lucas de Sena
Editora assistente: Jaciara Lima
Diagramação: Gisele Baptista de Oliveira e Carolinne de Oliveira
Capa: Mayumi Okuyama
Imagem de capa: Ando Gilardi/Fototeca Gilardi/AGB Photo Library

CIP-BRASIL. CATALOGAÇÃO-NA-FONTE
SINDICATO NACIONAL DOS EDITORES DE LIVROS, RJ

F423a
Ferrante, Elena
A amiga genial : infância adolescência / Elena Ferrante ; tradução Maurício Santana Dias. - 2. ed. - Rio de Janeiro : Biblioteca Azul, 2023.
344 p. ; 21 cm.    (Tetralogia napolitana ; 1)

"Edição especial"
Tradução de: L'amica geniale: infanzia, adolescenza
ISBN 978-65-5830-191-2

1. Romance italiano. I. Dias, Maurício Santana. II. Título. III. Série.

23-86643
CDD: 853
CDU: 82-31(450)

1ª edição, 2015
2ª edição, 2023 — 4ª reimpressão, 2025

Direitos exclusivos de edição em língua portuguesa, para o Brasil, adquiridos por
EDITORA GLOBO S.A.
Rua Marquês de Pombal, 25
20230-240 – Rio de Janeiro – RJ
www.globolivros.com.br

*O Senhor: Mas claro, apareça quando quiser, nunca odiei seus semelhantes; de todos os espíritos que dizem não, o Zombeteiro é o que menos me incomoda. O agir humano esmorece muito facilmente, em pouco tempo aspira ao repouso absoluto. Por isso lhe dou de boa vontade um colega que sempre o espicace e desempenhe o papel do diabo.*

J.W. Goethe, *Fausto*

# SUMÁRIO

Lista dos personagens .................................................................. 9

PRÓLOGO
Apagar os vestígios ..................................................................... 13

INFÂNCIA
História de dom Achille ............................................................. 19

ADOLESCÊNCIA
História dos sapatos ................................................................... 81

Elena, Lenu e Lila: A amiga genial e a escrita como
metáfora da existência-concreta ............................................... 333
*Maria Carolina Casati*

# LISTA DOS PERSONAGENS

**A família Cerullo (família do sapateiro):**
*Fernando Cerullo*, sapateiro.
*Nunzia Cerullo*, mãe de Lila.
*Raffaella Cerullo*, chamada *Lina* por todos, de *Lila* só por Elena.
*Rino Cerullo*, irmão mais velho de Lila, também sapateiro.
*Rino* também se chamará o filho de Lila.

**A família Greco (família do contínuo):**
*Elena Greco*, chamada *Lenuccia* ou *Lenu*. A primogênita, depois dela
*Peppe, Gianni* e *Elisa*.
O *pai* trabalha como contínuo na prefeitura.
A *mãe*, dona de casa.

**A família Carracci (família de dom Achille):**
*Dom Achille Carracci*, o ogro das fábulas.
*Maria Carracci*, mulher de dom Achille.
*Stefano Carracci*, filho de dom Achille, salsicheiro na charcutaria da família.
*Pinuccia* e *Alfonso Carracci*, os outros dois filhos de dom Achille.

**A família Peluso (família do marceneiro):**
*Alfredo Peluso*, marceneiro.
*Giuseppina Peluso*, mulher de Alfredo.
*Pasquale Peluso*, filho de Alfredo e Giuseppina, pedreiro.
*Carmela Peluso*, também conhecida como *Carmen*, irmã de Pasquale, vendedora em um armarinho.
*Outros filhos.*

**A família Cappuccio (família da viúva louca):**
*Melina*, prima da mãe de Lila, viúva louca.
O *marido* de Melina, que descarregava caixas no mercado de hortifrúti.
*Ada Cappuccio*, filha de Melina.
*Antonio Cappuccio*, irmão dela, mecânico.
*Outros filhos.*

**A família Sarratore (família do ferroviário-poeta):**
*Donato Sarratore*, fiscal de trem.
*Lidia Sarratore*, mulher de Donato.
*Nino Sarratore*, o mais velho dos quatro filhos do casal.
*Marisa Sarratore*, filha de Donato e Lidia.
*Pino*, *Clelia* e *Gianni Sarratore*, os filhos mais novos do casal.

**A família Scanno (família do verdureiro):**
*Nicola Scanno*, verdureiro.
*Assunta Scanno*, mulher de Nicola.
*Enzo Scanno*, filho de Nicola e Assunta, também verdureiro.

**A família Solara (família do dono do bar-confeitaria de mesmo nome):**
*Silvio Solara*, proprietário do bar-confeitaria.
*Manuela Solara*, mulher de Silvio.
*Marcello* e *Michele Solara*, filhos de Silvio e Manuela.

**A família Spagnuolo (família do confeiteiro):**
*Seu Spagnuolo*, confeiteiro do bar-confeitaria Solara.
*Rosa Spagnuolo*, mulher do confeiteiro.
*Gigliola Spagnuolo*, filha do confeiteiro.
*Outros filhos.*

**Gino**, o filho do farmacêutico.

**Os professores:**
*Ferraro*, docente e bibliotecário.
*Oliviero*, professora.
*Gerace*, professor do ginásio.
*Galiani*, professora do liceu.

**Nella Incardo,** prima da professora Oliviero, de Ischia.

# PRÓLOGO
## APAGAR OS VESTÍGIOS

**1.**

Hoje de manhã Rino me ligou, pensei que ele quisesse mais dinheiro e me preparei para negar. No entanto o motivo da chamada era outro: a mãe dele tinha desaparecido.
"Desde quando?"
"Faz duas semanas."
"E só agora você me liga?"
O tom deve ter parecido hostil, embora eu não estivesse chateada ou indignada, era apenas uma ponta de sarcasmo. Ele tentou contestar, mas de modo confuso, embaraçado, misturando o dialeto com o italiano. Disse que tinha certeza de que a mãe estava passeando em Nápoles, como de costume.
"Inclusive à noite?"
"Você sabe como ela é."
"Eu sei, mas você acha normal duas semanas de ausência?"
"Acho. Faz muito tempo que você não a vê, ela deu uma piorada: nunca dorme, entra, sai, faz o que bem entende."
O fato é que agora ele estava preocupado. Perguntara a todo mundo, passara por todos os hospitais, estivera até na polícia. Nada, a mãe não estava em lugar nenhum. Que bom filho: um ho-

mem grande, de seus quarenta anos, que nunca trabalhou na vida, apenas transações e gastanças. Imaginei com quanto cuidado ele fez suas buscas. Nenhum. Não tinha cabeça, e em seu coração só havia ele.

"Por acaso ela está com você?", indagou de repente.

Sua mãe? Aqui em Turim? Ele bem sabia como iam as coisas, perguntava só por perguntar. Ele, sim, é que era um viajante, viera à minha casa pelo menos umas dez vezes, e sem ser convidado. Quanto à mãe dele, eu a teria acolhido de bom grado: ela nunca saíra de Nápoles na vida. Respondi:

"Não, ela não está comigo."

"Tem certeza?"

"Rino, por favor: já lhe disse que não está."

"Mas para onde ela foi?"

Então começou a chorar, e eu o deixei fazer sua cena de desespero, soluços que começavam fingidos e prosseguiam verdadeiros. Quando terminou, disse a ele:

"Por favor, pelo menos uma vez, comporte-se como ela gostaria: não a procure."

"O que você disse?"

"Disse isso mesmo. É inútil. Aprenda a viver por sua própria conta, e também não me procure."

Desliguei.

## 2.

A mãe de Rino se chama Raffaella Cerullo, mas todos sempre a chamaram de Lina. Eu, não, nunca usei nem o primeiro nem o segundo nome. Há quase sessenta anos, para mim ela é Lila. Se a chamasse de Lina ou de Raffaella, assim, de repente, ela acharia que nossa amizade acabou.

Faz pelo menos trinta anos que ela me diz que quer sumir sem deixar rastro, e só eu sei o que isso quer dizer. Nunca teve em mente uma fuga, uma mudança de identidade, o sonho de refazer a vida noutro lugar. E jamais pensou em suicídio, incomodada com a ideia de que Rino tivesse de lidar com seu corpo, cuidar dele. Seu objetivo sempre foi outro: queria volatilizar-se, queria dissipar-se em cada célula, e que ninguém encontrasse o menor vestígio seu. E, como a conheço bem – ou pelo menos acho que conheço –, tenho certeza de que encontrou o meio de não deixar sequer um fio de cabelo neste mundo, em lugar nenhum.

3.

Os dias passaram. Chequei o correio eletrônico, a correspondência em papel, mas sem esperança. Escrevi muitas vezes a ela; ela quase nunca respondeu: este sempre foi o costume. Preferia o telefone ou as longas noites de conversa quando eu ia a Nápoles.

Abri minhas gavetas, as caixas de metal onde guardava coisas de todo tipo. Poucas. Tinha jogado fora muita coisa, especialmente o que dizia respeito a ela, e ela sabia disso. Descobri que não tenho nada dela, nem uma imagem, um bilhete, uma lembrancinha. Eu mesma fiquei surpresa. Será possível que em todos esses anos ela não me tenha deixado nada de seu ou, pior, que eu não tenha querido guardar nada dela? É possível.

Desta vez fui eu que liguei para Rino, e o fiz a contragosto. Não respondia nem no fixo, nem no celular. À noite ele me ligou, sem pressa. A voz era de quem buscava estimular um sentimento de pena.

"Vi que você ligou. Tem notícias?"
"Não. E você?"
"Nenhuma."

Me disse coisas sem sentido. Queria ir à TV, um programa que trata de gente desaparecida, fazer um apelo, pedir perdão à mãe por tudo, implorar que voltasse.

Fiquei ouvindo pacientemente e então perguntei:

"Você olhou no armário dela?"

"Para quê?"

Naturalmente nunca lhe ocorrera a coisa mais óbvia.

"Vá lá ver."

Ele foi e se deu conta de que não havia nada lá, nenhuma das roupas da mãe, nem de verão nem de inverno, apenas velhos cabides. Depois o mandei procurar pela casa. Os sapatos tinham sumido. Sumiram os poucos livros. Sumiram todas as fotos, e também os filmes caseiros. Sumiram o computador e até os velhos disquetes que se usavam antigamente, tudo, cada detalhe de sua vida de bruxa eletrônica, que começara a exercitar-se com calculadoras já no fim dos anos 1960, na época das fichas perfuradas. Rino estava espantado. Então eu disse a ele:

"Tome o tempo que quiser, mas depois ligue e me diga se achou alguma coisa dela, nem que seja um alfinete."

Ele me ligou no dia seguinte, muito agitado.

"Não encontrei nada."

"Nada de nada?"

"Não. Recortou todas as fotos em que aparecíamos juntos, até as de quando eu era menino."

"Você procurou bem?"

"A casa toda."

"Inclusive no porão?"

"A casa toda, já disse. Até a caixa de documentos sumiu: certidões de nascimento velhas, contratos telefônicos, boletos. O que significa isso? Alguém roubou tudo? O que estão procurando? O que querem de minha mãe e de mim?"

Tratei de acalmá-lo, disse que ficasse tranquilo. Era pouco provável que alguém quisesse alguma coisa, especialmente dele.

"Posso passar um tempo em sua casa?"
"Não."
"Por favor, não estou conseguindo dormir."
"Vire-se, Rino, não posso ajudar."

Desliguei e, quando ele tornou a chamar, não atendi. Fui me sentar à escrivaninha.

Como sempre Lila exagerou, pensei.

Estava extrapolando o conceito de vestígio. Queria não só desaparecer, mas também apagar toda a vida que deixara para trás.

Fiquei muito irritada.

Vamos ver quem ganha desta vez, disse a mim mesma. Liguei o computador e comecei a escrever cada detalhe de nossa história, tudo o que me ficou na memória.

# INFÂNCIA
## HISTÓRIA DE DOM ACHILLE

**1.**

Foi quando Lila e eu decidimos subir pela escada escura que levava, degrau a degrau, patamar a patamar, até a porta do apartamento de dom Achille que nossa amizade começou.

Recordo a luz violeta do pátio, os cheiros de uma tardinha tépida de primavera. As mães estavam preparando o jantar, era hora de voltar para casa, mas a gente se atrasava, submetendo-se por desafio, sem dizer uma palavra, a provas de coragem. Há algum tempo, dentro e fora da escola, não fazíamos outra coisa. Lila enfiava a mão e todo o braço na boca escura de um bueiro, e eu fazia o mesmo logo em seguida, com o coração aos pulos, esperando que as baratas não corressem por minha pele e os ratos não me mordessem. Lila trepava na janela térrea de dona Spagnuolo, se pendurava na barra de ferro onde passava o fio de estender panos, se balançava e então deixava o corpo cair na calçada, e eu logo fazia a mesma coisa, mesmo temendo cair de mau jeito e me machucar. Lila enfiava sob a pele a agulha enferrujada que achara na rua não sei quando, mas que trazia sempre no bolso como se fosse o presente de uma fada; eu observava a ponta de metal escavando um túnel esbranquiçado em sua palma e, depois, quando ela a extraía e passava para mim, eu fazia o mesmo.

A certa altura me lançou um de seus olhares, firme, com os olhos apertados, e rumou para o prédio onde dom Achille morava. Fiquei gelada de medo. Dom Achille era o ogro das fábulas, e eu estava terminantemente proibida de me aproximar dele, falar com ele, olhá-lo, espiá-lo: devia agir como se ele e sua família não existissem. Em minha casa, mas não só, havia em relação a sua figura um temor e um ódio que eu não sabia de onde vinham. Meu pai o mencionava de um modo que o imaginei enorme, cheio de bexigas roxas, furioso apesar do "dom", que me sugeria uma autoridade plácida. Era um ser feito de não sei que material, ferro, vidro, urtiga, mas vivo, vivo e com uma respiração quentíssima que lhe saía do nariz e da boca. Acreditava que bastaria avistá-lo de longe para que me lançasse nos olhos algo pungente e escaldante. E, se eu fizesse a loucura de passar perto da porta de sua casa, ele me mataria.

Esperei um pouco para ver se Lila pensava melhor e desistia daquilo. Eu sabia o que ela pretendia fazer, esperei inutilmente que ela se esquecesse, mas não. As luminárias ainda estavam apagadas, assim como a luz das escadas. Das casas chegavam vozes nervosas. Para segui-la eu precisava deixar o azulado do pátio e entrar no escuro do portão. Quando finalmente me decidi, no início não vi mais nada, só senti um cheiro de coisa velha e de DDT. Depois me habituei ao escuro e notei Lila sentada no primeiro degrau do primeiro lance. Ela se levantou, e começamos a subir.

Avançamos coladas à parede, ela dois degraus à frente, eu, dois degraus atrás e indecisa entre encurtar a distância ou deixá-la aumentar. Ficou-me a impressão do ombro que raspava contra o muro descascado e a ideia de que os degraus eram muito altos, mais altos que os do prédio onde eu morava. Eu tremia. Cada rumor de passos, cada voz, era dom Achille que vinha às nossas costas ou nos afrontava com uma longa faca, daquelas de degolar galinhas. Havia um odor de alho frito. Maria, a mulher de dom Achille, me meteria na panela com óleo fervente, os filhos me comeriam, ele me chuparia a cabeça como meu pai fazia com as trilhas.

Paramos várias vezes, e em todas elas esperei que Lila resolvesse voltar atrás. Eu estava muito suada, ela, não. De vez em quando olhava para o alto, mas eu não entendia para que, via-se apenas o cinza dos janelões a cada patamar. As luzes se acenderam de repente, mas tênues, embaçadas, deixando amplas zonas de sombra cheias de perigos. Esperamos para entender se foi dom Achille que girou o interruptor, mas não ouvimos nada, nem passos nem porta abrindo ou fechando. Depois Lila prosseguiu, e eu, atrás.

Ela considerava estar fazendo uma coisa justa e necessária, eu me esquecera de qualquer boa razão e certamente só estava ali porque ela também estava. Subimos lentamente rumo ao pior de nossos terrores de então, íamos nos expor ao medo e interrogá-lo.

No quarto lance, Lila comportou-se de modo inesperado. Parou, esperou que eu me aproximasse e, quando a alcancei, me deu a mão. Esse gesto mudou tudo entre nós, para sempre.

**2.**

A culpa era dela. Num tempo não muito distante – dez dias, um mês, quem sabe, na época ignorávamos tudo sobre o tempo –, ela pegara minha boneca traiçoeiramente e a jogara no fundo de um porão. Agora estávamos subindo juntas em direção ao medo, antes nos sentíamos obrigadas a descer, correndo, rumo ao desconhecido. Para o alto, para baixo, parecia que sempre estávamos indo ao encontro de algo terrível que, mesmo existindo antes de nós, era a nós e sempre a nós que aguardava. Quando se está no mundo há pouco tempo, é difícil entender que desastres estão na origem do nosso sentimento de desastre, talvez nem se sinta a necessidade de compreender. Os grandes, à espera de amanhã, se movem num presente atrás do qual há o ontem ou o anteontem ou no máximo a semana passada: não querem pensar no resto. Os pequenos não sabem o significado do ontem, do anteontem, nem de amanhã, tudo é isto, agora: a rua é esta, o portão é este, as escadas são estas, esta é a mamãe, este é o papai, este é o dia, esta, a noite. Eu era pequena e, no fim das contas, minha boneca sabia mais que eu. Eu falava com ela, ela, comigo. Tinha uma cara de celuloide com cabelos de celuloide e olhos de celuloide. Usava um vestidinho azul que minha mãe costurara num raro momento feliz e era linda. Já a boneca de Lila tinha um corpo de pano amarelado, cheio de serragem, e me parecia feia e suja. As duas se espreitavam, se mediam, estavam prontas a fugir de nossos braços se viesse um temporal, se trovejasse, se alguém maior e mais forte e de dentes afiados as quisesse agarrar.

Brincávamos no pátio, mas como se não brincássemos juntas. Lila se sentava no chão, ao lado da janelinha de um subsolo, e eu, do outro lado. A gente gostava daquele lugar, sobretudo porque podíamos colocar no cimento, entre as barras da abertura, contra a grade, tanto as coisas de Tina, minha boneca, quanto as de Nu, a boneca de Lila. Púnhamos pedras, tampas de refrigerante, florzinhas, pregos, cacos de vidro. O que Lina dizia a Nu, eu escutava e repetia em voz baixa a Tina, mas com pequenas modificações. Se ela pegava uma tampa e a colocava na cabeça da boneca como se fosse um chapéu, eu dizia à minha, em dialeto: Tina, ponha sua coroa de rainha, senão vai ficar com frio. Se Nu brincava de amarelinha nos braços de Lila, pouco depois eu fazia Tina agir do mesmo modo. Mas ainda não participávamos de uma mesma brincadeira nem jogávamos juntas. Até o local escolhíamos sem combinar. Lila ia para lá e eu ficava circulando, fingindo ir a outro lugar. Depois, na maior naturalidade, eu também me sentava em frente ao respiradouro, mas do lado oposto.

O que mais nos atraía era o ar frio do subsolo, um sopro que nos refrescava na primavera e no verão. Depois gostávamos das barras com as teias de aranha, do escuro e da grade cerrada que, coberta de ferrugem, se retorcia tanto no meu lado quanto no de Lila, criando duas frestas paralelas pelas quais podíamos deixar cair pedrinhas na escuridão e ouvir o barulho que faziam ao bater no piso. Era belo e assustador, como qualquer coisa então. Através dessas aberturas, o escuro podia tomar nossas bonecas de repente, às vezes seguras em nossos braços, noutras, postas de propósito ao lado da grade retorcida e, assim, expostas ao bafo frio do porão, aos rumores ameaçadores que vinham de lá, aos chiados, estalos, rangidos.

Nu e Tina não eram felizes. Os terrores que saboreávamos todos os dias eram os mesmos delas. Não nos fiávamos na luz sobre as pedras, sobre os edifícios, o campo, sobre as pessoas de fora e de dentro das casas. Intuíamos seus cantos sombrios, os sentimentos represados e sempre a ponto de explodir. E atribuíamos a essas bocas escuras, às cavernas que além se abriam sob os prédios do bairro, tudo o que nos aterrorizava à luz do dia. Dom Achille, por exemplo, estava não só em seu apartamento no último andar, mas também ali embaixo, aranha entre aranhas, rato entre ratos, uma forma que assumia todas as formas. Eu o imaginava de boca aberta, com suas longas presas de fera, corpo de pedra reluzente e ervas venenosas, sempre pronto a recolher numa enorme bolsa preta tudo o que deixávamos cair dos cantos desguarnecidos das grades. Aquela bolsa era um traço fundamental de dom Achille, sempre com ela, até em casa, na qual metia matéria viva e morta.

Lila sabia que eu tinha medo disso, minha boneca o expressava em voz alta. Por isso mesmo, justamente no dia em que, só com olhares e gestos, sem sequer combinarmos nada, trocamos pela primeira vez nossas bonecas, ela, assim que recebeu Tina, a empurrou para além da grade, deixando-a cair na escuridão.

## 3.

Lila apareceu em minha vida no primeiro ano do fundamental e me impressionou logo, porque era muito levada. Éramos todas meio levadas naquela turma, mas apenas quando a professora não podia nos ver. No entanto ela era levada sempre, pior que os meninos. Uma vez reduziu a pedacinhos o mata-borrão, meteu os fragmentos um por um no buraco do tinteiro e então começou a pescá-los com a caneta e a atirá-los na gente. Fui tingida duas vezes nos cabelos e uma no colete branco. A professora gritou como só ela sabia fazer, com uma voz de agulha, longa e pontiaguda, que nos aterrorizava, e a mandou direto para o castigo, atrás da lousa. Lila não obedeceu nem se mostrou assustada, ao contrário, continuou atirando a esmo pedacinhos de papel molhados de tinta. Então a professora Oliviero, uma senhora corpulenta, que nos parecia muito velha, embora devesse ter pouco mais de quarenta, desceu da cátedra a ameaçá-la, tropeçou não se sabe bem onde, não conseguiu se equilibrar e foi bater com a cara na quina de um banco. Ficou estirada no pavimento, parecendo morta.

O que aconteceu em seguida eu não lembro, recordo apenas o corpo imóvel da professora, uma trouxa escura, e Lila a observá-la com o rosto sério.

Lembro-me de muitos incidentes desse tipo. Vivíamos em um mundo em que crianças e adultos frequentemente se feriam, o sangue escorria das chagas, que depois supuravam e às vezes se acabava morrendo. Uma das filhas de dona Assunta, a verdureira, se ferira num prego e morrera de tétano. O filho menor de dona Spagnuolo morrera de crupe na garganta. Um primo meu de vinte anos saiu de manhã para remover uns escombros e à tarde morreu esmagado, com sangue saindo pelas orelhas e pela boca. O pai de minha mãe morreu porque estava construindo um prédio e caiu lá de cima. O pai de seu Peluso não tinha um braço, foi um torno que o arrancou de surpresa. A irmã de Giuseppina, mulher de seu Peluso, morreu de tuberculose aos vinte e dois anos. O filho mais velho de dom Achille – eu nunca o vira, mas tinha a impressão de me lembrar dele – foi para a guerra e morreu duas vezes: a primeira, afogado no oceano Pacífico; a segunda, devorado pelos tubarões. Toda a família Melchiorre morrera abraçada, gritando de medo, sob um bombardeio. A solteirona Clorinda morreu respirando gás em vez de ar. Giannino, que estava na quarta série quando nós estávamos na primeira, tinha morrido porque um dia achou uma bomba e tocou nela. Luigina, com quem brincávamos no pátio – ou talvez não, era só um nome – morreu de tifo exantemático. Nosso mundo era assim, cheio de palavras que matavam: crupe, tétano, tifo exantemático, gás, guerra, torno, escombros, trabalho, bombardeio, bomba, tuberculose, supuração. Atribuo os medos inumeráveis que me acompanharam por toda a vida a esses vocábulos e àqueles anos.

Também se podia morrer de coisas que pareciam normais. Podia-se morrer, por exemplo, se você suasse e depois bebesse água fria da torneira sem antes ter molhado os pulsos: o que acontecia era que você era coberto de pintinhas vermelhas, começava a tossir e então parava de respirar. Você podia morrer se comesse cerejas pretas sem cuspir o caroço. Podia morrer se mascasse chiclete americano e o engolisse por distração. Podia morrer principalmente se levasse uma pancada na têmpora. A têmpora era um ponto fragilíssimo, estávamos todas muito atentas a ela. Bastava uma pedrada, e as pedradas eram a norma. Na saída da escola um bando de meninos do campo, liderado por um que se chamava Enzo ou Enzuccio, um dos filhos de Assunta, a verdureira, começou a nos atirar pedras. Sentiam-se ofendidos pelo fato de que éramos melhores do que eles. Quando as pedras choviam, todas escapávamos, mas Lila não, continuava caminhando com o passo regular e às vezes até parava. Ela era muito boa em decifrar a trajetória das pedras e desviar-se delas com um movimento calmo, hoje eu diria elegante.

Tinha um irmão mais velho e talvez tenha aprendido com ele, não sei; eu também tinha irmãos, mas mais novos que eu, e deles não aprendi nada. Porém, quando percebia que ela havia ficado para trás, mesmo sentindo muito medo, eu parava para esperá-la.

Na época já havia algo que me impedia de abandoná-la. Não a conhecia bem, nunca tínhamos trocado uma palavra, mesmo competindo continuamente entre nós, na classe e fora dela. Mas eu sentia confusamente que, se tivesse fugido com as outras meninas, lhe teria deixado algo de meu que ela nunca mais me devolveria.

No início eu ficava escondida atrás de uma esquina, espichando-me para ver se Lila chegava. Depois, vendo que ela não se movia, me forçava a alcançá-la, passava-lhe umas pedras, atirava-as eu também. Mas o fazia sem convicção, fiz muitas coisas em minha vida, mas jamais convicta, sempre me senti um tanto descolada de minhas próprias ações. Ao contrário, Lila desde pequena tinha – agora não saberia dizer se já aos seis ou sete anos, ou quando subimos juntas as escadas para a casa de dom Achille, dos oito para os nove – a marca da decisão absoluta. Quer empunhasse a haste tricolor da caneta, uma pedra ou o corrimão de escadas escuras, ela passava a ideia de que, não importa o que acontecesse – cravar com um arremesso preciso a ponta da caneta na madeira do banco, disparar bolinhas molhadas de tinta, atingir os meninos do campo, subir até a porta de dom Achille –, ela o faria sem hesitar.

O bando vinha da plataforma da ferrovia, catando pedras entre os trilhos. Enzo, o líder, era um menino muito perigoso, uns três anos mais velho que nós, repetente, de cabelos louros curtíssimos e olhos claros. Atirava com precisão pequenas pedras de arestas cortantes, e Lila aguardava seus arremessos para mostrar-lhe como se desviava deles, irritando-o ainda mais e respondendo de pronto com arremessos igualmente perigosos. Certa vez o acertamos no tornozelo direito, e digo acertamos porque fui eu que passei a Lila uma pedra chata, de borda toda lascada. A pedra raspou sobre a pele de Enzo feito uma lâmina, deixando uma mancha vermelha da qual logo correu sangue. O menino olhou a perna ferida, posso vê-lo diante de meus olhos: entre o polegar e o indicador, tinha uma pedra pronta para atirar, o braço já erguido para o arremesso, e no entanto se deteve, espantado. Os outros meninos sob seu comando olharam o sangue, sem acreditar. Já Lila não demonstrou a mínima satisfação pelo bom êxito do tiro e se abaixou para recolher outra pedra. Eu a tomei pelo braço, foi nosso primeiro contato, um contato brusco e assustado. Senti que o bando se tornaria ainda mais feroz, queria que fugíssemos. Mas não houve tempo. Apesar do tornozelo ferido, Enzo se refez do espanto e lançou a pedra que tinha na mão. Eu ainda estava segurando Lila quando a pedrada a atingiu na testa, arrancando-a de mim. Um instante depois estava estendida no passeio, com a cabeça quebrada.

**4.**

Sangue. Em geral, escorria das feridas só depois de uma troca de maldições terríveis e obscenidades lamentáveis. Seguia-se sempre essa sequência. Meu pai, que até me parecia um bom homem, lançava continuamente insultos e impropérios se alguém, como ele dizia, não era digno de estar na face da terra. Implicava sobretudo com dom Achille. Tinha sempre algo a criticar, e às vezes eu tapava os ouvidos para não ficar muito impressionada com seus palavrões. Quando falava a seu respeito com minha mãe, o chamava de "seu primo", mas ela logo negava o laço de sangue (havia um parentesco muito distante), enquanto ele redobrava a dose de insultos. Eu me assustava com esses rompantes e tinha um medo especial de que dom Achille pudesse ter ouvidos aguçados o bastante para perceber os insultos a tão grande distância. Temia que viesse trucidá-los.

De todo modo, o inimigo jurado de dom Achille não era meu pai, mas o senhor Peluso, um excelente marceneiro que estava sempre sem dinheiro, porque jogava tudo o que ganhava nos fundos do bar Solara. Peluso era pai de uma colega nossa de escola, Carmela, e também de Pasquale, que era maior, além de outros dois filhos, meninos mais pobres que nós, com os quais eu e Lila brincávamos de vez em quando e que, na escola e fora dela, tentavam roubar nossas coisas, caneta, borracha, marmelada, tanto que voltavam para casa cheios de roxos por causa das surras que lhes dávamos.

As vezes em que cruzávamos com ele, seu Peluso parecia a imagem acabada do desespero. De um lado, perdia tudo no jogo, de outro, arrancava os cabelos em público porque já não sabia como alimentar a família. Por razões obscuras, atribuía a dom Achille a própria ruína. Acusava-o de ter pegado à traição, como se seu corpo tenebroso fosse um enorme ímã, todas as ferramentas da marcenaria, acabando com sua oficina. Acusava-o ainda de lhe ter tomado a oficina, transformando-a numa charcutaria. Durante anos imaginei o alicate, a serra, o torquês, o martelo, a tenaz e milhares e milhares de pregos sugados em forma de enxame metálico para dentro da matéria que compunha dom Achille. Por anos vi sair de seu corpo, informe e pesado de materiais heterogêneos, salames, provolones, mortadelas, banhas e presuntos, sempre em forma de enxame.

Fatos ocorridos em tempos sombrios. Dom Achille deve ter se manifestado em toda sua monstruosa natureza antes que nós nascêssemos. *Antes.* Lila usava frequentemente essa fórmula, na escola e fora dela. Mas parecia não se importar tanto com o que tinha acontecido antes de nós – eventos em geral obscuros, sobre os quais os adultos se calavam ou se pronunciavam com muita reticência –, e sim com o fato de ter havido um antes. Era isso que na época a deixava perplexa e às vezes até nervosa. Quando ficamos amigas, me falou tanto daquela coisa absurda – *antes de nós* – que terminou passando o nervosismo para mim. Era o tempo longo, longuíssimo, em que não existíamos; o tempo em que dom Achille se mostrara a todos como de fato era: um ser malvado, de incerta fisionomia animal-mineral, que – parece – tirava o sangue dos outros enquanto nenhuma gota saía dele; aliás, talvez nem fosse possível arranhá-lo.

Estávamos no segundo ano do fundamental, acho, e ainda nem nos falávamos quando correu a notícia que, bem em frente à igreja da Sagrada Família, na saída da missa, seu Peluso tinha começado a gritar de raiva contra dom Achille, e dom Achille deixou o filho maior, Stefano, Pinuccia, Alfonso, que era de nossa idade, a esposa e, mostrando-se por um instante em sua forma mais assustadora, lançou-se contra Peluso, o ergueu e o atirou contra uma árvore do jardim, abandonando-o ali, desacordado, com o sangue a lhe escorrer de mil feridas na cabeça e em todo o corpo, sem que o coitado ao menos pudesse dizer: me ajudem.

5.

Não tenho saudade de nossa infância cheia de violência. Acontecia-nos de tudo, dentro e fora de casa, todos os dias, mas não me lembro de jamais ter pensado que a vida que nos coubera fosse particularmente ruim. A vida era assim e ponto final, crescíamos com a obrigação de torná-la difícil aos outros antes que os outros a tornassem difícil para nós. Claro, eu teria gostado dos modos gentis que a professora e o pároco defendiam, mas sentia que aqueles modos não eram adequados a nosso bairro, mesmo para quem era do sexo feminino. As mulheres brigavam entre si mais do que os homens, se pegavam pelos cabelos, se machucavam. Fazer mal era uma doença. Desde menina imaginei animaizinhos minúsculos, quase invisíveis, que vinham de noite ao bairro, saíam dos poços, dos vagões de trem abandonados para lá da plataforma, do mato malcheiroso chamado fedentina, das rãs, das salamandras, das moscas, das pedras, da terra e entravam na água, na comida e no ar, deixando nossas mães e avós raivosas como cadelas sedentas. Estavam mais contaminadas que os homens, porque estes ficavam furiosos continuamente, mas no fim se acalmavam, ao passo que as mulheres, que eram aparentemente silenciosas, conciliadoras, quando se enfureciam iam até o fundo de sua raiva, sem jamais parar.

Lila ficou muito marcada pelo que aconteceu com Melina Cappuccio, uma parente da mãe dela. E eu também. Melina morava no mesmo prédio de meus pais, nós, no segundo andar, ela, no terceiro. Tinha pouco mais de trinta anos e seis filhos, mas nos parecia uma velha. O marido, da mesma idade, descarregava caixas no mercado de hortifrúti. Lembro-me dele baixo e largo, mas bonito, com um rosto altivo. Certa noite, saiu de casa como de costume e morreu talvez assassinado, ou de cansaço. O enterro foi tristíssimo, e lá estava todo o bairro, até meus pais, até os pais de Lila. Depois o tempo passou, e quem sabe o que houve com Melina. Por fora continuou a mesma, uma mulher seca com um grande nariz, os cabelos já grisalhos, a voz aguda que à noite chamava os filhos da janela, um a um, por nome, com sílabas alongadas por um desespero raivoso: Aaa-daaa, Miii-cheee. No início foi muito ajudada por Donato Sarratore, que vivia no apartamento acima do seu, no quarto e último andar. Donato era um assíduo frequentador da paróquia da Sagrada Família e, como bom cristão, se desdobrou por ela, recolhendo dinheiro, roupas, sapatos usados e colocando Antonio, o filho mais velho, na oficina de Gorresio, um conhecido seu. Melina ficou tão agradecida que a gratidão, em seu peito de mulher desolada, se transformou em amor, em paixão. Não se sabe se Sarratore algum dia se deu conta disso. Era um homem gentilíssimo, mas muito sério, casa, igreja e trabalho, fazia parte dos fiscais das Ferrovias do Estado, tinha um salário fixo com o qual sustentava dignamente a esposa, Lidia, e quatro filhos, o mais velho chamado Nino. Quando não estava em viagem no trecho da linha Nápoles-Paola, dedicava-se a consertar isso e aquilo na casa, a fazer compras, a levar o filho mais novo para passear de carrinho. Coisas muito anormais no bairro. Ninguém pensava que Donato se doasse daquele jeito para aliviar os afazeres da esposa. Não: todos os homens dos prédios vizinhos, meu pai à frente, o consideravam um sujeito que gostava do papel de mulher, tanto mais que ele também escrevia poemas, lendo-os de bom grado a qualquer um. Ninguém pensava o contrário, nem mesmo Melina. A viúva preferiu achar que ele, por gentileza de alma, tivesse sido subjugado pela mulher, e por isso decidiu combater Lidia Sarratore ferozmente a fim de libertá-lo e permitir que ele se unisse estavelmente a ela. No início, a guerra entre as duas me pareceu divertida, e tanto em minha casa quanto na vizinhança se falava do assunto com risadas maldosas. Lidia estendia os lençóis recém-lavados e Melina subia de pé no parapeito para sujá-los com uma vara que ela queimara, de propósito, na ponta; Lidia passava debaixo da janela e ela cuspia em sua cabeça, ou lhe jogava em cima um balde de água suja; Lidia fazia barulho de dia correndo no assoalho acima de sua cabeça, atrás dos filhos endiabrados, e ela se encarniçava a noite inteira batendo no teto com o cabo do esfregão. Sarratore tentou estabelecer a paz de todas as maneiras, mas era um homem sensível demais, gentil demais. Assim, de desaforo em desaforo, as duas mulheres começaram a se xingar sempre que se cruzavam na rua ou pelas escadas, palavras duras, ferozes. Foi a partir daí que comecei a ficar com medo. Uma das tantas cenas terríveis de minha infância se inicia com os gritos de Melina e de Lidia, com as ofensas que se lançam das janelas e depois nas escadas; continua com minha mãe, que se precipita pela porta de casa e surge no patamar da escada, seguida por nós, crianças; e termina com a imagem, para mim ainda hoje insuportável, das duas vizinhas rolando agarradas pelos degraus, a cabeça de Melina batendo no piso do patamar, a poucos centímetros dos meus sapatos, como um melão branco que escapou das mãos.

É difícil explicar por que nós, meninas, torcíamos na época por Lidia Sarratore. Talvez porque tivesse traços regulares e cabelos louros. Ou porque Donato era marido dela, e tínhamos entendido que Melina o queria para si. Ou porque os filhos de Melina eram sujos e maltrapilhos, enquanto os de Lidia eram lavados, bem penteados, e o primeiro, Nino, que tinha uns anos a mais que nós, era bonito, gostávamos dele. Somente Lila pendia para Melina, mas nunca nos disse por quê. Disse apenas, em certa ocasião, que se Lidia Sarratore acabasse morta, era bem feito para ela, e eu pensei que ela achava isso em parte porque tinha a maldade na alma, em parte porque ela e Melina eram parentes distantes.

Um dia estávamos voltando da escola, éramos quatro ou cinco meninas. Entre nós estava Marisa Sarratore, que nos acompanhava com frequência não porque nos fosse simpática, mas porque esperávamos que, por intermédio dela, pudéssemos entrar em contato com seu irmão mais velho, ou seja, Nino. Foi ela quem primeiro notou Melina. A mulher caminhava do outro lado da estrada a passos lentos, levando numa mão um pacote de onde, com a outra, pegava e comia. Marisa a apontou para nós chamando-a de puta, mas sem desprezo, só porque repetia a fórmula que sua mãe usava em casa. Lila, mesmo sendo mais baixa que ela e magérrima, deu-lhe imediatamente uma bofetada tão forte que a derrubou no chão; e o fez a frio, como costumava fazer em todas as situações de violência, sem gritar antes nem depois, sem uma palavra de pré-aviso, sem arregalar os olhos, gélida e decidida.

Primeiro socorri Marisa, que já chorava, e a ajudei a se levantar; depois me virei para ver o que Lila estava fazendo. Tinha descido da calçada para atravessar a estrada e ir até Melina, sem se preocupar com os caminhões que passavam. Vi nela, mais na postura que no rosto, algo que me perturbou e que até hoje sinto dificuldade de definir, tanto que agora me contentarei em dizer o seguinte: embora se movesse cortando a estrada, pequena, sombria, nervosa, embora o fizesse com a habitual determinação, estava imóvel. Imóvel dentro do que a parente de sua mãe estava fazendo, imóvel pela pena, imóvel de sal, como as estátuas de sal. Aderente. Uma coisa só com Melina, que segurava na palma o sabão tenro e escuro recém-comprado na loja de dom Carlo, e com a outra mão o beliscava e o comia.

6.

O dia em que a professora Oliviero caiu da cátedra e bateu a maçã do rosto contra o banco, eu, como já disse, achei que ela tivesse morrido, morta no trabalho assim como meu avô ou o marido de Melina, e consequentemente achei que também Lila seria morta pelo castigo terrível que receberia. No entanto, por um período que eu não saberia definir – breve, longo –, não aconteceu nada. Ambas, professora e aluna, se limitaram a desaparecer dos nossos dias e da memória.

Mas na época tudo era muito surpreendente. A professora Oliviero voltou viva para a escola e começou a ocupar-se de Lila não para castigá-la, como nos teria parecido natural, mas para elogiá-la.

Essa nova fase começou quando a mãe de Lila, dona Cerullo, foi chamada à escola. Certa manhã o bedel bateu na porta e a anunciou. Logo depois entrou Nunzia Cerullo, irreconhecível. Ela, que como a maioria das mulheres do bairro vivia metida em pantufas e velhas roupas puídas, compareceu em traje de cerimônia (casamento, primeira comunhão, crisma, funeral), toda de preto, uma bolsinha preta lustrosa, sapatos de salto que lhe torturavam os pés inchados, e ofereceu à professora dois sacos de papel, um com açúcar e outro com café.

A professora aceitou o presente de bom grado e disse a ela e a toda a classe, fixando Lila que, ao contrário, olhava para o banco, frases cujo sentido geral me desorientou. Estávamos na primeira série da escola fundamental. Estávamos apenas começando a aprender o alfabeto e os números de um a dez. A melhor da turma era eu, sabia reconhecer todas as letras, sabia dizer um dois três quatro etc., era continuamente elogiada pela caligrafia, ganhava os distintivos tricolores que a professora costurava. Apesar de tudo a professora Oliviero, de surpresa, embora Lila a tivesse feito cair, mandando-a para o hospital, disse que a melhor da classe era ela. É verdade que era a mais malcriada. É verdade que tinha feito aquela coisa terrível de atirar pedaços de mata-borrão sujos de tinta em todos. É verdade que, se aquela menina não tivesse se comportado com tanta indisciplina, ela, nossa professora, não teria caído da cátedra ferindo a maçã do rosto. É verdade que era forçada a puni-la continuamente com a vara de madeira ou a mandar ajoelhar-se no milho, atrás da lousa. Mas havia um fato que, na condição de mestra e também como pessoa, a enchia de alegria, um fato maravilhoso que descobrira uns dias antes, casualmente.

E aqui ela parou, como se as palavras não lhe bastassem ou como se quisesse ensinar à mãe de Lila e a nós que quase sempre, mais que as palavras, são os fatos que contam. Pegou um pedaço de giz e escreveu no quadro-negro (agora já não lembro o quê, eu ainda não sabia ler: portanto invento a palavra) *sol*. Então perguntou a Lila:

"Cerullo, o que está escrito aqui?"

Na sala fez-se um silêncio cheio de curiosidade. Lila deu um meio sorriso, quase uma careta, e se jogou de lado, em cima de sua colega de banco, que deu muitos sinais de irritação. Depois leu em tom emburrado:

"Sol."

Nunzia Cerullo olhou a professora e seu olhar era incerto, quase assustado. A princípio, a professora Oliviero pareceu não entender como era possível que naqueles olhos de mãe não houvesse o mesmo entusiasmo dos seus. Mas depois deve ter intuído que Nunzia não sabia ler, ou que de todo modo não estava segura de que no quadro-negro estivesse mesmo escrito *sol*, e franziu as sobrancelhas. Assim, um pouco para esclarecer a situação para a mãe, um pouco para elogiar nossa colega, disse a Lila:

"Muito bem, está escrito *sol*."

Em seguida ordenou:

"Venha, Cerullo, venha ao quadro."

Lila foi ao quadro de má vontade, e a professora lhe estendeu o giz.

"Agora escreva: *giz*.", disse.

Muito concentrada, com uma grafia trêmula, pondo as letras numa linha irregular, Lila escreveu: *gis*.

A senhora Oliviero trocou o *s* pelo *z* e a mãe, vendo a correção, disse desolada à filha:

"Você errou."

A professora logo a tranquilizou:

"Não, não, não: Lila precisa se exercitar, isto sim, mas já sabe ler, sabe escrever. Quem lhe ensinou?"

Dona Cerullo disse, de olhos baixos:

"Não fui eu."

"Mas em sua casa ou no prédio há alguém que pode ter ajudado?"

Nunzia fez energicamente um não com a cabeça.

Então a professora se dirigiu a Lila e, com genuína admiração, perguntou-lhe diante de todos nós:

"Quem a ensinou a ler e escrever, Cerullo?"

Cerullo, pequenina, de olhos e cabelos pretos, vestida de avental, com um laço rosa no pescoço e apenas seis anos de idade, respondeu:

"Eu."

7.

Segundo Rino, irmão mais velho de Lila, a menina tinha aprendido a ler por volta dos três anos, olhando as letras e as figuras de seu silabário. Enquanto ele fazia as tarefas, ela se sentava a seu lado na cozinha e aprendia até mais do que ele. Rino tinha quase seis anos a mais que Lila, era um menino corajoso, que brilhava em todas as brincadeiras do pátio e da rua, especialmente no arremesso de pião. Mas ler, escrever, fazer contas, aprender poesias de cor não eram para ele. Com menos de dez anos, o pai, Fernando, começou a levá-lo todos os dias à sua portinha de sapateiro numa viela além da estrada, a fim de ensinar-lhe o ofício de fazer meias-solas. Nós, meninas, quando o encontrávamos, farejávamos nele o cheiro de pés sujos, de botina velha, de resina, e debochávamos dele, chamando-o de engraxate. Talvez por isso ele se vangloriasse de estar na origem dos talentos da irmã. Mas na verdade ele nunca teve um silabário, nem nunca se sentara um minuto sequer para fazer as tarefas. Portanto é impossível que Lila tivesse aprendido algo com seus esforços escolares. O mais provável é que tenha compreendido o funcionamento do alfabeto graças às folhas de jornal com que os clientes embrulhavam os sapatos velhos, e que certas vezes o pai levava para casa a fim de ler as notícias mais interessantes para a família.

Seja como for, independentemente de as coisas terem acontecido de um modo ou de outro, o dado real era um só: Lila sabia ler e escrever, e desde aquela manhã cinzenta em que a professora fez sua revelação o que me ficou impresso na mente dessa notícia foi sobretudo um sentimento de fraqueza. A escola, desde o primeiro dia, logo me pareceu um lugar bem mais alegre que minha casa. Era o local do bairro em que eu me sentia mais segura, e ia para lá muito emocionada. Prestava atenção nas aulas, executava com o máximo zelo tudo o que me mandavam fazer, aprendia. Mas acima de tudo gostava de agradar à professora, gostava de agradar a todos. Em casa eu era a preferida de meu pai, e meus irmãos também gostavam de mim. O problema era minha mãe, com ela as coisas nunca iam por um bom caminho. Já na época, quando eu tinha pouco mais de seis anos, tinha a impressão de que ela fazia tudo para me mostrar que eu era supérflua em sua vida. Não tinha simpatia por mim, nem eu por ela. Seu corpo me dava repulsa, o que ela provavelmente intuía. Era alourada, íris azuis, opulenta. Mas tinha o olho direito que nunca se sabia para onde olhava. E a perna esquerda também não funcionava direito, ela a chamava de perna machucada. Mancava, e seu passo me inquietava, especialmente à noite, quando não podia dormir e andava pelo corredor, pela cozinha, voltava atrás, recomeçava. Às vezes a escutava esmagar com golpes raivosos do taco as baratas que chegavam à porta de entrada, e a imaginava com olhos furiosos, como quando implicava comigo.

Com certeza ela não era feliz, os afazeres domésticos a abatiam, e o dinheiro nunca bastava. Irritava-se frequentemente com meu pai, contínuo na prefeitura, gritava-lhe que devia inventar alguma coisa, que assim não era possível seguir adiante. Brigavam. Porém, como meu pai não erguia a voz nem mesmo quando perdia a paciência, eu sempre ficava do lado dele e contra ela, ainda que às vezes ele batesse nela e soubesse ser bastante ameaçador comigo. Foi ele, e não minha mãe, quem me disse no meu primeiro dia de escola: "Lenuccia, seja boa com a professora e nós a manteremos na escola. Mas se não for boa, se não for a melhor, papai precisa de ajuda, e você vai ter de trabalhar". Aquelas palavras me assustaram muito; no entanto, mesmo tendo sido pronunciadas por ele, as senti como se tivessem sido sugeridas por minha mãe, como se ela as tivesse imposto. Prometi a ambos que seria uma boa aluna. E as coisas correram tão bem desde o início, que a professora frequentemente me dizia:

"Greco, sente aqui perto de mim."

Era um grande privilégio. Oliviero sempre tinha a seu lado uma cadeira vazia, para onde convidava as melhores, como prêmio. Nos primeiros tempos, eu sentava a seu lado continuamente. Ela me exortava com muitas palavras encorajadoras, elogiava meus cachinhos louros e assim reforçava minha vontade de fazer bem feito: bem ao contrário de minha mãe, que, quando eu estava em casa, tantas vezes me cobria de críticas, e até de insultos, que eu só queria me meter num canto escuro e esperar que não me achasse nunca mais. Depois aconteceu que dona Cerullo veio até nossa classe, e a professora Oliviero nos revelou que Lila estava muito à frente de nós. Não só: chamou mais vezes a ela que a mim para sentar a seu lado. Não sei dizer o que aquele rebaixamento causava dentro de mim, acho difícil, hoje, dizer com fidelidade e clareza o que senti. De início, talvez não tenha sentido nada, só um pouco de ciúme, como todas nós. Mas o certo é que justo naquele período me surgiu uma preocupação. Pensei que, embora minhas pernas funcionassem bem, eu corria o risco permanente de me tornar manca. Acordava com essa ideia na cabeça e me levantava logo da cama, para ver se minhas pernas ainda estavam em ordem. Talvez por isso me tenha fixado em Lila, que tinha pernas magérrimas, ligeiras, sempre em movimento, balançando-as mesmo quando se sentava ao lado da professora, tanto que esta se irritava e a despachava logo para seu lugar. Algo me convenceu, então, de que se eu caminhasse sempre atrás dela, seguindo sua marcha, o passo de minha mãe, que entrara em minha mente e não saía mais, por fim deixaria de me ameaçar. Decidi que deveria regular-me de acordo com aquela menina e nunca perdê-la de vista, ainda que ela se aborrecesse e me escorraçasse.

## 8.

É provável que essa tenha sido minha maneira de reagir à inveja, ao ódio, e de sufocá-los. Ou talvez tenha disfarçado assim o sentimento de subalternidade, o fascínio que experimentava. Com certeza me adestrei em aceitar de bom grado a superioridade de Lila em tudo, inclusive seus abusos.

Além disso, a professora se comportou de modo muito perspicaz. É verdade que chamava Lila muitas vezes para se sentar a seu lado, mas parecia fazê-lo mais para amansá-la que premiá-la. De fato, continuou a elogiar Marisa Sarratore, Carmela Peluso e sobretudo a mim. Deixou que eu brilhasse à vontade, me encorajou a ser cada vez mais disciplinada, mais diligente, mais aguda. Quando Lila saía de suas turbulências e me superava sem esforço, Oliviero primeiro me elogiava com moderação e depois passava a exaltar a excelência dela. Sentia mais forte o veneno da derrota quando quem me superava eram Marisa e Carmela. Se, ao contrário, eu ficava em segundo, atrás de Lila, fazia uma expressão mansa de consenso. Acho que naqueles anos só temi uma coisa: não ser mais emparelhada a Lila nas hierarquias estabelecidas pela professora, não ouvir mais a Oliviero dizer com orgulho que "Cerullo e Greco são as melhores". Se um dia ela dissesse: "as melhores são Cerullo e Sarratore", ou "Cerullo e Peluso", eu cairia fulminada. Por isso empenhei todas as minhas energias de menina não para me tornar a primeira da classe – coisa que me parecia impossível conseguir –, mas para não deslizar para o terceiro, o quarto, o último lugar. Dediquei-me ao estudo e a muitas outras coisas difíceis, distantes de mim, só para ficar à altura daquela menina terrível e fulgurante.

Fulgurante para mim. Para os outros alunos, Lila era apenas terrível. Da primeira à quinta série ela foi, por culpa do diretor e um pouco também da professora Oliviero, a menina mais detestada da escola e do bairro.

Pelo menos duas vezes ao ano o diretor obrigava as classes a concorrerem entre si, de modo a identificar os alunos mais brilhantes e, assim, os professores mais competentes. Oliviero gostava dessa competição. Em conflito permanente com seus colegas, com os quais às vezes parecia prestes a se atracar, a professora usava Lila e a mim como prova evidente de quanto ela era competente, a melhor professora da escola fundamental do nosso bairro. Por isso acontecia de ela frequentemente nos levar para outras turmas, mesmo sem ser solicitada pelo diretor, para nos fazer disputar com outras crianças, meninas e meninos. Na maioria das vezes, era mandada em ação de reconhecimento para sondar o nível de competência do inimigo. Em geral vencia, mas sem exagerar, sem humilhar professores nem alunos. Eu era uma menina de caracóis louros, bonitinha, feliz de me exibir, mas não insolente, e transmitia uma impressão de delicadeza que enternecia. Então, se me mostrava a melhor em recitar poesias, em dizer a tabuada, em multiplicar e dividir, em pontificar que os Alpes eram Marítimos, Cócios, Graios, Peninos etc., os outros professores terminavam por me afagar, e os colegas percebiam o esforço que eu tinha feito para enfiar na cabeça toda aquela maçaroca, e por isso não me odiavam.

O caso de Lila era diferente. Já na primeira série, estava além de qualquer competição possível. Aliás, a professora dizia que, com um pouco de esforço, ela estaria apta a fazer os exames da segunda e, com menos de sete anos, pular para a terceira série. Com o passar do tempo, o abismo cresceu. Lila fazia mentalmente cálculos complicadíssimos, seus ditados não apresentavam um erro sequer, falava sempre em dialeto como todos nós, mas, quando necessário, exibia um italiano livresco, recorrendo até a palavras como *afeito, exuberante, de bom grado*. De modo que, quando a professora a mandava a campo para explicar os modos e os tempos dos verbos, ou resolver problemas matemáticos, qualquer possibilidade de dissimulação ia pelos ares, e os ânimos se exaltavam. Lila era demais para qualquer um.

Além disso, não concedia brechas à benevolência. Reconhecer sua excelência significava para nós, crianças, admitir que nunca a superaríamos e que era inútil competir; para os mestres e professoras, confessar que foram crianças medíocres. Sua rapidez mental lembrava o sibilo, o bote, a mordida letal. E em seu aspecto não havia nada que agisse de corretivo. Estava sempre desgrenhada, suja, com cascas de ferida nos joelhos e cotovelos que nunca saravam. Os olhos grandes e vivíssimos sabiam se transformar em fissuras atrás das quais, antes de qualquer resposta brilhante, havia um olhar que parecia não só pouco infantil, mas talvez nem humano. Todo movimento dela dizia que fazer-lhe mal não serviria para nada, porque, não importa como as coisas saíssem, ela acharia o modo de fazer ainda pior.

Portanto o ódio era tangível, e eu o percebia. Ela era hostilizada tanto pelas meninas quanto pelos meninos, mas por estes mais abertamente. De fato, por algum motivo secreto, a professora Oliviero gostava de nos levar sobretudo para as classes onde era possível humilhar não tanto alunas e professoras, mas alunos e mestres. E o diretor, por motivos igualmente secretos, favorecia especialmente disputas desse tipo. Em seguida cheguei a pensar que na escola apostavam dinheiro, talvez muito dinheiro, com aqueles nossos encontros. Mas eu estava exagerando: talvez fosse só uma maneira de dar vazão a velhos rancores ou de permitir que o diretor levasse na rédea curta os professores não tão bons ou menos obedientes. O fato é que, certa manhã, nós duas – que na época estávamos na segunda série – fomos levadas simplesmente a uma classe da quarta, a turma do professor Ferraro, onde estavam tanto Enzo Scanno, o filho malvado da verdureira, quanto Nino Sarratore, o irmão de Marisa por quem eu era apaixonada.

Todos conheciam Enzo. Era repetente e, pelo menos umas duas vezes, tinha sido arrastado pelas salas com um cartaz no pescoço onde o professor Ferraro, um homem de cabelos grisalhos cortados à escovinha, comprido e magérrimo, o rosto pequeno e muito marcado, de olhos assustados, tinha escrito *burro*. Já Nino era tão bom, tão dócil, tão silencioso, que era conhecido de todos e querido principalmente por mim. Naturalmente Enzo era um zero à esquerda em matéria de estudos, e ficávamos de olho nele só porque era briguento. Em questão de inteligência, nossos adversários eram Nino e – descobrimos ali, na ocasião – Alfonso Carracci, terceiro filho de dom Achille, um menino muito bem cuidado, também da segunda série, que não parecia ter os sete anos que tinha. Era considerado de fato excelente, e se via que o professor o havia chamado para a quarta série porque confiava mais nele que em Nino, quase dois anos mais velho.

Houve certa tensão entre Oliviero e Ferraro por aquela convocação inesperada de Carracci, mas depois a disputa começou diante das turmas reunidas numa única sala. Fomos questionados sobre os verbos, a tabuada, as quatro operações, primeiro no quadro e depois oralmente. Daquela circunstância especial, três coisas ficaram em minha mente. A primeira é que o pequeno Alfonso Carracci me desbancou logo; ele era calmo e preciso, mas tinha o mérito de não tripudiar do adversário. A segunda é que Nino Sarratore, para surpresa de todos, quase não respondeu às questões, ficou aparvalhado como se não entendesse o que os dois professores perguntavam. A terceira é que Lila enfrentou o filho de dom Achille sem nenhuma vontade, como se não se importasse que o outro pudesse superá-la. A cena só se animou quando passamos aos cálculos de cor, adições, subtrações, multiplicações e divisões. Apesar do desinteresse de Lila, que às vezes ficava calada como se não tivesse escutado a pergunta, Alfonso começou a perder pontos, errava principalmente as multiplicações e divisões. Por outro lado, se o filho de dom Achille cedia, tampouco Lila se mostrava à altura, e os dois pareciam mais ou menos iguais. Mas a certa altura ocorreu um fato imprevisto. Por duas vezes, quando Lila não respondia ou Alfonso errava, se ouviu cheia de desprezo a voz de Enzo Scanno, que, dos últimos bancos, dizia o resultado correto.

Isso estarreceu a classe, os professores, o diretor, Lila e a mim. Como era possível que alguém como Enzo, preguiçoso, incapaz e delinquente, soubesse fazer cálculos complicados melhor que eu, Alfonso Carracci, Nino Sarratore? De repente, Lila pareceu despertar. Alfonso saiu do jogo rapidamente e, com o consentimento orgulhoso do mestre, que mudou de pronto o contendor, teve início um duelo entre Lila e Enzo.

Os dois travaram um longo combate. A certa altura, o diretor se antecipou ao professor e chamou o filho da verdureira à cátedra, ao lado de Lila. Enzo deixou o banco da última fila com risinhos nervosos, dele e de seus seguidores, mas depois ficou ao lado da lousa, diante de Lila, fechado, incomodado. O duelo continuou com cálculos mentais cada vez mais difíceis. O menino dava o resultado em dialeto, como se estivesse na rua e não numa escola, e o professor corrigia sua dicção, mas a cifra era sempre correta. Enzo parecia muito orgulhoso daquele momento de glória, ele mesmo espantado de como era bom. Então começou a ceder, porque Lila acordara definitivamente e agora exibia aqueles olhos de fresta, muito determinados, respondendo com precisão. Por fim Enzo perdeu. Perdeu, mas sem se resignar. Passou aos xingamentos, gritando obscenidades terríveis. O professor o mandou para trás do quadro-negro, de joelhos, mas ele se recusou a ir. Levou bordoadas nos nós dos dedos e foi arrastado pelas orelhas até o canto do castigo. O dia de escola terminou assim.

Mas desde então o bando dos meninos começou a nos atirar pedras.

## 9.

Aquela manhã do duelo entre Lila e Enzo é importante em nossa longa história. Ali se iniciaram muitos comportamentos de árdua decifração. Por exemplo, viu-se com clareza que Lila podia, se quisesse, dosar o uso de suas capacidades. Era isso o que tinha feito com o filho de dom Achille. Não só não quis derrotá-lo, mas também calibrou silêncios e respostas de modo a não ser derrotada. Na época ainda não éramos amigas, e eu não pude perguntar o porquê daquele comportamento. Na verdade não era preciso fazer perguntas, eu era capaz de intuir a razão. Assim como eu, ela também estava proibida de agir mal não só com dom Achille, mas com toda a família dele.

Era assim. Não sabíamos de onde derivava aquele temor-aversão-ódio-complacência que nossos pais manifestavam perante os Carracci e transmitiam a nós, mas ele existia, era um fato assim como o bairro, suas casas desbotadas, o cheiro miserável das escadas, a poeira das ruas. Com toda probabilidade, Nino Sarratore também ficou mudo para permitir que Alfonso desse o melhor de si. Tinha balbuciado umas coisas, bonito, bem penteado, os cílios muito longos, magro e enérgico, e por fim se calara. Para continuar a amá-lo, quis achar que as coisas se deram assim. Mas lá no fundo eu tinha minhas dúvidas. Ele tinha feito uma escolha, como Lila? Não tinha certeza disso. Eu me retirara porque Alfonso era realmente melhor que eu. Lila teria podido derrotá-lo imediatamente, no entanto preferiu ficar empatada. E ele? Houve algo que me confundiu, talvez até magoou: não uma incapacidade dele, nem uma renúncia, mas, hoje eu diria, uma rendição. Aquele balbucio, a palidez, o roxo que de repente lhe comeu os olhos: como estava bonito, tão lânguido, e no entanto como sua languidez me desagradou.

A certa altura Lila também me pareceu belíssima. Em geral a bonita era eu, ela, ao contrário, era seca que nem aliche salgado, emanava um cheiro selvagem, tinha o rosto comprido, estreito nas têmporas, fechado entre duas bandas de cabelos lisos e muito pretos. Porém, quando decidiu deixar para trás tanto Enzo como Alfonso, se iluminou como uma santa guerreira. Subira-lhe um rubor nas faces que era o sinal de uma labareda vinda de cada canto do corpo, tanto que pela primeira vez pensei: Lila é mais bonita que eu. Então eu era a segunda em tudo. E torci para que ninguém jamais percebesse.

Mas o mais importante daquela manhã foi a descoberta de que uma fórmula que usávamos frequentemente para escaparmos das punições guardava algo de verdadeiro e, portanto, de ingovernável e perigoso. A fórmula era: *não fiz de propósito*. De fato Enzo tinha entrado na disputa em curso não de propósito, e não de propósito derrotara Attilio. Lila tinha derrotado Enzo de propósito, mas não de propósito derrotara também Alfonso e não de propósito o humilhara, tinha sido apenas uma passagem necessária. Os fatos resultantes nos convenceram de que convinha fazer tudo de propósito, premeditadamente, de modo a saber o que se devia esperar.

De fato, o que aconteceu em seguida nos atingiu de modo inesperado. Como quase nada tinha sido feito de propósito, desabou sobre nós uma avalanche de coisas inesperadas, uma atrás da outra. Alfonso voltou para casa aos prantos por causa da derrota. Seu irmão Stefano, de catorze anos, aprendiz de salsicheiro na charcutaria (a ex-oficina do marceneiro Peluso) pertencente a seu pai, mas que nunca punha os pés ali, no dia seguinte veio à escola e disse coisas terríveis a Lila, chegando a ameaçá-la. A certa altura ela lhe disse um insulto muito obsceno, e ele a empurrou contra um muro e tentou agarrar sua língua, gritando que a furaria com uma agulha. Lila voltou para casa e contou tudo a seu irmão Rino, que ficou cada vez mais vermelho e com olhos faiscantes enquanto ela falava. Nesse meio tempo Enzo, enquanto voltava à noite para casa sem seu bando, foi barrado por Stefano e surrado com tapas, socos e pontapés. De manhã, Rino foi procurar Stefano e ambos se pegaram, batendo e apanhando de modo mais ou menos paritário. Dias depois, a mulher de dom Achille, tia Maria, bateu na porta dos Cerullo e ofendeu Nunzia com uma cena de berros e insultos. Passou pouco tempo e, num domingo, após a missa, Fernando Cerullo, o sapateiro, pai de Lila e de Rino, um homem pequeno, magérrimo, aproximou-se timidamente de dom Achille e lhe pediu desculpas, sem entretanto dizer por que se desculpava. Eu não vi, ou pelo menos não me lembro de ter visto, mas se disse que as desculpas foram feitas em alto e bom som, de modo que todos ouvissem, embora dom Achille tivesse seguido em frente como se o sapateiro não falasse com ele. Pouco tempo depois, eu e Lila ferimos Enzo no tornozelo com uma pedra, e Enzo atirou uma pedra que atingiu Lila na cabeça. Enquanto eu gritava de medo e Lila se reerguia com o sangue a escorrer por baixo dos cabelos, Enzo desceu para o descampado também sangrando e, ao ver Lila naquele estado, de modo totalmente imprevisível e incompreensível para nós, começou a chorar. Logo em seguida Rino, o irmão adorado de Lila, chegou à escola e aplicou vários tabefes em Enzo, que mal se defendeu. Rino era maior, mais velho e mais motivado. Não só: Enzo não disse nada sobre a surra que levou, nem a seu bando, nem à mãe, nem ao pai, nem aos irmãos e primos, que trabalhavam todos no campo e vendiam frutas e verduras com o carreto. Naquela altura, graças a ele, as vinganças pararam.

## 10.

Por certo tempo Lila circulou orgulhosamente com a cabeça enfaixada. Depois tirou as bandagens e mostrou a quem quisesse ver a ferida preta, avermelhada nas bordas, que despontava da testa sob a linha dos cabelos. Por fim se esqueceu do que lhe acontecera e, se alguém olhasse fixo para a marca esbranquiçada que ficou em sua pele, ela fazia um gesto agressivo como a dizer: o que está olhando, vá cuidar de sua vida. A mim nunca disse nada, nem sequer uma palavra de agradecimento pelas pedras que lhe passei ou por eu ter enxugado seu sangue com a barra do meu avental. Mas desde aquele momento ela começou a submeter-me a provas de coragem que já não tinham nada a ver com a escola.

A gente passou a se encontrar no pátio com frequência cada vez maior. Mostrávamos nossas bonecas, mas sem dar na vista, uma perto da outra, como se estivéssemos sós. A certo ponto experimentamos colocá-las em contato, para ver se se davam bem. E assim veio o dia em que estávamos próximas da abertura do porão com a grade descolada e fizemos uma troca, ela ficou um pouco com minha boneca e eu com a dela, e Lila de repente fez Tina passar pela abertura na grade e a deixou cair.

Senti uma dor insuportável. Considerava minha boneca de plástico a coisa mais preciosa que eu tinha. Sabia que Lila era uma menina malvada, mas nunca esperei que me fizesse uma coisa tão cruel. Para mim a boneca tinha vida, saber que ela estava no fundo de um porão, em meio aos mil animais que viviam ali, me deixou desesperada. Mas naquela ocasião aprendi uma arte que mais tarde aperfeiçoei bastante. Contive o desespero, contive-o na borda dos olhos brilhantes, tanto que Lila me disse em dialeto:

"Você não se importa?"

Não respondi. Experimentava uma dor violentíssima, mas sentia que pior ainda teria sido brigar com ela. Estava como estrangulada entre dois sofrimentos, um já em ato, a perda da boneca, e outro possível, a perda de Lila. Não disse nada, fiz apenas um gesto sem despeito, como se fosse natural, embora natural não fosse e eu soubesse que estava me arriscando muito. Limitei-me a jogar no porão sua Nu, a boneca que ela acabara de me dar.

Lila me olhou incrédula.

"O que você fizer, eu também faço", declarei logo em voz alta, assustadíssima.

"Agora vá buscá-la."

"Só se você for buscar a minha."

Fomos juntas. Na entrada do edifício, à esquerda, estava o portãozinho que conduzia ao subsolo, o conhecíamos bem. Bamba como era – uma das folhas se sustentava numa única dobradiça –, a porta estava bloqueada por uma corrente que mal e mal prendia as duas tábuas. Toda criança era tentada e ao mesmo tempo aterrorizada pela possibilidade de forçar a portinha aquele tanto que tornaria possível passar para o outro lado. Nós fizemos isso. Conseguimos abrir um espaço suficiente para que nossos corpos delgados e flexíveis se esgueirassem para o porão.

Uma vez ali dentro, primeiro Lila, depois eu, descemos por cinco degraus de pedra a um local úmido, mal iluminado pelas poucas aberturas ao nível da rua. Eu estava com medo, tentei seguir atrás de Lila, que no entanto parecia furiosa e ia decidida a recuperar sua boneca. Avancei tateando. Sentia sob a sola das sandálias objetos que estalavam, vidro, pedrisco, insetos. Em torno havia coisas não identificáveis, massas escuras, pontiagudas, quadradas ou arredondadas. A escassa luz que atravessava o escuro às vezes caía em coisas reconhecíveis: o esqueleto de uma cadeira, a haste de um lampadário, caixas para frutas, fundos e laterais de armários, gonzos de ferro. Levei um grande susto ao ver o que me pareceu uma cara flácida com grandes olhos de vidro, que se alongava num queixo em forma de caixa. Topei com ela pendurada numa geringonça de madeira, com uma expressão desolada, e gritei, apontando-a para Lila. Ela se virou num instante, se aproximou devagar de costas para mim, avançou a mão com cautela e a tirou da geringonça. Depois se voltou. Pôs a cara de olhos de vidro sobre a sua e agora exibia um rosto enorme, órbitas redondas sem pupilas, nada de boca, só aquela queixada preta balançando em seu peito.

Foram instantes que me ficaram bem impressos na memória. Não tenho certeza, mas devo ter dado um verdadeiro grito de horror, porque ela se apressou em dizer com voz retumbante que era apenas uma máscara, uma máscara antigás: seu pai a chamava assim, tinha uma idêntica no depósito de casa. Continuei gemendo e tremendo de medo, o que evidentemente a convenceu a tirá-la do rosto e jogá-la num canto com estrondo e muita poeira, que se adensou entre as línguas de luz das claraboias.

Fiquei calma. Lila olhou ao redor e localizou a abertura de onde deixamos cair Tina e Nu. Fomos para perto da parede áspera, grumosa, olhamos na sombra. As bonecas não estavam lá. Lila repetia em dialeto: não estão aqui, não estão aqui, não estão aqui, e apalpava o piso com as mãos, coisa que eu não tinha coragem de fazer.

Foram minutos intermináveis. Por um momento achei que tivesse visto Tina e, com um sobressalto no coração, me abaixei para pegá-la, mas era só uma velha folha amassada de jornal. Não estão aqui, repetiu Lila, e se afastou para a entrada. Então me senti perdida, incapaz de ficar ali sozinha e continuar a busca, incapaz de ir embora com ela sem antes ter encontrado a boneca.

Do alto dos degraus ela disse:

"Foi dom Achille quem as roubou e enfiou na bolsa preta."

Naquele mesmo instante senti dom Achille: deslizando, se arrastando entre as formas indistintas das coisas. Então abandonei Tina à própria sorte e escapei para não me perder de Lila, que já se dobrava ágil, passando pela porta escangalhada.

## 11.

Acreditava em tudo o que ela me dizia. Ficou na minha memória a massa informe de dom Achille a correr por canais subterrâneos com os braços arriados, segurando nos dedos grossos a cabeça de Nu, de um lado, e a de Tina, do outro. Sofri muito. Caí de febre, fiquei boa, piorei de novo. Fui tomada por uma espécie de disfunção tátil, às vezes tinha a impressão de que, enquanto cada ser animado à minha volta acelerava os ritmos de sua vida, as superfícies sólidas se tornavam moles sob meus dedos ou inflavam, deixando espaços vazios entre sua massa interna e a camada da superfície. Achei que meu próprio corpo, ao apalpá-lo, estivesse intumescido, e isso me entristecia. Estava convencida de que tinha bochechas de balão, mãos cheias de serragem, os lóbulos das orelhas parecendo sorvas maduras, pés em forma de batata. Quando voltei a andar nas ruas e na escola, senti que até o espaço tinha mudado. Parecia encerrado entre dois polos escuros, de um lado a bolha de ar subterrânea que pressionava na raiz das casas a turva caverna na qual as bonecas tinham caído; de outro, o globo suspenso, no quarto andar do prédio onde morava dom Achille, que as havia roubado. As duas esferas estavam como atarraxadas nas extremidades de uma barra de ferro, que em minha imaginação atravessava obliquamente os apartamentos, as ruas, o campo, o túnel, os trilhos, e os compactava. Eu me sentia pressionada naquele torniquete, em meio à massa de coisas e de pessoas de todos os dias, e tinha um gosto ruim na boca, uma sensação permanente de náusea que me abatia, como se o todo, assim comprimido, cada vez mais apertado, me esmagasse, reduzindo-me a uma papa repugnante.

 Foi um mal-estar persistente, que durou talvez alguns anos, até depois da primeira adolescência. Mas justamente quando ele estava começando, sem que eu esperasse, recebi minha primeira declaração de amor.

 Eu e Lila ainda não tínhamos tentado subir até o apartamento de dom Achille, o luto pela perda de Tina ainda era insuportável. Eu tinha ido de má vontade comprar pão. Eram ordens de minha mãe, e eu estava voltando para casa com o troco bem apertado no punho para não perdê-lo, e o pacote ainda quente contra o peito, quando percebi que atrás de mim se aproximava Nino Sarratore, trazendo o irmãozinho pela mão. A mãe, Lidia, o fazia sair de casa nos dias de verão sempre na companhia de Pino, que na época não tinha mais que cinco anos, com a obrigação de nunca se afastar dele. Quando chegamos perto de uma esquina, pouco depois da charcutaria dos Carracci, Nino fez que ia passar à minha frente, mas em vez disso cortou meu caminho, me empurrou contra o muro, apoiou a mão livre na parede como uma barra impedindo minha passagem e, com a outra, puxou para si o irmão, testemunha silenciosa de seus atos. Disse todo ansioso algo que não entendi. Estava pálido, primeiro sorriu, depois ficou sério, então voltou a sorrir. Por fim escandiu no italiano da escola:

"Quando a gente for grande, quero me casar com você."

Depois me perguntou se nesse meio tempo eu não queria namorar com ele. Era um pouco mais alto que eu, magérrimo, o pescoço comprido, as orelhas meio de abano. Tinha cabelos rebeldes, olhos intensos de longos cílios. Era comovente o esforço que fazia para conter a timidez. Embora eu também quisesse casar com ele, me veio de responder:

"Não, não posso."

Ele ficou de boca aberta, e Pino lhe deu um puxão. Eu fui embora.

Desde aquele momento, comecei a me desviar todas as vezes que o avistava. E no entanto ele me parecia lindo. Quantas vezes fiquei rondando sua irmã Marisa só para estar perto dele e fazermos, todos juntos, o caminho de volta para casa. Mas evidentemente ele me fez a declaração no momento errado. Não podia saber quanto eu me sentia perdida, a angústia que me dava o desaparecimento de Tina, como me consumia o esforço de estar sempre atrás de Lila, a que ponto me sufocava o espaço restrito do pátio, dos prédios, do bairro. Depois de muitos olhares longos e assustados que me lançava de longe, ele também começou a me evitar. Por um tempo tive medo de que ele dissesse às outras meninas, especialmente à irmã, a proposta que me havia feito. Sabia-se que Gigliola Spagnuolo, a filha do confeiteiro, se comportara assim quando Enzo a pedira em namoro. E Enzo soube disso e se chateou, gritara na saída da escola que ela era uma mentirosa, até ameaçou matá-la com uma faca. Também tive a tentação de contar tudo o que acontecera, mas depois deixei pra lá, não disse nada a ninguém, nem a Lila, quando nos tornamos amigas. Aos poucos eu mesma me esqueci.

A coisa me voltou à mente quando, tempos depois, toda a família Sarratore se mudou de lá. Numa manhã apareceu no pátio a carroça e o cavalo que pertenciam ao marido de Assunta, Nicola, que, com a mesma carroça e o mesmo cavalo, vendia com a mulher frutas e verduras pelas ruas do bairro. Nicola tinha um belo rosto largo, com os mesmos olhos azuis e o mesmo cabelo loiro do filho Enzo. Além de vender frutas e verduras, também trabalhava com fretes. E assim ele, Donato Sarratore, o próprio Nino e até Lidia começaram a levar tudo para baixo, bugigangas de todo tipo, colchões, móveis, ajeitando cada peça na carroça.

Assim que ouviram o barulho das rodas no pátio, as mulheres – até minha mãe, até eu – correram todas para as janelas. Havia uma grande curiosidade. Parece que Donato tinha recebido uma casa nova diretamente das Ferrovias do Estado, situada nos arredores de uma praça que se chamava Piazza Nazionale. Ou então – disse minha mãe – a mulher o obrigara a se mudar para escapar às perseguições de Melina, que queria roubar-lhe o marido. É provável. Minha mãe sempre via o mal ali onde, para minha irritação, cedo ou tarde se descobria que o mal de fato estava, e seu olho estrábico parecia feito precisamente para identificar os movimentos secretos do bairro. Como Melina reagiria? Era verdade, como eu ouvira sussurrar, que ela tinha ficado grávida de Sarratore e depois mandara matar o bebê? E seria possível que ela se metesse a gritar coisas horríveis, inclusive esta? Todas nós, meninas e adultas, estávamos nas janelas, quem sabe para dar adeus com as mãos à família que partia, quem sabe para assistir ao espetáculo de raiva daquela mulher feia, seca e viúva. Vi que Lila e sua mãe, Nunzia, também se espichavam para ver.

Busquei o olhar de Nino, mas ele parecia ocupado com outras coisas. Então, como sempre sem um motivo preciso, fui tomada de um esgotamento que enfraquecia tudo à minha volta. Pensei que talvez ele só tivesse se declarado porque já sabia que estava de partida e, antes disso, queria me dizer o que sentia por mim. Fiquei olhando enquanto ele ia e vinha, transportando caixas cheias de tralhas, e senti culpa, uma dor por ter dito não. Agora ele ia embora feito um passarinho.

Por fim a procissão de móveis e objetos cessou. Matteo e Donato começaram a passar cordas para prender tudo à carroça. Lidia Sarratore apareceu vestida como se fosse a uma festa, pôs até um chapeuzinho de verão, de palha azul. Empurrava um carrinho com o filho menor e, ao lado, trazia as duas meninas: Marisa, que tinha minha idade, oito pra nove anos; e Clelia, de seis. De repente, ouviu-se um barulho de coisas quebradas no terceiro andar. Quase no mesmo instante Melina começou a gritar. Eram gritos de tanto desespero que eu vi Lila tapando os ouvidos. Ouviu-se também a voz muito sofrida de Ada, a segunda filha de Melina, que gritava: mamãe, não, mamãe! Após um lapso de incerteza, eu também tapei os ouvidos. Mas nesse meio tempo começaram a voar objetos da janela, e minha curiosidade foi tanta que destapei os tímpanos, como se precisasse de sons nítidos para compreender. Mas Melina não gritava palavras, apenas aaah, aaah, como se estivesse ferida. Não era possível vê-la, dela não se entrevia sequer um braço ou uma mão a lançar as coisas. Panelas de cobre, copos, garrafas e pratos pareciam voar da janela por vontade própria, e na rua Lidia Sarratore se esgueirava cabisbaixa, o corpo curvado sobre o carrinho, as filhas atrás, e Donato trepava sobre a carroça entre seus bens,

A AMIGA GENIAL   53

e dom Nicola segurava o cavalo pela rédea, enquanto as coisas se espatifavam no asfalto, quicavam, se espedaçavam lançando lascas entre as patas nervosas do animal. Procurei Lila com o olhar. Agora topei com outro rosto, um rosto atordoado. Deve ter notado que eu a olhava e logo escapuliu da janela. A carroça se moveu. Beirando o muro, sem se despedir de ninguém, também Lidia e os três filhos se retiraram rumo ao portão, enquanto Nino parecia sem vontade de ir embora, como hipnotizado pelo desperdício dos objetos frágeis contra o asfalto.

Por último vi voar da janela uma espécie de mancha negra. Era um ferro de passar, ferro maciço: alça de ferro, base de ferro. Quando Tina ainda estava comigo e eu brincava em casa, usava o ferro de minha mãe, idêntico, em formato de proa, fingindo que era um barco na tempestade. O objeto veio abaixo e fez um buraco no chão com um baque seco, a poucos metros de Nino. Por pouco – pouquíssimo – não o matou.

## 12.

Nunca nenhum menino declarou seu amor a Lila, e ela jamais me disse se sofreu com isso. Gigliola Spagnuolo recebia seguidamente propostas de namoro, e eu também era muito solicitada. Já Lila não agradava muito, porque era um espeto, suja e sempre com alguma ferida, mas também porque tinha a língua afiada, inventava apelidos humilhantes e, mesmo ostentando com a professora palavras da língua italiana que ninguém conhecia, com a gente só falava num dialeto cortante, cheio de palavrões, que exterminava no nascedouro qualquer sentimento de amor. Apenas Enzo fez algo que, se não era exatamente uma proposta de namoro, era de todo modo um sinal de admiração e de respeito. Bem depois de quebrar sua cabeça com a pedrada e antes, acho, de ser recusado por Gigliola

Spagnuolo, ele nos seguiu pela rua e, sob meus olhos incrédulos, estendeu a Lila uma coroa de sorvas silvestres.
"E o que eu faço com isto?"
"Come."
"Verdes?"
"Espere amadurecer."
"Não quero."
"Jogue fora."
Simples assim. Enzo virou as costas e correu para trabalhar. Eu e Lila ficamos rindo. Conversávamos pouco, mas para cada coisa que nos acontecia tínhamos uma risada. Apenas lhe disse, em tom de brincadeira:
"Bem que eu gosto de sorvas silvestres."
Era mentira, eu não gostava nem um pouco de sorva. O que me atraía era a cor vermelho-amarelada de quando ainda não estavam maduras, a resplandecente solidez que exibiam nos dias de sol. No entanto, quando elas amadureciam nos balcões e ficavam marrons e moles como pequenas peras passadas, quando sua pele se soltava facilmente, mostrando uma polpa granulosa de gosto que não chegava a ser ruim, mas se decompunha de um jeito que me lembrava a carcaça dos ratos ao longo da estrada, aí eu nem tocava nelas. Disse aquela frase quase como um teste, esperando que Lila as estendesse para mim: tome, pode ficar. Senti que, se ela me tivesse dado o presente que Enzo lhe ofereceu, eu ficaria mais contente do que se me desse uma coisa sua. Mas ela não fez isso, e ainda lembro a impressão de traição quando as levou para casa. Ela mesma pôs um prego na janela, e eu a vi enquanto pendurava a coroa.

# 13.

Enzo nunca mais lhe deu presentes. Após o desentendimento com Gigliola, que falara a todos da declaração que ele lhe fizera, o encontrávamos cada vez menos. Mesmo tendo se mostrado excelente em cálculos de cabeça, era muito desinteressado, de modo que o professor não o sugeriu para o exame de admissão, e ele não se lamentou por isso, ao contrário, ficou contente. Inscreveu-se na escola de aprendizes, mas de fato já trabalhava com os pais. Acordava cedíssimo para acompanhar o pai ao mercado de frutas e verduras ou circular com a carroça, vendendo pelo bairro os produtos do campo, e em pouco tempo deixou a escola.

Quanto a nós, quando estávamos para terminar a quinta série, nos comunicaram que estávamos aptas a continuar os estudos. A professora chamou separadamente meus pais, os de Gigliola e os de Lila para lhes dizer que devíamos absolutamente prestar não só os exames do nível fundamental, mas também a prova de admissão na escola média. Fiz de tudo para que meu pai não mandasse minha mãe – claudicante, com o olho estrábico e acima de tudo sempre raivosa – a essa reunião com a professora, que viesse ele mesmo, que era contínuo e conhecia os modos de gentileza. Não consegui. Ela foi, falou com a professora e voltou de cara amarrada.

"A professora quer dinheiro. Diz que precisa dar aulas extras a ela porque a prova é difícil."

"Mas para que serve essa prova?", perguntou meu pai.

"Para que ela estude latim."

"E para quê?"

"Porque disseram que ela é boa."

"Mas, se é assim, por que a professora precisa dessas aulas particulares?"

"Porque assim ela fica numa boa, e a gente, na pior."

Discutiram muito. No início minha mãe era contra, e meu pai

se mostrava duvidoso; depois meu pai se tornou cautelosamente favorável, e minha mãe se resignou a ser um pouco menos contrária; por fim ambos decidiram que eu prestaria a prova, mas com a condição de que, se eu não me saísse muitíssimo bem, eles me tirariam imediatamente da escola.

Já os pais de Lila disseram que não. Nunzia Cerullo até fez algumas tentativas tímidas, mas o pai nem quis discutir o assunto, aliás, chegou a dar uma bofetada em Rino por contrariá-lo. Os pais nem sequer queriam ir à reunião, mas a professora fez com que o diretor os convocasse, e então Nunzia teve de ir. Diante da acanhada mas firme negativa de Nunzia, a senhora Oliviero, sisuda mas calma, mostrou-lhe redações maravilhosas, soluções brilhantes de problemas matemáticos e até desenhos muito coloridos que encantavam a todos da classe, os quais Lila fazia com os pastéis Giotto que ela furtava aqui e ali, traçando com grande realismo princesas cheias de belos penteados, joias, vestidos e sapatos nunca vistos em nenhum livro, nem no cinema da paróquia. No entanto, quando ela insistiu na recusa, Oliviero perdeu a paciência e arrastou a mãe de Lila até o diretor, como se fosse uma aluna indisciplinada. Mas Nunzia não podia ceder, não tinha a permissão do marido. Consequentemente, repetiu não até o esgotamento – dela, da professora e do diretor.

No dia seguinte, enquanto íamos à escola, Lila me disse com seu tom habitual: seja como for, vou fazer a prova de qualquer jeito. Acreditei nela, proibi-la de uma coisa era inútil, todos sabíamos. Parecia mais forte que todas as meninas, mais forte que Renzo, que Alfonso, que Stefano, mais forte que o irmão Rino, mais forte que nossos pais, mais forte que todos os adultos, inclusive a professora e os *carabinieri*, que podiam nos botar na cadeia. Apesar de frágil no aspecto, qualquer proibição perdia consistência diante dela. Ela sabia como passar dos limites sem nunca sofrer realmente as consequências por isso. Ao final as pessoas cediam e, mesmo a contragosto, se viam forçadas a elogiá-la.

## 14.

Ir à casa de dom Achille também era proibido, mas ela decidiu ir assim mesmo, e eu a acompanhei. Aliás, foi naquela ocasião que me convenci de que nada podia detê-la, e cada desobediência sua encontrava saídas incríveis, de tirar o fôlego.

Queríamos que dom Achille nos devolvesse nossas bonecas. Por isso avançamos pelas escadas, eu, a cada degrau, a ponto de dar meia-volta e retornar ao pátio. Ainda sinto a mão de Lila agarrada à minha, e gosto de pensar que se decidiu a isso não só por intuir que eu não teria coragem de prosseguir até o último andar, mas também porque ela mesma, com aquele gesto, buscava a força de ânimo para continuar. Assim, uma ao lado da outra, eu do lado do muro, ela, do lado do parapeito, as mãos estreitas nas palmas suadas, subimos os últimos lances. Em frente à porta de dom Achille meu coração batia aos pulos, podia senti-lo nos ouvidos, mas me consolei pensando que também fosse o som do coração de Lila. Do apartamento nos chegavam vozes, talvez de Alfonso, de Stefano ou de Pinuccia. Após uma longa pausa diante da porta, Lila girou a chave da campainha. Houve um silêncio, e depois o rumor de passos. Dona Maria nos abriu a porta, com um roupão verde desbotado. Quando falou, vi em sua boca um dente de ouro muito brilhante. Achou que estivéssemos procurando por Alfonso, estava um tanto espantada. Lila lhe disse em dialeto:

"Não, nós queremos falar com dom Achille."
"Pode falar comigo."
"Precisamos falar com ele."
A mulher gritou:
"Achíiii!"

Outro rumor de passos. Da penumbra surgiu uma figura atarracada. Tinha o busto comprido, as pernas curtas, braços que desciam até os joelhos e o cigarro na boca, com a brasa acesa. Perguntou rouco:

"Quem é?"

"A filha menor do sapateiro, com a filha de Greco."

Dom Achille veio à luz e, pela primeira vez, o vimos bem. Nenhum mineral, nenhuma centelha de vidros. O rosto era de carne, comprido, e os cabelos se eriçavam só sobre as orelhas, o centro da cabeça era todo brilhante. Tinha olhos luminosos, com o branco rajado de veios vermelhos, a boca larga e fina, o queixo grande com uma fossa no centro. Pareceu-me feio, mas não tanto quanto imaginava.

"E então?"

"As bonecas", disse Lila.

"Que bonecas?"

"As nossas."

"Aqui não estamos interessados em suas bonecas."

"O senhor as pegou lá no porão."

Dom Achille se virou e gritou aos que estavam dentro de casa: "Pinu, você pegou a boneca da filha do sapateiro?"

"Eu não."

"Alfó, foi você quem pegou?"

Risadas.

Então Lila falou firme, nem sei de onde vinha toda aquela coragem.

"Foram vocês que pegaram, nós vimos."

Houve um momento de silêncio.

"Vocês, eu?", perguntou dom Achille.

"Sim, e depois as botou em sua bolsa preta."

Ao ouvir aquelas últimas palavras, o homem franziu o cenho, irritado.

Eu não podia acreditar que estávamos ali, diante de dom Achille, Lila falando daquele jeito e ele a fixando, perplexo, enquanto ao fundo se entrevia Alfonso, Stefano, Pinuccia e tia Maria pondo a mesa do jantar. Não podia acreditar que ele fosse uma pessoa comum, um tanto baixo, um tanto calvo, um tanto desproporcionado, mas comum. Por isso esperava que a qualquer momento se transformasse.

Dom Achille repetiu, como se quisesse entender bem o sentido das palavras:

"Eu peguei as bonecas de vocês e as coloquei na bolsa preta?"

Percebi que ele não estava chateado, mas de repente ficou triste, como se tivesse a confirmação de algo que já sabia. Disse alguma coisa em dialeto que não entendi, e Maria gritou:

"Achíiii, está pronto."

"Estou indo."

Dom Achille levou a mão grande e larga ao bolso de trás da calça. Nós nos apertamos as mãos com força, esperando que ele sacasse uma faca. Em vez disso, tirou a carteira, abriu, olhou dentro e deu a Lila algum dinheiro, não lembro quanto.

"Comprem as bonecas", disse.

Lila agarrou o dinheiro e me arrastou pelas escadas. Ele resmungou, à beira do parapeito:

"E lembrem que fui eu que dei de presente."

Respondi em italiano, atenta para não tropeçar nos degraus:

"Boa noite e bom apetite."

15.

Logo depois da Páscoa, Gigliola Spagnuolo e eu começamos a frequentar a casa da professora para nos preparar para o exame de admissão. A professora morava bem ao lado da paróquia da Sagrada Família, suas janelas davam para o jardinzinho e dali se avistavam, além dos campos cerrados, os postes da ferrovia. Gigliola passava debaixo de minha janela e me chamava. Eu já estava pronta e saía correndo. Gostava daquelas aulas particulares, duas por semana, acho. Ao final da lição, a professora nos oferecia docinhos secos em forma de coração e uma soda.

Lila nunca apareceu, seus pais não tinham aceitado pagar à professora. Mas ela, visto que agora estávamos bem animadas, continuou me dizendo que prestaria o exame e passaria para a escola média e seria minha colega de turma.

"E os livros?"

"Você empresta para mim."

Enquanto isso, com o dinheiro de dom Achille, comprou um romance: *Mulherzinhas*. Resolveu comprá-lo porque já o conhecia e gostara bastante dele. Na quarta série, a professora Oliviero nos tinha dado, às melhores alunas, alguns livros para ler. Ela recebeu o *Mulherzinhas*, com a seguinte frase de acompanhamento: "Este é para as maiores, mas já serve para você"; já eu fiquei com o *Coração*, sem nem mesmo uma palavra que me explicasse de que se tratava. Lila acabou lendo tanto *Mulherzinhas* quanto *Coração*, num tempo brevíssimo, e dizia que não tinha comparação, segundo ela *Mulherzinhas* era lindo. Eu não consegui terminá-lo, e com muito esforço acabei de ler *Coração* no prazo que a professora estabeleceu para a devolução. Eu era uma leitora lenta, e ainda sou assim. Quando Lila teve de devolver o livro à professora, queixou-se de não poder reler *Mulherzinhas* seguidamente e de não poder discuti-lo comigo. Mas numa manhã ela se decidiu. Chamou-me da rua, fomos ao pântano onde tínhamos enterrado numa caixa de metal o dinheiro dado por dom Achille, o metemos no bolso e fomos perguntar a Iolanda, a dona da papelaria que há séculos expunha na vitrine um exemplar de *Mulherzinhas* amarelado pelo sol, se o que tínhamos dava. Dava. Assim que nos vimos proprietárias do livro, começamos a nos encontrar no pátio para lê-lo, em silêncio ou em voz alta. Durante meses o lemos, e tantas vezes que o livro ficou sujo, desconjuntado, perdeu a lombada, começou a desfiar, a desfazer-se em cadernos. Mas era o nosso livro, e o amamos muito. Eu era sua guardiã, mantinha-o em casa entre os livros da escola, porque Lila não se sentia segura de guardá-lo na casa dela. Nos últimos tempos, o pai se enfurecia só de flagrá-la na leitura.

Rino, por sua vez, a protegia. Quando houve o caso do exame de admissão, ele e o pai se desentenderam sem parar. Na época Rino tinha uns dezesseis anos, era um rapaz muito enérgico e tinha começado sua batalha para ser pago pelo trabalho que fazia. Seu raciocínio era: acordo às seis; vou para a loja e trabalho até as oito da noite; quero um salário. Mas aquelas palavras escandalizavam tanto o pai quanto a mãe. Rino tinha uma cama para dormir, um prato para comer, por que queria dinheiro? Sua tarefa era ajudar a família, não empobrecê-la. Mas o rapaz insistia, achava injusto labutar como o pai e não receber um centavo. Quando chegavam a esse ponto, Fernando Cerullo lhe respondia com aparente paciência: "Eu já o pago, Rino, pago generosamente ensinando o ofício por completo; em breve você vai saber não só reformar os saltos e as bordas ou pôr meia-sola; tudo o que seu pai sabe está passando a você, e logo você vai ser capaz de fazer um sapato inteiro, como manda o figurino". Mas aquele pagamento à base de instrução não bastava a Rino, e então eles discutiam, especialmente no jantar. Começavam falando de dinheiro e terminavam brigando por causa de Lila.

"Se você me pagar, eu me encarrego dos estudos dela", dizia Rino.

"Estudar? Para quê? Por acaso eu estudei?"

"Não"

"E você? Estudou?"

"Não."

"Então por que sua irmã, que é mulher, precisa estudar?"

A coisa quase sempre terminava com um tapa na cara de Rino, que de um modo ou de outro, mesmo sem querer, tinha desrespeitado o pai. Sem chorar, o rapaz pedia desculpa de má vontade.

Lila se calava nessas discussões. Ela nunca me disse, mas fiquei com a impressão de que, ao passo que eu odiava minha mãe

– e a odiava de verdade, profundamente –, ela, apesar de tudo, não queria mal ao pai. Dizia que ele era cheio de gentilezas, dizia que, quando ele precisava fazer contas, pedia a ela, dizia que o ouvira falar aos amigos que sua filha era a pessoa mais inteligente do bairro, dizia que, quando era seu dia onomástico, ele mesmo lhe levava chocolate quente e biscoitos na cama. Mas não tinha jeito, para ele era inconcebível que a filha continuasse estudando. E era inconcebível até por sua situação econômica: a família era numerosa, todos sobreviviam com o que dava a lojinha, inclusive as duas irmãs solteiras de Fernando, inclusive os pais de Nunzia. Por isso o assunto dos estudos batia como numa espécie de muro, e no fim das contas a mãe tinha a mesma opinião. Somente o irmão pensava de outro modo e enfrentava corajosamente o pai. E Lila, por motivos que eu não conseguia entender, se mostrava segura de que Rino venceria a batalha: ganharia um salário e a mandaria para a escola com o próprio dinheiro.

"Se for preciso pagar uma taxa, ele paga para mim", me explicava.

Estava certa de que o irmão também lhe daria dinheiro para os livros didáticos e até para as canetas, o estojo, os lápis de cor, o atlas, o avental e a fita. Ela o adorava. Dizia que, depois de terminar os estudos, queria ganhar muito dinheiro só para fazer de seu irmão a pessoa mais rica do bairro.

Naquele último ano da escola fundamental, a riqueza se tornou nossa ideia fixa. Falávamos dela como nos romances se fala de uma caça ao tesouro. Dizíamos: quando ficarmos ricas, faremos isso e aquilo. Quem nos ouvia achava que a riqueza estivesse escondida em algum canto do bairro, dentro de arcas que, ao serem abertas, chegavam a reluzir, só à espera de que as descobríssemos. Depois, não sei por que, as coisas mudaram e começamos a associar o estudo ao dinheiro. Pensávamos que estudar muito nos levaria a escrever livros, e que os livros nos tornariam ricas. A riqueza era sempre um brilho de moedas de ouro trancadas em cofres inumeráveis, mas para alcançá-la bastava estudar e escrever um livro.

"Vamos escrever um, nós duas", disse Lila certa vez, e a coisa me encheu de alegria.

Talvez a ideia tenha ganhado corpo quando ela descobriu que a autora de *Mulherzinhas* ficou tão rica que deu uma parte de sua fortuna à família. Mas não tenho certeza. Pensamos sobre o assunto, eu disse que podíamos começar logo depois do exame de admissão. Ela concordou, mas não soube resistir. Enquanto eu tinha muito o que estudar, inclusive por causa das aulas vespertinas com Gigliola e a professora, ela estava mais livre, se lançou ao trabalho e escreveu um romance sem mim.

Fiquei mal quando ela o trouxe para que eu lesse, mas não disse nada, ao contrário, segurei a decepção e lhe fiz muitos elogios. Eram umas dez folhas quadriculadas, dobradas e atadas por um alfinete de costureira. Havia uma capa desenhada com pastéis, me lembro até do título: se chamava *A fada azul* e era apaixonante, cheio de palavras difíceis. Eu lhe disse que ela devia mostrá-lo à professora. Ela não quis. Insisti, me ofereci para levá-lo. Sem muita convicção, fez sinal que sim.

Certa vez em que eu estava na casa de Oliviero para a lição, aproveitei quando Gigliola foi ao banheiro e tirei da bolsa *A fada azul*. Disse que era um lindo romance escrito por Lila, e que Lila gostaria que ela o lesse. Mas a professora, que nos últimos cinco anos sempre fora entusiasta de tudo o que Lila fazia, afora as travessuras, respondeu com frieza:

"Diga a Cerullo que, em vez de perder tempo, seria bom que ela estudasse para o exame". E, mesmo ficando com o romance de Lila, o deixou na mesa sem nem sequer o olhar.

Aquela atitude me desconcertou. O que havia acontecido? Estava chateada com a mãe de Lila? Tinha estendido seu rancor à própria Lila? Estava aborrecida pelo dinheiro que os pais de minha

amiga não quiseram lhe dar? Não entendi. Dias depois, perguntei cheia de dedos se tinha lido *A fada azul*. Respondeu-me com um tom insólito, obscuramente, como se só eu e ela pudéssemos realmente entender. A frase ficou bem estampada em minha mente.
"Sabe o que é a plebe, Greco?"
"Sei: a plebe, os tribunos da plebe, os Graco."
"A plebe é uma coisa muito feia."
"Sim."
"E se alguém quer continuar sendo plebe, ele, seus filhos e os filhos de seus filhos não serão dignos de nada. Deixe Cerullo pra lá e pense em você."
A professora Oliviero nunca disse nada sobre *A fada azul*. Lila me pediu notícias uma, duas vezes, depois deixou pra lá. Apenas disse, sombria:
"Assim que eu tiver tempo, escrevo outro: aquele não estava bom."
"Era lindo."
"Era uma porcaria."

Ela se tornou menos animada, sobretudo na sala, provavelmente porque percebeu que Oliviero não a elogiava mais, ao contrário, às vezes se mostrava irritada com seus excessos de destreza. De todo modo, quando houve a disputa de fim de ano, ela se mostrou a melhor, mas sem a arrogância de antes. Ao final do dia, o diretor submeteu aos que continuavam na disputa – ou seja, a Lila, a Gigliola e a mim – um problema dificílimo, que ele mesmo elaborara. Gigliola e eu tentamos resolvê-lo sem sucesso. Lila como sempre reduziu seus olhos a duas frestas e se concentrou. Foi a última a capitular. Disse num tom tímido, inusual para ela, que o problema não podia ser resolvido porque havia algo de errado no texto, mas não sabia o quê. Foi um deus nos acuda, e Oliviero passou-lhe um enorme carão. Eu observava Lila miúda, no quadro-negro, com o giz na mão, muito pálida, enquanto recebia rajadas de frases malévolas. Sentia o sofrimento dela, não conseguia suportar o tremor de seu lábio inferior e quase caí em prantos.

"Quando não se sabe resolver um problema", concluiu Oliviero, gélida, "não se diz: o problema está errado; se diz: eu não sou capaz de resolvê-lo."

O diretor permaneceu em silêncio. Pelo que me lembro, o dia terminou assim.

## 16.

Pouco antes do exame de conclusão da escola fundamental, Lila me incitou a fazer outra das tantas coisas que, sozinha, eu jamais teria coragem de encarar. Decidimos não ir à escola e ultrapassamos os limites do bairro.

Era algo inédito. Desde que me entendo por gente, nunca me afastara dos prediozinhos brancos de quatro andares, do pátio, da paróquia, dos jardins, nem nunca me sentira impelida a fazê-lo. Os trens passavam continuamente para lá dos campos, passavam carros e caminhões pra cima e pra baixo na estrada, e no entanto não me lembro de nenhuma ocasião em que tenha perguntado a mim mesma, a meu pai, à professora: aonde vão esses carros, os caminhões, os trens, para qual cidade, para que mundo?

A própria Lila jamais se mostrara especialmente interessada nisso, mas naquela vez organizou tudo. Disse-me que falasse à minha mãe que, depois da escola, iríamos todas à casa da professora para uma festa de fim de ano letivo, e, embora eu tentasse lembrá-la de que as professoras jamais tinham convidado todas nós às suas casas para uma festa, ela respondeu que justamente por isso deveríamos agir assim. O acontecimento pareceria tão excepcional que nenhum dos nossos pais teria a cara de pau de ir checar na escola se era verdade ou não. Como de costume, confiei nela, e tudo se passou como previsto. Em minha casa todos acreditaram, não só meu pai e meus irmãos, mas até minha mãe.

Na noite da véspera não consegui dormir. O que havia além do bairro, além de seu perímetro mais que conhecido? Às nossas costas se erguiam uma pequena colina apinhada de árvores e umas poucas construções que davam para os trilhos luminosos. Diante de nós, além da estrada, alongava-se uma rua toda de buracos, que margeava os pântanos. À direita, saindo pelo portão, estendia-se o fio de uma campina sem árvores sob um céu imenso. À esquerda havia um túnel com três entradas, mas, se subíssemos até os trilhos da ferrovia, nos dias de sol se avistava, para lá de umas casas baixas e muros de tufo e densa vegetação, uma montanha celeste com um pico mais baixo e outro um pouco mais alto, que se chamava Vesúvio e era um vulcão.

Mas nada do que tínhamos sob os olhos todos os dias, ou que se pudesse ver enveredando pelo alto da colina, nos impressionava. Habituadas pelos livros da escola a falar com muita competência do que nunca tínhamos visto, era o invisível que nos excitava. Lila dizia que, bem na direção do Vesúvio, havia o mar. Rino, que já tinha ido lá, lhe contara que era uma água muito azul, resplandecente, um espetáculo maravilhoso. Aos domingos, especialmente no verão, mas com frequência também no inverno, ele corria até lá com os amigos para tomar banho, e lhe prometera que um dia a levaria. Naturalmente ele não era o único que tinha visto o mar, outros que nós conhecíamos também o tinham visto. Certa vez Nino Sarratore e sua irmã Marisa nos falaram dele com um tom de quem achava normal ir ali de vez em quando comer bolachas e frutos do mar. Gigliola Spagnuolo também já tinha ido. Por sorte, ela, Nino e Marisa tinham pais que levavam os filhos a passeios muito distantes, não só uns passeinhos nos jardins em frente à paróquia. Nossos pais não eram assim, faltava tempo, faltava dinheiro, faltava vontade. É verdade que eu tinha, acho, uma vaga memória azulada do mar, minha mãe dizia que tínhamos ido quando eu era pequena, na época em que precisou fazer um tratamento com areia na perna defeituosa. Mas eu pouco acreditava em minha mãe, e para Lila, que não sabia nada sobre ele, eu também afirmava não saber nada do mar. Assim ela planejou fazer como Rino, pegar a estrada e ir sozinha. Me convenceu a acompanhá-la. Amanhã.

Levantei cedo, fiz tudo como se estivesse indo para a escola, a sopa de pão no leite quente, a mochila, o uniforme. Esperei Lila na frente do portão, como sempre, só que, em vez de pegar a direita, atravessamos a estrada e fomos para a esquerda, rumo ao túnel.

Era manhã cedo e já fazia calor. Havia um cheiro forte de terra e mato enxugando ao sol. Subimos entre arbustos altos, por trilhas incertas que iam em direção aos trilhos. Quando chegamos a uma torre de eletricidade, tiramos os uniformes e metemos as roupas nas mochilas, que escondemos entre as moitas. Então escapamos pelo campo, conhecíamos muito bem a área e voamos excitadíssimas por uma encosta que nos levou bem em frente ao túnel. A entrada da direita era escuríssima, nunca tínhamos entrado dentro de tanto breu: nos demos as mãos e fomos. Era uma passagem longa, o círculo de luz da saída parecia distante. Uma vez habituadas à penumbra começamos a ver, aturdidas pelo eco dos passos, os riscos de água prateada que escorriam pelas paredes, as poças enormes. Avançamos muito tensas. Depois Lila deu um grito e riu de como o som explodia violento. Logo em seguida gritei eu, e também ri. Desde aquele momento só fizemos gritar, juntas e separadamente: risadas e gritos, gritos e risadas, pelo prazer de ouvi-los amplificados. A tensão se afrouxou, começou a viagem.

Teríamos pela frente muitas horas em que nenhum dos nossos parentes nos procuraria. Quando penso no prazer de estar livre, penso no início daquele dia, em quando saímos do túnel e nos vimos numa estrada toda reta, a perder de vista, a estrada que, segundo Rino dissera a Lila, levava direto ao mar. Com alegria, me senti exposta ao desconhecido. Nada de comparável à descida aos porões ou à subida até a casa de dom Achille. Havia um sol nebuloso, um forte cheiro de queimado. Caminhamos longamente entre muros em ruínas, invadidos pelo mato, edifícios baixos de onde vinham vozes em dialeto, às vezes um clangor. Vimos um cavalo que descia com cuidado um barranco e atravessava a estrada relinchando. Vimos uma mulher jovem numa pequena sacada, passando nos cabelos um pente para piolhos. Vimos muitas crianças catarrentas, que pararam de brincar e nos olharam com ares de ameaça. Vimos também um homem gordo, de regata, que surgiu de uma casa em ruínas, baixou o calção e nos mostrou o pau. Mas não nos assustamos com nada: dom Nicola, o pai de Enzo, às vezes nos deixava tocar em seu cavalo, os meninos do nosso pátio também eram ameaçadores, e havia o velho Mimi, que nos mostrava sua coisa nojenta toda vez que voltávamos da escola. Durante pelo menos três horas de marcha a estrada que percorríamos não nos pareceu diferente do trecho com que nos deparávamos todos os dias. E não senti em nenhum momento a responsabilidade de não estar no caminho certo. Íamos de mãos dadas, avançávamos lado a lado, mas para mim, como de costume, era como se Lila estivesse dez passos à frente e soubesse exatamente o que fazer, aonde ir. Estava habituada a me sentir a segunda em tudo, e por isso tinha a certeza de que para ela, que sempre fora a primeira, estava tudo muito claro: o ritmo de caminhada, o cálculo do tempo necessário para ir e voltar, o percurso para chegar ao mar. Sentia que tudo estava ordenado em sua cabeça de tal modo que o mundo ao redor jamais conseguiria pôr em desordem. Abandonei-me com alegria. Recordo uma luz difusa que parecia vir não do céu, mas das profundezas da terra, a qual, no entanto, vista na superfície, era pobre, sórdida.

 Depois começamos a nos cansar, a sentir sede e fome. Não tínhamos pensado naquilo. Lila desacelerou, eu também. Duas ou três vezes a surpreendi olhando para mim como se estivesse arrependida de me impingir uma maldade. O que estava acontecendo? Notei que várias vezes ela se virava para trás, e eu também comecei a me virar. Sua mão começou a suar. Há tempos já não tínhamos o túnel às nossas costas, o túnel que era o limite do bairro. A estrada já percorrida nos era pouco familiar, assim como a que continuava se abrindo diante de nós. As pessoas pareciam totalmente indiferentes à nossa sorte. Enquanto isso, crescia à nossa volta uma paisagem de abandono: tonéis amassados, madeira queimada, carcaças de carros, rodas de carroças com os raios despedaçados, móveis semidestruídos, sucata enferrujada. Por que Lila olhava para trás? Por que tinha parado de falar? O que estava dando errado?

Olhei melhor. O céu, que de início estava muito alto, tinha como que baixado. Às nossas costas tudo estava ficando escuro, havia nuvens enormes, pesadas, que se apoiavam sobre as árvores, os postes de luz. Já à nossa frente a luz ainda era ofuscante, mas como perseguida pelos lados por um cinza violáceo, que tendia a sufocá-la. Ouvimos trovões ao longe. Tive medo, mas o que mais me assustou foi a expressão de Lila, nova para mim. Estava de boca aberta, os olhos arregalados, mirava nervosamente à frente, aos lados, atrás, e me apertava a mão com força. Será possível – me perguntei – que ela também esteja com medo? O que está acontecendo?

Caíram as primeiras gotas, que atingiram o pó da estrada deixando pequenas manchas marrons.

"Vamos voltar", disse Lila.

"E o mar?"

"Está muito longe."

"E a casa?"

"Também."

"Então vamos para o mar."

"Não."

"Por quê?"

Nunca a vira tão agitada assim. Havia alguma coisa – algo que estava na ponta da língua, mas que ela não se decidia a dizer – que de repente a obrigou a me arrastar depressa para casa. Eu não entendia: por que não seguíamos adiante? Tínhamos tempo, o mar não devia estar longe, e àquela altura pouco importava voltar para casa ou seguir em frente, já que, se a chuva viesse, nos molharíamos de qualquer jeito. Era um esquema de raciocínio que eu aprendera com ela, e me espantava que ela não o aplicasse.

Uma luz roxa rompeu o céu negro, trovejou mais forte. Lila me deu um puxão, me vi correndo insegura em direção ao bairro. O vento se levantou, as gotas se tornaram mais densas e em poucos segundos se transformaram numa cascata de água. Nenhuma de nós pensou em buscar um abrigo. Corremos cegadas pela chuva, as roupas imediatamente encharcadas, os pés nus metidos em sandálias gastas, com pouca aderência ao terreno já lamacento. Corremos até onde o fôlego deu.

Depois não conseguimos mais, diminuímos o passo. Lampejos, trovões, uma enxurrada corria nas bordas da estrada, caminhões passavam velozes, estrondejando e erguendo ondas de lama. Fizemos o caminho a passos rápidos, o coração em tumulto, antes sob grande aguaceiro, depois sob uma chuva fina e, por fim, sob um céu cinzento. Estávamos ensopadas, os cabelos colados à cabeça, os lábios lívidos, os olhos assustados. Tornamos a atravessar o túnel, subimos pelos campos. Os arbustos carregados de chuva nos roçavam provocando arrepios. Reencontramos as mochilas, vestimos sobre as roupas molhadas o uniforme enxuto e fomos para casa. Tensa, os olhos sempre baixos, Lila não me deu mais a mão.

Não demoramos a entender que nada ocorreu como previsto. O céu escurecera sobre o bairro no momento da saída da escola. Minha mãe tinha ido ao colégio de guarda-chuva, para me acompanhar à festa da professora. Descobrira que eu não estava lá, que não havia festa nenhuma. Estavam me procurando havia horas. Quando avistei de longe sua penosa figura manca, afastei-me logo de Lila para que não implicassem com ela e corri a seu encontro. Nem me deixou falar. Cobriu-me de tapas e até me bateu com o guarda-chuva, gritando que me mataria se eu fizesse algo parecido de novo.

Lila escapou, em sua casa ninguém se dera conta de nada.

De noite minha mãe contou tudo a meu pai e o obrigou a me dar uma surra. Ele ficou nervoso, de fato não queria isso, e terminaram brigando. Primeiro ele lhe deu um tabefe, depois, com raiva de si, me deu uma bela sova. Durante a noite inteira tentei entender o que tinha realmente acontecido. O plano era irmos ao mar e acabamos não indo, por isso apanhei à toa. Verificara-se uma curiosa inversão de comportamento: eu, apesar da chuva, teria continuado o caminho, me sentia longe de tudo e de todos, e a distância – o descobrira pela primeira vez – apagava dentro de mim qualquer vínculo, qualquer preocupação; Lila bruscamente se arrependera do próprio plano, tinha renunciado ao mar, quisera voltar aos limites do bairro. Eu não conseguia entender.

No dia seguinte não a esperei no portão e fui sozinha à escola. Nos vimos no jardim, ela viu os hematomas em meus braços e me perguntou o que havia acontecido. Dei de ombros, já não havia o que fazer.

"Eles só lhe bateram?"
"E o que mais podiam fazer?"
"Eles ainda vão mandá-la para a escola de latim?"
Fiquei perplexa.

Seria possível? Ela me arrastara consigo torcendo para que meus pais, por punição, não me mandassem mais para a escola média? Ou me trouxera apressadamente de volta justo para evitar aquela punição? Ou – me pergunto hoje – desejou em momentos diversos ambas as coisas?

# 17.

Fizemos juntas o exame de conclusão da escola fundamental. Quando ela se deu conta de que eu também faria o de admissão, perdeu o ânimo. Assim ocorreu um fato que surpreendeu a todos: passei nos dois exames com nota dez em tudo; Lila passou no da escola fundamental com nove, e oito em aritmética.

Não me disse nenhuma palavra, de raiva ou descontentamento. Em vez disso, começou a fazer dupla com Carmela Peluso, a filha do marceneiro-jogador, como se eu não lhe bastasse mais. Em poucos dias nos tornamos um trio em que eu, no entanto, que tinha ficado em primeiro na escola, tendia a ser quase sempre a terceira. Falavam e zombavam entre si sem parar, ou melhor, Lila falava e zombava, enquanto Carmela escutava e se divertia. Quando saíamos para passear entre a paróquia e a estrada, Lila ficava sempre no centro, e nós duas ao lado. Se eu notava que ela tendia mais para o lado de Carmela, sofria com isso e me vinha a vontade de voltar para casa.

Naquele último período da escola fundamental ela estava como atônita, parecia vítima de uma insolação. Já fazia muito calor, e frequentemente molhávamos a testa na fonte. Lembro-me dela com os cabelos e o rosto gotejantes, querendo falar a todo custo de quando iríamos para a escola no ano seguinte. Este se tornara seu assunto favorito, e o tratava como se fosse uma das narrativas que tinha intenção de escrever para ficar rica. Agora, quando falava, se dirigia de preferência a Carmela Peluso, que tinha passado com sete em tudo e tampouco fizera o exame de admissão.

Lila era muito hábil em contar histórias, tudo parecia verdade, a escola para onde iríamos, os professores, e me fazia rir, me deixava preocupada. Mas certa manhã a interrompi.

"Lila", eu disse a ela, "você não pode ir à escola média, você não fez o exame de admissão. Nem você nem Carmela vão poder ir."

Ela se enfureceu. Disse que iria de qualquer jeito, com ou sem exame.
"Carmela também?"
"Também."
"Mas não é possível."
"Você vai ver."
Mas minhas palavras devem ter dado uma forte sacudida nela. Desde então parou com as histórias sobre nosso futuro escolar e voltou ao silêncio. Depois, com uma repentina determinação, pôs-se a atormentar toda a família gritando que queria estudar latim como tínhamos feito eu e Gigliola Spagnuolo. Implicou sobretudo com Rino, que prometera ajudá-la e não fizera nada. Era inútil explicar-lhe que agora não havia mais nada a fazer, ela se tornava ainda mais insensata e raivosa.

No começo do verão vi nascer em mim um sentimento difícil de ordenar em palavras. Notava que ela estava nervosa, agressiva como sempre fora, e eu ficava contente, reconhecia-a assim. Mas também sentia, por trás de suas velhas maneiras, um sofrimento que me incomodava. Ela estava sofrendo, e sua dor não me alegrava. Eu preferia quando ela era diferente de mim, quando estava muito distante de minhas ansiedades. E o mal-estar que me dava descobri-la frágil se transformava, por vias secretas, numa necessidade minha de superioridade. Sempre que eu podia, com muito cuidado, e de preferência na presença de Carmela Peluso, achava um jeito de lembrar que eu tivera uma nota mais alta que ela. Sempre que eu podia, com muito cuidado, mencionava que iria para a escola média, e ela não. Deixar de ser a segunda, superá-la, pela primeira vez me pareceu um sucesso. Ela deve ter percebido e se tornou ainda mais hostil, mas não comigo, com a família dela.

Muitas vezes, enquanto esperava que descesse para o pátio, ouvia seus gritos que vinham da janela. Lançava insultos no pior dialeto das ruas, tão pesados que, ao ouvi-los, me vinham pensamentos de ordem e de respeito, não me parecia justo que ela tratasse os adultos daquele modo, inclusive o irmão. É verdade que o pai, Fernando, o sapateiro, quando tinha seus cinco minutos de cegueira era terrível. Mas todos os pais tinham seus momentos de fúria. E o dela, quando não era provocado, era um homem gentil, simpático, um grande trabalhador. De rosto se parecia com um ator chamado Randolph Scott, mas sem nenhuma elegância. Era mais bruto, nada de cores claras, tinha uma barbona preta que lhe crescia até debaixo dos olhos e umas mãos largas e curtas, sulcadas de sujeira em cada veio e sob as unhas. Brincava com gosto. Nas vezes em que eu ia à casa de Lila, ele me apertava o nariz entre o indicador e o médio e fingia cortá-lo. Queria que eu acreditasse que o tinha roubado de mim, e agora o nariz se agitava preso entre seus dedos, tentando escapar e voltar ao meu rosto. Eu achava isso divertido. Mas quando Rino, Lila ou os outros filhos o irritavam, até eu tinha medo ao ouvi-lo da rua.

Não sei o que aconteceu certa tarde. Na temporada de calor ficávamos ao ar livre até a hora do jantar. Naquela vez Lila não deu as caras, fui chamá-la debaixo de sua janela, que ficava no térreo. Gritava: "Li, Li, Li", e minha voz se somava à voz altíssima de Fernando, à voz alta de sua mulher, à voz insistente de minha amiga. Senti com clareza que estava em curso alguma coisa que me aterrorizava. Das janelas partia um napolitano grosseiro e o barulho de objetos quebrados. Aparentemente não era nada de estranho ao que ocorria em minha própria casa quando a mãe se enfurecia porque o dinheiro não dava e meu pai se enfurecia porque ela já tinha gastado a parte que lhe dera do salário. Na verdade havia uma diferença substancial. Meu pai se continha até o ponto em que ficava furioso, tornava-se violento em surdina, impedindo a voz de explodir ainda que as veias do pescoço inchassem e os olhos faiscassem do mesmo jeito. Já Fernando urrava, quebrava coisas, e a raiva se autoalimentava, ele não conseguia parar, muito ao contrário, as tentativas que a mulher fazia para contê-lo deixavam-no ainda mais possesso e, ainda que sua fúria não fosse contra ela, terminava por surrá-la. Então insisti em chamar Lila, até para tirá-la daquela tempestade de gritos, de obscenidades, dos barulhos da devastação. Gritava: "Li, Li, Li", mas ela – pude ouvi-la – não parava de insultar o pai.

Tínhamos dez anos, dali a pouco faríamos onze. Eu estava ficando cada vez mais robusta, Lila continuava baixinha, magérrima, leve e delicada. De repente os gritos cessaram e, instantes depois, minha amiga voou pela janela, passou por cima de minha cabeça e tombou no asfalto às minhas costas.

Fiquei de boca aberta. Fernando apareceu e continuou gritando ameaças horríveis contra a filha. Ele a arremessara da janela como se fosse uma coisa.

Olhei para ela estarrecida, enquanto tentava erguer-se e me dizia com um trejeito quase brincalhão:

"Não aconteceu nada."

Mas estava sangrando, tinha quebrado um braço.

## 18.

Os pais podiam fazer aquilo e outras coisas com as meninas petulantes. Depois desse episódio, Fernando se tornou mais taciturno, mais trabalhador ainda. Por todo o verão aconteceu frequentemente de eu, Lila e Carmela passarmos em frente à sua pequena oficina, mas, enquanto Rino sempre nos fazia um sinal alegre de cumprimento, o sapateiro, enquanto a filha esteve com o braço engessado, nem sequer a olhou. Via-se que estava arrependido. Suas violências de pai eram ninharia se comparadas à violência difusa no bairro. No bar Solara, com o calor, entre perdas no jogo e bebedeiras funestas, muitas vezes se chegava ao desespero (palavra que em dialeto significava ter perdido toda a esperança, mas também, simultaneamente, ficar sem um tostão) e, por fim, à pancadaria. Silvio Solara, o proprietário, grandalhão, com uma pança imponente, olhos azuis e uma testa enorme, guardava um porrete escuro atrás do balcão e não hesitava em usá-lo contra quem se negava a pagar a conta, quem lhe devia dinheiro emprestado e não queria pagar no prazo, quem fazia acordos de qualquer tipo e depois não os cumpria, e muitas vezes era ajudado por seus filhos, Marcello e Michele, rapazes da idade do irmão de Lila, mas que batiam ainda mais forte que o pai. Ali se batia e se apanhava. Depois os homens voltavam para casa exasperados com as perdas no jogo, com o álcool, com as dívidas, com os prazos, com as sovas e, à primeira palavra atravessada, espancavam a família, numa cadeia de erros que geravam erros.

Bem no meio daquela temporada longuíssima ocorreu um fato que perturbou a todos, mas que teve um efeito particular em Lila. Dom Achille, o terrível dom Achille, foi assassinado em casa no início da tarde de um dia de agosto surpreendentemente chuvoso.

Estava na cozinha, tinha acabado de abrir a janela para deixar entrar o ar fresco da chuva. Levantara da cama justo para isso, interrompendo a sesta. Vestia um pijama azul-celeste muito surrado, nos pés apenas meias de uma cor amarelada e encardida nos calcanhares. Assim que abriu a janela, recebeu na cara uma rajada de chuva e, no lado direito do pescoço, a meio caminho entre a mandíbula e a clavícula, um golpe de faca.

O sangue lhe esguichou do pescoço e atingiu uma panela de cobre pendurada na parede. O cobre era tão brilhante que o sangue parecia uma mancha de tinta da qual – nos contava Lila –, num andamento incerto, escorria uma linha negra. O assassino – mas ela pendia para uma assassina – tinha entrado sem fazer barulho, numa hora em que as crianças e os rapazes estavam na rua, e os adultos, se não estavam trabalhando, descansavam. Tinha entrado certamente com uma chave falsa. Com certeza planejava feri-lo no coração enquanto dormia, mas o encontrara acordado e lhe dera aquele golpe na garganta. Dom Achille se virara com a lâmina enterrada no pescoço, os olhos esbugalhados e o sangue saindo aos borbotões e escorrendo no pijama. Então caíra de joelhos e depois dera de cara no chão.

O assassinato impressionara tanto Lila que, quase todos os dias, séria, acrescentando sempre novos detalhes, nos impunha aquela história como se tivesse estado presente à cena. Ao ouvi-la, tanto eu quanto Carmela Peluso nos assustávamos – aliás, Carmela nem conseguia dormir à noite. Nos momentos mais terríveis, quando a linha negra de sangue escorria pela panela de cobre, os olhos de Lila se tornavam duas fissuras ferozes. Seguramente imaginava que o culpado era uma mulher só porque lhe era mais fácil assumir o papel.

Naquela época íamos com frequência à casa dos Peluso jogar dama e trinca, Lila estava com essa mania. A mãe de Carmela nos levava à sala de jantar, onde todos os móveis tinham sido feitos pelo marido quando dom Achille ainda não lhe tinha tirado todas as ferramentas de marceneiro e a oficina. Ocupávamos nossos lugares à mesa, posta entre dois bufês espelhados, e jogávamos. Carmela sempre me inspirava antipatia, mas eu fingia que era sua amiga tanto quanto era de Lila, aliás, em certas circunstâncias dava até a entender que gostava mais dela. Em compensação, eu tinha muita simpatia pela senhora Peluso. Ela trabalhava na fábrica de tabaco, mas uns meses atrás tinha perdido o emprego e estava sempre em casa. De todo modo, em tempos bons ou ruins ela era uma pessoa alegre, gorda, com seios enormes, as bochechas acesas por duas chamas vermelhas, e embora o dinheiro fosse escasso ela sempre tinha alguma coisa de bom para nos oferecer. Até o marido parecia um pouco mais tranquilo. Agora trabalhava de garçom numa pizzaria e se esforçava para não ir mais ao bar Solara perder nas cartas o pouco que ganhava.

Certa manhã estávamos na sala de jantar jogando dama, eu e Carmela contra Lila. Estávamos sentadas à mesa, nós duas de um lado, ela do outro. Tanto atrás de Lila quanto atrás de nós duas havia os móveis com espelhos, idênticos. Eram de madeira escura e com a moldura em volutas. Eu observava nós três refletidas ao infinito e não conseguia me concentrar, seja por aquelas nossas imagens, que não me agradavam, seja pelos gritos de Alfredo Peluso, que naquele dia estava muito nervoso e descarregava na mulher, Giuseppina.

A certa altura bateram na porta e a senhora Peluso foi abrir. Exclamações, gritos. Nós três pusemos a cara no corredor e vimos os *carabinieri*, figuras que temíamos muito. Os *carabinieri* agarraram Alfredo e o levaram embora. Ele se debatia, gritava, chamava os filhos pelo nome, Pasquale, Carmela, Ciro, Immacolata, se agarrava aos móveis com as duas mãos, nas cadeiras, em Giuseppina, jurava que não tinha matado dom Achille, que era inocente. Carmela chorava desesperada, todos choravam, também comecei a chorar. Lila não, Lila armou aquele olhar que dirigira anos antes a Melina, mas com alguma diferença: agora, mesmo ficando parada, parecia estar em movimento com Alfredo Peluso, que lançava urros roucos, aaaah, assustadores.

Foi a coisa mais terrível a que assistimos durante nossa infância, me impressionou muito. Lila se preocupou com Carmela, consolou-a. Dizia a ela que, se de fato tinha sido seu pai, fizera muito bem em matar dom Achille, mas que a seu ver não tinha sido ele: com certeza era inocente e logo sairia da cadeia. Tagarelavam juntas sem parar e, se eu tentava me aproximar, afastavam-se um pouco mais para evitar que as ouvisse.

# ADOLESCÊNCIA
## HISTÓRIA DOS SAPATOS

1.

Em 31 de dezembro de 1959 Lila teve seu primeiro episódio de *desmarginação*. O termo não é meu, ela sempre o utilizou forçando o sentido comum da palavra. Dizia que, naquelas ocasiões, de repente se dissolviam as margens das pessoas e das coisas. Quando naquela noite, em cima do terraço onde estávamos festejando a chegada de 1960, ela foi tomada bruscamente por uma sensação daquele tipo, assustou-se e manteve a coisa para si, ainda incapaz de nomeá-la. Somente anos depois, numa tarde de novembro de 1980 – ambas já estávamos com trinta e cinco anos, casadas, com filhos –, ela me contou minuciosamente o que lhe acontecera naquela circunstância, e o que ainda lhe acontecia, recorrendo pela primeira vez a essa palavra.

Estávamos ao ar livre, no topo de um dos prédios do bairro. Embora fizesse muito frio, usávamos roupas leves e soltas para parecermos bonitas. Observávamos os homens, que estavam alegres, agressivos, figuras negras arrebatadas pela festa, pela comida, pelo espumante. Acendíamos o pavio dos fogos de artifício para festejar o Ano Novo, ritual para cuja realização Lila, como contarei adiante, tinha colaborado muitíssimo, tanto que agora se sentia contente e olhava os rastros de fogo no céu. Mas subitamente – me disse –, apesar do frio, começara a cobrir-se de suor. Tivera a impressão de que todos gritavam demais e se moviam em grande velocidade. Essa sensação fora acompanhada de uma náusea, e ela teve a sensação de que algo de absolutamente material, presente em torno dela, em torno de todos e de tudo desde sempre, mas sem que conseguisse percebê-lo, estivesse destruindo o contorno das pessoas e das coisas, revelando-se.

O coração se pusera a bater descontroladamente. Começara a sentir horror pelos gritos que saíam das gargantas de todos os que se moviam pelo terraço entre a fumaça e as explosões, como se sua sonoridade obedecesse a leis novas e desconhecidas. A náusea aumentara, o dialeto perdera toda familiaridade, tornara-se insuportável o modo como nossas gargantas úmidas molhavam as palavras no líquido da saliva. Um sentido de repulsa atingira todos os corpos em movimento, sua estrutura óssea, o frenesi que os sacudia. Como somos malformados, pensara, como somos insuficientes. Os ombros largos, os braços, as pernas, as orelhas, os narizes, os olhos lhe pareceram atributos de seres monstruosos, descidos de algum recesso do céu negro. E a repulsa, quem sabe por que, se concentrara sobretudo no corpo de seu irmão Rino, a pessoa que lhe era a mais familiar, a pessoa que mais amava.

Tivera a impressão de enxergá-lo pela primeira vez como realmente era: uma forma animal tosca, atarracada, a que mais gritava, a mais feroz, a mais ávida, a mais mesquinha. O tumulto do coração a arrasara, sentiu-se sufocar. Muita fumaça, muito mau cheiro, muito relampear de fogos no gelo. Lila tinha tentado acalmar-se, dissera a si mesma: preciso agarrar a corrente que está me atravessando, preciso arrancá-la de mim. Mas naquele instante tinha ouvido entre os gritos de júbilo uma espécie de última detonação, e a seu lado passara algo como um sopro de asa. Alguém estava disparando não mais rojões ou bombas, mas tiros de pistola. Seu irmão Rino gritava insuportáveis obscenidades em direção às luzes amareladas.

Na ocasião em que me fez esse relato, Lila também disse que o que chamava de desmarginação, mesmo tendo ocorrido de modo claro apenas naquela oportunidade, não era inteiramente novo para ela. Por exemplo, já tinha experimentado muitas vezes a sensação de transferir-se, por frações de segundo, a uma pessoa ou uma coisa ou um número ou uma sílaba, violando-lhe os contornos. E no dia em que seu pai a jogara da janela tivera a absoluta certeza, justo enquanto voava rumo ao asfalto, de que pequenos animais avermelhados, muito simpáticos, estivessem dissolvendo a composição da rua transformando-a numa matéria lisa e macia. Mas naquela noite de Ano Novo lhe ocorrera pela primeira vez de perceber entidades desconhecidas, que destruíam o perfil costumeiro do mundo e mostravam sua natureza assustadora. Aquilo a transtornara.

2.

Quando Lila tirou o gesso e surgiu um bracinho esbranquiçado, mas em perfeito funcionamento, seu pai, Fernando, chegou a um acordo consigo e, sem se pronunciar diretamente, mas por intermédio de Rino e da mulher, Nunzia, permitiu que ela frequentasse uma escola, não sei bem para aprender o quê, estenodatilografia, contabilidade ou economia – ou as três disciplinas juntas.

Ela foi a contragosto. Nunzia foi convocada pelos professores porque a filha faltava muito e sem justificativas, perturbava a aula, quando indagada se recusava a responder, quando era preciso fazer os exercícios ela os terminava em cinco minutos e depois importunava as colegas. A certa altura pegou uma gripe fortíssima, muito pior que a que quase todos nós pegamos. Mas ela pareceu acolhê-la com uma espécie de abandono, tanto que o vírus rapidamente lhe tirou as energias. Os dias passavam e ela não conseguia se recuperar. Assim que tentava retomar as atividades, mais pálida que nunca, a febre tornava a voltar. Um dia encontrei-a na rua e me pareceu um espírito, o espírito de uma menina que tinha comido bagas venenosas, como tínhamos visto desenhado em um livro da professora Oliviero. Depois correu o boato de que ela morreria em breve, o que me provocou uma angústia insuportável. No entanto se recuperou, quase a contragosto. Porém, com a desculpa de que estava sem forças, frequentou cada vez menos a escola e, no fim do ano, foi reprovada.

Também não fui bem no primeiro ano da escola média. No início tive grandes expectativas e, embora não o reconhecesse com clareza, estava contente de ter chegado até ali em companhia de Gigliola Spagnuolo, e não de Lila. Em algum ponto de mim, muito secretamente, antegozava uma escola à qual ela nunca teria acesso, uma escola em que, na sua ausência, eu seria a melhor e da qual poderia, sempre que quisesse, me vangloriar. Mas já de saída comecei a tropeçar, e muitos alunos se revelaram melhores que eu. Com Gigliola acabei me vendo numa espécie de atoleiro, éramos dois bichinhos assustados com nossa própria mediocridade, e lutamos o ano todo para não ficarmos entre os últimos. Fiquei muito mal. Em surdina começou a despontar a ideia de que, sem Lila, eu nunca mais experimentaria o prazer de pertencer ao restrito grupo dos melhores.

Na entrada da escola de vez em quando encontrava Alfonso, o filho mais novo de dom Achille, mas fazíamos de conta que não nos conhecíamos. Eu não sabia o que lhe dizer, pensava que Alfredo Peluso tivesse feito um bem ao matar seu pai e não me vinham palavras de consolo. Não conseguia sequer me comover com sua condição de órfão, era como se ele tivesse certa culpa pelo terror que durante anos dom Achille me inspirara. Tinha uma braçadeira negra costurada na manga da jaqueta e nunca sorria, estava sempre à parte, cuidando de suas coisas. Estava numa sala diferente da minha e corria a história de que era excelente. No fim do ano se soube que tinha sido aprovado com média oito, e isso me deprimiu muito. Gigliola reprovou em latim e matemática, e eu passei com seis em tudo.

Após a entrega das notas, a professora convocou minha mãe e lhe disse em minha presença que eu só passara em latim graças à sua generosidade, mas que no ano seguinte, sem aulas particulares, eu certamente não seria aprovada. Senti uma dupla humilhação: me envergonhei por não ter sido tão boa quanto fui no fundamental e me envergonhei pela diferença que havia entre a figura harmoniosa e decentemente vestida da professora, entre seu italiano que parecia um pouco com o da Ilíada, e a figura toda torta de minha mãe, os sapatos velhos, os cabelos sem brilho, o dialeto forçado a um italiano cheio de solecismos.

Também minha mãe deve ter sentido o peso daquela humilhação. Voltou para casa enfezada, disse a meu pai que os professores não estavam contentes comigo, que ela precisava de ajuda na casa e que eu devia parar de estudar. Discutiram muito, brigaram e por fim meu pai decidiu que, como apesar de tudo eu tinha passado, enquanto Gigliola fora reprovada em duas matérias, eu merecia continuar.

Passei um verão entorpecida, no pátio, nos pântanos, em geral na companhia de Gigliola, que frequentemente me falava do jovem estudante universitário que ia à sua casa dar as aulas de reforço e que, segundo ela, a amava. Eu ficava escutando, mas me entediava. De vez em quando via Lila passeando com Carmela Peluso, também ela tinha feito uma escola não sei de que e também fora reprovada. Sentia que Lila não queria mais ser minha amiga, e aquela ideia me dava um grande cansaço, como se eu tivesse sono. Às vezes, torcendo para que minha mãe não me visse, ia me deitar na cama e cochilava.

Certa tarde dormi de verdade e, ao acordar, me senti encharcada. Fui ao banheiro ver o que eu tinha e descobri que minha calcinha estava suja de sangue. Aterrorizada e sem saber bem por que, talvez por uma possível bronca de minha mãe por eu ter me machucado entre as pernas, lavei a calcinha com cuidado, torci e tornei a vesti-la ainda molhada. Então saí para o calor do pátio. Meu coração batia de medo.

Encontrei Lila e Carmela, e fomos passeando até a paróquia. Senti que estava me molhando de novo, mas tentei me acalmar pensando que era a umidade da calcinha. Quando o medo se tornou insuportável, sussurrei a Lila:

"Preciso lhe dizer uma coisa."

"O quê?"

"Quero dizer só a você."

Puxei-a pelo braço tentando afastá-la de Carmela, mas Carmela nos seguiu. Minha preocupação era tal que por fim me confessei a ambas, mas me dirigindo somente a Lila.

"O que pode ser?", perguntei.

Carmela sabia tudo. Ela já vinha passando por isso havia um ano, todos os meses.

"É normal", disse. "As mulheres têm isso por natureza: a gente sangra por alguns dias, sente dor na barriga e nas costas, mas depois passa."

"Tem certeza?"

"Tenho."

O silêncio de Lila me impeliu para Carmela. A naturalidade com que comunicara o pouco que sabia me tranquilizou e inspirou simpatia. Passei toda a tarde conversando com ela, até a hora do jantar. Daquela ferida não se morria, apurei. Ao contrário, "significa que você está grande e já pode ter filhos se um homem botar a coisa dele em sua barriga".

Lila ficou nos ouvindo sem dizer nada, ou quase. Perguntamos se ela já tinha o sangue como nós e a vimos hesitar, depois, de má vontade, disse que não. Num instante me pareceu pequena, menor do que sempre a vira até então. Era uns seis ou sete centímetros mais baixa, toda pele e ossos, palidíssima apesar dos dias ao sol. E tinha sido reprovada. E nem sabia o que era o sangue. E nunca nenhum menino lhe fizera uma declaração.

"Um dia você também vai ter", lhe dissemos com um falso tom de consolo.

"Que se foda", disse, "eu não tenho porque não quero ter, me dá nojo. E também sinto nojo de quem tem."

Fez que ia embora, mas parou e me perguntou:

"Como é o latim?"

"Bonito."

"Você é boa nele?"

"Muito."

Pensou um pouco e resmungou:

"Eu reprovei de propósito. Não quero mais ir a escola nenhuma."

"E o que você vai fazer?"

"Vou fazer o que eu gosto."

E foi-se embora deixando-nos ali, no meio do pátio.

Não deu mais as caras pelo resto do verão. Eu me tornei muito amiga de Carmela Peluso, que, embora oscilasse irritantemente entre muitas risadas e lamúrias excessivas, tinha sofrido uma tão poderosa influência de Lila que às vezes até parecia uma espécie de substituta. Carmela falava imitando seus tons de voz, usava certas expressões recorrentes nela, gesticulava de modo parecido e, quando caminhava, tentava mover-se como ela, ainda que fisicamente fosse mais parecida comigo: graciosa e roliça, explodindo de saúde que nem eu. Aquela espécie de apropriação indébita em parte me incomodava, em parte me atraía. Oscilava entre o fastio por uma reconstrução que me parecia caricata e o fascínio pelo fato de que, embora diluídas, as maneiras de Lila de qualquer modo me encantavam. Foi com aquelas maneiras que Carmela por fim me cativou. Contou-me como tinha sido ruim a nova escola: todas a hostilizavam, e os professores não podiam vê-la na frente. Contou das vezes em que ia com a mãe e os irmãos a Poggioreale para visitar o pai, e das choradeiras que faziam. Contou que o pai era inocente, que quem tinha matado dom Achille era um ser escuro, meio macho mas sobretudo fêmea, que vivia com os ratos e saía das sarjetas e dos esgotos, inclusive de dia, e fazia suas coisas terríveis para depois escapar nos subsolos. Contou de surpresa, com um sorrisinho bobo, que estava apaixonada por Alfonso Carracci. Logo após o sorriso, passou às lágrimas: era um amor que a atormentava e arrasava, a filha do assassino se apaixonara pelo filho da vítima. E bastava vê-lo enquanto atravessava o pátio ou cruzava a estrada para sentir como um desmaio.

Essa última confidência me tocou muito e consolidou nossa amizade. Carmela jurou que nunca havia falado sobre o assunto com ninguém, nem mesmo com Lila: se havia decidido me contar era porque não aguentava mais guardar tudo aquilo dentro de si. Gostei de seu tom dramático. Examinamos todas as possíveis consequências daquela paixão até quando deu o horário da escola, e não tive mais tempo para escutá-la.

Que história. Nem mesmo Lila, talvez, saberia construir uma narrativa assim.

3.

Começou um período de mal-estar. Engordei, em meu peito despontaram dois brotos duríssimos sob a pele, surgiram pelos nas axilas e no púbis, me tornei simultaneamente triste e nervosa. Na escola tive mais dificuldades que nos anos anteriores, os exercícios de matemática quase nunca davam o resultado previsto no livro--texto, as frases de latim me pareciam sem pé nem cabeça. Sempre que podia, me trancava no banheiro e me olhava no espelho, nua. Não sabia mais quem eu era. Comecei a suspeitar de que mudaria cada vez mais, até que de mim saísse realmente minha mãe, manca, com o olho torto, e ninguém mais gostasse de mim. Muitas vezes chorava, sem quê nem pra quê. Enquanto isso o peito, que de início estava duro, se tornou mais pesado e macio. Senti-me à mercê de forças obscuras, que agiam de dentro de meu corpo, e estava sempre em ânsias.

Numa manhã, ao sair da escola, Gino, o filho do farmacêutico, me seguiu pela rua e me disse que, na opinião de seus colegas, meus seios não eram verdadeiros, que eu punha enchimento. Falava e ria. Disse até que, ao contrário dos outros, ele achava que eram verdadeiros, tinha apostado vinte liras nisso. Por fim disse que, caso ele ganhasse, guardaria dez liras para si e daria as outras dez a mim, mas eu precisava provar que não estava com enchimento.

Aquele pedido me meteu muito medo. Como eu não sabia de que modo me comportar, recorri conscientemente ao tom desabusado de Lila:

"Me dê as dez liras."

"Por quê? Eu estava certo?"

"Sim."

Ele fugiu, e eu fui embora decepcionada. Mas logo depois ele me alcançou na companhia de um fulano de sua turma, um tipo magérrimo cujo nome não recordo, com uma penugem escura sobre o lábio. Gino me disse:

"Ele também precisa estar presente, se não os outros não vão acreditar que eu ganhei a aposta."

Recorri mais uma vez ao tom de Lila:

"Primeiro a grana."

"E se for enchimento?"

"Não é."

Me deu dez liras e subimos os três, em silêncio, até o último andar de um prédio que estava a poucos metros dos jardins. Ali, rente ao portãozinho de ferro que dava para o terraço, desenhada com nitidez por finos segmentos de luz, ergui a blusa e mostrei os seios. Os dois ficaram estatelados, olhando como se não acreditassem no que tinham sob os olhos. Depois se viraram e fugiram correndo pelas escadas.

Soltei um suspiro de alívio e fui comprar um sorvete no bar Solara.

Aquele episódio ficou impresso em minha memória: experimentei pela primeira vez a força de atração que meu corpo exercia sobre os meninos, mas sobretudo me dei conta de que Lila agia não só sobre Carmela, mas também sobre mim, como um fantasma exigente. Se numa circunstância como aquela eu tivesse precisado tomar uma decisão na pura desordem das emoções, o que teria feito? Teria ido embora. E se estivesse com Lila? Eu a teria puxado por um braço e sussurrado em seu ouvido: vamos embora; e depois, como sempre, eu acabaria ficando, só porque ela, como sempre, teria decidido ficar. Ao contrário, em sua ausência, após uma breve hesitação, me pus em seu lugar. Ou melhor, abri um espaço para ela em mim. Se tornava a pensar no momento em que Gino lançara sua proposta, sentia com precisão como eu tinha posto de lado a mim mesma, como imitara o olhar, o tom e o gesto de Cerullo em situações de conflito aberto, e ficava muito contente. Mas de vez em quando me perguntava meio ansiosa: estou agindo como Carmela? Parecia-me que não, tinha a impressão de ser diferente, mas não sabia explicar em que sentido, e isso me estragava a alegria. Quando passei com o sorvete diante da oficina de Fernando e vi Lila concentrada, arrumando os sapatos numa bancada comprida, fiquei tentada a chamá-la e contar-lhe tudo, ouvir sua opinião. Mas ela não me viu, e eu segui em frente.

# 4.

Estava sempre ocupada. Naquele ano Rino obrigou-a a se inscrever de novo na escola, mas de novo ela quase não a frequentou e, mais uma vez, deixou-se reprovar. A mãe lhe pedia que ajudasse na casa, o pai lhe pedia que ficasse na loja, e ela, de uma hora pra outra, em vez de opor resistência, pareceu até contente de se esfalfar por ambos. As poucas vezes que aconteceu de nos vermos – no domingo após a missa ou a passeio entre os jardins e a estrada –, nunca demonstrou nenhuma curiosidade pela minha escola, disparava logo a falar e falar com admiração do trabalho que o pai e o irmão faziam.

Tinha descoberto que o pai quisera se emancipar desde garoto, que fugira da oficina do avô, também sapateiro, e fora trabalhar numa fábrica de calçados em Casoria, onde fizera sapatos para todos, até para quem estava indo para a guerra. Descobrira que Fernando sabia fabricar sapatos à mão, de cabo a rabo, mas também conhecia perfeitamente as máquinas e era capaz de usar todas elas, a trinchadora, a cravadeira, a esmerilhadora. Falou-me de couros, de gáspeas, de peleiros e peleterias, de salto inteiro e meio salto, da preparação do fio, das palmilhas e de como se aplicava, tingia e lustrava a sola. Usou todas aquelas palavras do ofício como se fossem mágicas, como se o pai as tivesse aprendido em um mundo encantado – Casoria, a fábrica –, de onde mais tarde voltara como um explorador saciado, tão saciado que agora preferia a oficininha de família, a bancada quieta, o martelo, o pé de cabra, o cheiro bom da cola misturado ao dos sapatos gastos. E me puxou para dentro daquele vocabulário com um entusiasmo tão enérgico, que o pai dela e Rino, graças à habilidade que tinham de envolver os pés das pessoas dentro de sapatos sólidos, confortáveis, me pareceram os melhores sujeitos do bairro, melhor que Vulcano, que fabricou o escudo de Aquiles. Toda vez eu voltava pra casa com a impressão aguda de que, não transcorrendo meus dias na oficina de um sapateiro, e tendo por pai um banalíssimo contínuo, eu estivesse excluída de um raro privilégio.

Nas aulas comecei a me sentir inutilmente presente. Por meses e meses me pareceu que toda promessa e toda energia tinham abandonado os livros didáticos. Na saída da escola, tonta de tristeza, passava em frente à oficina de Fernando só para ver Lila em seu local de trabalho, sentada a uma mesinha, nos fundos, com seu busto magérrimo e sem sombra de seios, o pescoço fino, o rosto emaciado. Não sei exatamente o que fazia, mas estava ali, ativa, para lá da porta de vidro, emoldurada entre a cabeça baixa do pai e a cabeça baixa do irmão, nada de livros, nada de aulas, nada de tarefas de casa. Às vezes eu parava na vitrine e olhava as latas de graxa, os velhos sapatos com solas novinhas, os novos, metidos numa forma que lhes dilatava e alargava o couro, tornando-os mais confortáveis, como se fosse uma cliente e estivesse interessada na mercadoria. Só me afastava, e de má vontade, quando ela me via e cumprimentava, e eu respondia à saudação, e ela voltava a concentrar-se no trabalho. Mas frequentemente era Rino quem primeiro notava minha presença e fazia caretas engraçadas para que eu risse. Encabulada, eu ia embora depressa, sem esperar o olhar de Lila.

Num domingo me surpreendi falando apaixonadamente de sapatos com Carmela Peluso. Ela comprava *Sonho* e devorava fotonovelas. No início achei que era tempo perdido, depois também comecei a dar uma olhada naquilo, e agora líamos juntas nos jardins e comentávamos as histórias e as falas de cada personagem, escritas em letras brancas sobre fundo preto. Mais que eu, Carmela tendia a passar sem interrupções dos comentários sobre as falsas histórias de amor aos comentários à sua história de amor verdadeira, seu amor por Alfonso. Eu, para não ficar atrás, certa vez lhe falei sobre o filho do farmacêutico, Gino, asseverando que ele me amava. Ela não acreditou. Aos seus olhos o filho do farmacêutico era uma espécie de príncipe inalcançável, futuro herdeiro da farmácia, um senhor que jamais se casaria com a filha de um contínuo, e naquele momento eu quase lhe contei de quando ele me pedira para ver meus peitos, e eu os mostrei e ainda ganhei dez liras. Mas tínhamos o *Sonho* bem aberto sobre os joelhos, e meu olhar caiu sobre os lindos sapatos de salto de uma das atrizes. Pareceu-me um assunto de grande efeito, muito mais que o caso das tetas, e não pude resistir, comecei a tecer os maiores elogios a quem fizera sapatos assim tão lindos e a argumentar que, se calçássemos sapatos como aqueles, nem Gino nem Alfonso resistiriam aos nossos encantos. Porém, quanto mais eu falava, mais me dava conta, com vergonha, de querer me apropriar da nova paixão de Lila. Carmela me ouviu distraidamente, depois me disse que precisava ir. Ela pouco se importava com sapatos ou sapateiros. Mesmo imitando as maneiras de Lila, à diferença de mim, ela só se ligava àquelas coisas que as aproximavam: as fotonovelas, o amor.

5.

Toda aquela fase prosseguiu nesse ritmo. Logo precisei admitir que as coisas que eu fazia sozinha não eram capazes de disparar meu coração, só aquilo que Lila tocava se tornava importante. Se ela se distanciava, se sua voz se afastava das coisas, estas se cobriam de manchas, de poeira. A escola média, o latim, os professores, os livros, a língua dos livros me pareceram definitivamente menos sugestivos que o acabamento de um sapato, e isso me deprimiu.

Mas num domingo tudo tornou a mudar. Tínhamos ido, Carmela, Lila e eu, à aula de catecismo, como preparativo para a primeira comunhão. Na saída, Lila disse que tinha um compromisso e foi embora. Mas vi que não tomava o rumo de casa: para minha grande surpresa, entrou no edifício da escola fundamental.

Fui saindo com Carmela, mas, como estivesse entediada, a certa altura me despedi dela, contornei o prédio e fiz o caminho de volta. As escolas fechavam aos domingos, como era possível que Lila tivesse entrado no edifício? Entre mil titubeios, me aventurei além do portão e passei ao átrio. Nunca mais tinha entrado em minha antiga escola e senti uma forte emoção, reconheci seus cheiros e isso me arrastou a uma sensação de bem-estar, uma sensação de mim que eu havia perdido. Entrei pela única porta aberta no térreo. Era uma sala ampla, iluminada de neon, com as paredes cobertas de estantes repletas de velhos livros. Contei uns dez adultos, muitas crianças e vários adolescentes. Pegavam os volumes, folheavam, recolocavam-nos em seus lugares, escolhiam um deles. Depois se punham em fila diante de uma escrivaninha à qual se sentava o velho inimigo da professora Oliviero, o professor Ferraro, magro, de cabelos grisalhos cortados à escovinha. Ferraro examinava o texto escolhido, assinalava algo no registro, e as pessoas saíam com um ou mais livros.

Olhei ao redor: Lila não estava, talvez já tivesse ido embora. O que ela andava fazendo? Não ia mais à escola, só pensava em sapatos e botinas e, no entanto, sem me dizer nada, vinha a este local pegar livros emprestados? Ela gostava desse espaço? Por que não me convidava a acompanhá-la? Por que me deixara com Carmela? Por que me falava de como se esmerilhavam as solas e não daquilo que lia?

Fiquei com raiva, fui embora.

Por um certo período, o tempo da escola me pareceu mais insignificante que o habitual. Depois fui tragada pela montanha de tarefas e exames orais de fim de ano, temia notas ruins, estudava sem interesse, mas muito. Além disso, outras preocupações me inquietavam. Minha mãe me disse que eu estava indecente com todo aquele peito que crescera e me levou para comprar um sutiã. Estava mais áspera que de costume. Parecia envergonhar-se de eu ter seios, de eu já menstruar. As rudes instruções que me dava eram rápidas e insuficientes, quase cuspidas. Eu nem tinha tempo de lhe fazer uma pergunta e ela já me virava as costas, afastando-se com seu passo torto.

Com o sutiã, meu peito ficou ainda mais visível. Nos últimos meses da escola fui importunada pelos meninos e logo entendi por quê. Gino e seu colega tinham espalhado que eu mostrava meu corpo sem problemas, e de vez em quando aparecia um me pedindo para repetir o espetáculo. Eu me desvencilhava, comprimia o peito com os braços cruzados, me sentia misteriosamente culpada e sozinha com minha culpa. Os meninos insistiam, até no meio da rua, até no pátio. Riam, debochavam de mim. Tentei rechaçá-los uma ou duas vezes com os modos de Lila, mas não me saí bem, e então não resisti e caí no choro. Com medo de que me importunassem, me isolei em casa. Estudava muitíssimo, agora só saía para ir à escola, e assim mesmo de má vontade.

Numa manhã de maio, Gino veio atrás de mim e me perguntou sem nenhuma petulância, aliás, comovido, se podíamos ser namorados. Respondi que não por raiva, por vingança, por vergonha, mas orgulhosa de o filho do farmacêutico gostar de mim. No dia seguinte ele me perguntou de novo, e não parou de me perguntar até junho, quando fizemos a primeira comunhão, todas vestidas de branco, como noivas.

Com esses vestidos, nos demoramos no átrio a falar de amor e entrando logo em pecado. Carmela não se conformava que eu rejeitasse o filho do farmacêutico e disse isso a Lila. Ela, para meu espanto, em vez de ir embora com um ar de quem diz "não estou nem aí", se interessou pela coisa. E nós três conversamos sobre o assunto.

"Por que você não quer namorar com ele", perguntou Lila em dialeto.

Respondi imediatamente em italiano, para impressioná-la, para que ela entendesse que, embora passasse meu tempo falando de namorados, não devia ser tratada como Carmela:

"Porque não estou segura sobre meus sentimentos."

Era uma frase que eu tinha aprendido lendo *Sonho*, e Lila me pareceu tocada. Como se fosse uma daquelas disputas da antiga escola, começamos uma conversa na língua dos quadrinhos e dos livros, o que reduziu Carmela a pura e simples espectadora. Aqueles momentos me acenderam o coração e a cabeça: eu e ela, com todas aquelas palavras bem arquitetadas. Na escola média não acontecia nada desse tipo, nem com os colegas, nem com os professores – foi maravilhoso. Passo a passo, Lila me convenceu de que, em matéria de amor, só se conquista uma certa segurança submetendo o próprio pretendente a provas duríssimas. Então, voltando subitamente ao dialeto, me aconselhou a começar o namoro com Gino, mas desde que ele aceitasse comprar sorvetes para mim, para ela e para Carmela durante todo o verão.

"Se não aceitar, quer dizer que não é amor de verdade."

Fiz como ela disse, e Gino sumiu. Portanto não era amor de verdade, mas não sofri com isso. A troca com Lila me dera um prazer tão intenso que planejei dedicar-me a ela integralmente, sobretudo no verão, quando eu teria mais tempo livre. Queria que aquela conversa entre a gente se tornasse o modelo de todos nossos próximos encontros. De novo me senti capaz, como se algo tivesse atingido minha cabeça fazendo irromper imagens e palavras.

Mas aquele episódio não teve os desdobramentos que eu esperava. Em vez de reconsolidar e tornar exclusiva a relação entre mim e Lila, o caso atraiu muitas meninas em torno dela. A conversa, os conselhos que ela me dera, seu efeito tinham causado tanta impressão em Carmela Peluso que ela terminou contando tudo a quem quisesse ouvir. O resultado foi que a filha do sapateiro, que não tinha seios, não menstruava e nem sequer tinha um admirador se tornou, no intervalo de poucos dias, a mais confiável conselheira sobre as coisas do coração. E ela, mais uma vez me surpreendendo, aceitou de bom grado o papel.

Quando não estava ocupada em casa ou na loja, eu a encontrava conversando ora com uma, ora com outra. Passava a seu lado, cumprimentava-a, mas ela estava tão concentrada que nem me ouvia. Sempre pescava frases que me pareciam lindas, e sofria com isso.

6.

Foram dias desoladores, que culminaram em uma humilhação que eu teria podido prever, mas que fingi não me dar conta: Alfonso Carracci foi aprovado com média oito, Gigliola Spagnuolo, com média sete, e eu tive seis em tudo e quatro em latim. Fiquei em recuperação em setembro, naquela única matéria.

Dessa vez foi meu pai quem falou que era inútil continuar na escola. Os livros didáticos já tinham custado muito. O dicionário de latim, o Campanini e Carbone, embora comprado de segunda mão, tinha sido uma grande despesa. Não havia dinheiro para me pagar um reforço durante o verão. Mas o principal é que agora estava evidente que eu não era tão boa: o filho menor de dom Achille passara, eu não; a filha de Spagnuolo, o confeiteiro, também passara, eu não. Era preciso se conformar.

Chorei dia e noite, me fiz feia de propósito, para me punir. Eu era a primogênita, depois de mim havia dois meninos e outra menina, a pequena Elisa: Peppe e Gianni, os meninos, vinham de quando em quando me consolar, trazendo-me ora alguma fruta, ora me chamando para brincar com eles. Mas mesmo assim eu me sentia muito só, com um triste destino, e não conseguia me dar paz. Depois, numa tarde, senti a presença de minha mãe atrás de mim. Disse em dialeto, com o ríspido tom de costume:

"Não podemos pagar aulas extras, mas você pode tentar aprender por conta própria e ver se passa nas provas." Eu a olhei, insegura. Era sempre a mesma: os cabelos sem brilho, o olho bailarino, o nariz grande, o corpo pesado. Acrescentou: "Não está escrito em nenhum lugar que você não consegue".

Disse isso e mais nada, ou pelo menos é o que recordo. Já no dia seguinte comecei a estudar com afinco, comprometendo-me a não ir mais ao pátio ou ao jardim.

Mas certa manhã ouvi alguém me chamando da rua. Era Lila, que, desde que tínhamos terminado a escola fundamental, perdera totalmente esse hábito.

"Lenu", me chamava.

Apareci na janela.

"Preciso lhe dizer uma coisa."

"O quê?"

"Desça aqui."

Desci a contragosto, me irritava confessar que eu tinha ficado em recuperação. Perambulamos um pouco pelo pátio, debaixo do sol. Indaguei desinteressadamente o que havia de novo em matéria de namoros. Lembro que perguntei explicitamente se tinha havido avanços entre Carmela e Alfonso.

"Que avanços?"

"Ela gosta dele."

Apertou os olhos. Quando ela fazia assim, séria, sem um sorriso, como se o fato de deixar apenas uma frincha às pupilas lhe permitisse ver de modo mais concentrado, me lembrava as aves de rapina que vira nos filmes do cinema paroquial. Mas naquela ocasião me pareceu que ela individuara algo que a deixava ao mesmo tempo com raiva e assustada.

"Ela lhe falou alguma coisa sobre o pai?"

"Que é inocente."

"E quem seria o assassino?"

"Um meio homem e meio mulher que vive escondido nos esgotos e sai das sarjetas feito os ratos."

"Então é verdade", ela disse de chofre e quase com pena, acrescentando que Carmela acreditava em tudo o que ela dizia, que todas no pátio faziam assim. "Não quero mais falar sobre isso, não quero falar com ninguém", murmurou emburrada, e senti que não o dizia com desprezo, que não exprimia orgulho ou arrogância pela influência que exercia sobre nós, tanto que num primeiro momento não entendi: eu, no lugar dela, ficaria muito orgulhosa; já ela, ao contrário, não tinha nenhuma soberba, mas uma espécie de impaciência misturada ao medo da responsabilidade.

"É bom", murmurei, "falar com os outros."

"Sim, mas só quando você fala e há alguém que responde."

Senti no peito um sopro de alegria. Que pedido havia naquela bela frase? Estava querendo dizer que só queria falar comigo porque eu não acreditava em tudo o que lhe saía da boca, mas respondia a ela? Estava dizendo que somente eu era capaz de acompanhar as coisas que lhe passavam pela cabeça?

Sim. E o estava dizendo com um tom que eu desconhecia, brando, apesar de brusco, como sempre. "Contei a ela", disse-me, "que num romance ou num filme a filha do assassino se apaixona pelo filho da vítima. Era uma possibilidade: para se transformar num fato verdadeiro, seria preciso nascer um amor de verdade." Mas Carmela não tinha entendido e, já no dia seguinte, saiu dizendo a todo mundo que estava apaixonada por Alfonso; uma mentira para se exibir diante das outras, mas sabe-se lá que consequências poderia ter. Pensamos sobre o caso. Tínhamos doze anos, mas caminhamos sem tempo pelas ruas fervilhantes do bairro, entre a poeira e as moscas que os velhos caminhões de passagem deixavam para trás, como duas velhinhas fazendo o balanço de suas vidas cheias de desilusão, bem apegadas uma à outra. Ninguém nos compreendia, só nós duas – pensávamos – nos entendíamos. Nós, juntas, somente nós sabíamos quanto a capa que pesa sobre o bairro desde sempre, isto é, desde quando tínhamos memória, cederia ao menos um pouco se Peluso, o ex-marceneiro, não tivesse afundado a faca no pescoço de dom Achille, se o responsável por isso tivesse sido o habitante dos esgotos, se a filha do assassino se casasse com o filho da vítima. Havia algo de insustentável nas coisas, nas pessoas, nos prédios, nas ruas, que somente reinventando tudo, como num jogo, se tornava aceitável. Mas o essencial era saber jogar, e eu e ela, eu e ela apenas, sabíamos fazê-lo.

A certa altura me indagou, sem um nexo evidente, mas como se todas aquelas falas não pudessem chegar senão àquela pergunta:
"Ainda somos amigas?"
"Somos."
"Então você me faria um favor?"

Por ela, naquela manhã de reaproximação, eu teria feito qualquer coisa: fugir de casa, abandonar o bairro, dormir em barracos, comer raízes, descer aos esgotos através das sarjetas, não voltar para trás, nem que fizesse frio, nem que chovesse muito. Mas o que ela pediu me pareceu uma ninharia e, naquele momento, fiquei decepcionada. Queria simplesmente que nos víssemos uma vez por dia, nos jardins, ainda que só por uma hora, antes do jantar, e que eu levasse meus livros de latim.

"Não vou incomodar", disse.

Já sabia que eu tinha sido reprovada e queria estudar comigo.

## 7.

Naqueles anos da escola média muitas coisas mudaram sob nossos olhos, mas um pouco a cada dia, tanto que não nos pareceram transformações autênticas.

O bar Solara se ampliou, tornou-se uma bem fornida confeitaria – cujo confeiteiro-mor era o pai de Gigliola Spagnuolo –, que aos domingos ficava lotada de jovens e velhos, todos comprando iguarias para suas famílias. Os dois filhos de Silvio Solara, Marcello, que tinha uns vinte anos, e Michele, um pouco mais novo, compraram uma Millecento branca e azul e, aos domingos, se pavoneavam indo e vindo pelas ruas do bairro.

A ex-marcenaria de Peluso, que nas mãos de dom Achille se tornara uma charcutaria, encheu-se de coisas boas que lotaram sua área interna e até ocuparam uma parte da calçada. Quando passávamos por ela, sentíamos um perfume de especiarias, de azeitonas, de salames, de pão fresco, de torresmo e banha que dava água na boca. A morte de dom Achille tinha afastado lentamente sua sombra atroz daquele lugar e de toda a família. A viúva, dona Maria, assumira tons muito cordiais e agora administrava pessoalmente o negócio ao lado de Pinuccia, a filha de quinze anos, e de Stefano, que já não era o menino endiabrado que tentara arrancar a língua de Lila, mas um rapaz ponderado, de olhar cativante e sorriso suave. A clientela aumentara muito. Até minha mãe me mandava fazer compras ali, e meu pai não se opunha, mesmo porque, quando não tínhamos dinheiro, Stefano registrava tudo num caderninho e depois pagávamos no fim do mês.

Assunta, que vendia frutas e verduras na rua com Nicola, o marido, teve de se aposentar por causa de uma forte dor nas costas, e depois de uns meses uma pneumonia quase levou seu companheiro. No entanto esses dois infortúnios se revelaram um bem. Agora quem circulava todas as manhãs pelas ruas do bairro com a carroça puxada a cavalo, no verão e no inverno, com sol ou chuva, era o filho maior, Enzo, que não tinha quase mais nada do menino que atirava pedras, se tornara um rapaz robusto, de ar forte e saudável, os cabelos louros revoltos, olhos azuis, a voz potente com que louvava sua mercadoria. O rapaz tinha ótimos produtos e, só com os gestos, era capaz de transmitir uma disposição honesta e convincente de servir os fregueses. Manejava a balança com grande habilidade. Eu gostava muito da rapidez com que fazia correr o peso ao longo da barra até achar o equilíbrio exato e depois, pronto, barulho de ferro que raspa veloz contra ferro, embalava as batatas ou as frutas e se apressava em colocá-las no cesto de dona Spagnuolo ou no de Melina, ou no de minha mãe.

Em todo o bairro brotavam iniciativas. De uma hora para outra o armarinho, onde Carmela Peluso tinha começado a trabalhar de balconista, aceitou como sócia uma jovem modista e o negócio se ampliou, tendendo a transformar-se num ambicioso ateliê para senhoras. A oficina mecânica onde trabalhava o filho de Melina, Antonio, estava tentando se transformar – graças ao filho do velho proprietário, Gentile Gorresio – numa pequena fábrica de ciclomotores. Enfim, tudo se agitava e desdobrava como para mudar de figura, não se deixar reconhecer nos ódios acumulados, nas tensões, nas torpezas, e mostrar em vez disso uma cara nova. Enquanto eu e Lila estudávamos nos jardins, o puro e simples espaço que tínhamos à nossa volta, o pequeno chafariz, o arbusto, uma cantina ao lado da rua, tudo mudou. Havia um cheiro permanente de piche, um carro fumegante com o rolo compressor estalava e avançava lento sobre o terreno, trabalhadores de torso nu ou de regata asfaltavam as ruas e a estrada. Até as cores se transformaram. O irmão maior de Carmela, Pasquale, foi preso por cortar árvores à beira da ferrovia. E quantas ele cortou!, ouvimos o barulho do abate durante dias: as árvores fremiam, emanavam um aroma de lenha fresca e de resina, fendiam o ar, tombavam na terra após um longo farfalhar que parecia um suspiro, e ele e outros serravam, rachavam, extirpavam raízes que exalavam um cheiro de subterrâneo. A mancha verde desapareceu, e em seu lugar surgiu uma clareira amarelada. Pasquale conseguira aquele trabalho graças a um golpe de sorte. Algum tempo atrás um amigo lhe dissera que tinha vindo gente ao bar Solara em busca de jovens para cortar árvores de uma praça do centro de Nápoles, à noite. Ele – ainda que não gostasse de Silvio Solara e de seus filhos, pois foi naquele bar que seu pai se arruinara

– acabou aceitando a proposta, já que precisava manter a família. Voltara exausto, ao alvorecer, as narinas cheias do odor de madeira viva, de folhas pisadas e de mar. Depois, como uma coisa puxa outra, foi chamado outras vezes para serviços daquele tipo. E agora estava no canteiro de obras em frente à ferrovia, e às vezes o víamos pendurado nos andaimes de prédios novos, a erguer pilastras de andar em andar, ou com um chapéu feito de jornal, debaixo do sol, comendo pão com linguiça e brócolis durante a pausa para a boia.

Lila se chateava quando eu olhava Pasquale e me distraía. Logo ficou claro, para minha grande surpresa, que ela já sabia muito de latim. As declinações, por exemplo, conhecia-as todas, e os verbos também. Perguntei-lhe discretamente como conseguira aquilo, e ela, com seu jeito arrogante de mocinha que não quer perder tempo, admitiu que desde quando eu começara a escola média ela pegava uma gramática emprestada da biblioteca circulante, aquela chefiada pelo professor Ferraro, e estudava por curiosidade. A biblioteca, para ela, era um grande recurso. Conversa vai, conversa vem, me mostrou com orgulho todos os quatro cartões que tinha: um dela, um de Rino, um do pai e um da mãe. Com cada um deles pegava um livro emprestado, de modo a ter quatro simultaneamente. Devorava todos eles e, no domingo seguinte, os devolvia e pegava mais quatro.

Nunca perguntei que livros tinha lido ou estava lendo, não havia tempo, precisávamos estudar. Ela me sabatinava e se enfurecia quando eu não acertava. Uma vez me deu um tapa no braço, forte, com suas mãos compridas e magras, e não me pediu desculpa, ao contrário, disse que se eu errasse mais uma vez ela me bateria de novo, e mais forte. Estava encantada com o dicionário de latim, tão grosso, com tantas e tantas páginas, pesado – nunca tinha visto um. Procurava palavras nele incessantemente, não só as que constavam dos exercícios, mas todas as que lhe ocorressem. Cobrava as tarefas com o tom que aprendera de nossa professora Oliviero. Obrigava-

-me a traduzir trinta frases por dia, vinte do latim ao italiano e dez do italiano ao latim. Ela também traduzia, e muito mais rápido que eu. No final do verão, quando a prova já se aproximava, após observar com ceticismo o modo como eu buscava as palavras que não conhecia no dicionário segundo a ordem em que as encontrava dispostas na frase a ser traduzida, anotando os significados principais e só então tentando entender o sentido, ela me disse delicadamente:

"Foi a professora quem lhe disse para fazer assim?"

A professora nunca dizia nada, apenas cobrava os exercícios. Era eu que me orientava daquela maneira.

Ela ficou um tempo em silêncio e então me aconselhou:

"Leia primeiro a frase toda em latim, depois procure onde está o verbo. A depender da pessoa do verbo você vai entender quem é o sujeito. Depois de saber o sujeito, procure os complementos: o complemento objeto, se o verbo for transitivo; ou senão outros complementos. Tente fazer assim."

Tentei. De repente traduzir me pareceu fácil. Em setembro fui prestar o exame, fiz a prova escrita sem nenhum erro e consegui responder a todas as questões orais.

"Quem lhe deu aulas?", perguntou a professora, um tanto irritada.

"Uma amiga minha."

"Universitária?"

Eu não sabia o que isso significava. Respondi que sim.

Lila estava me esperando lá fora, na sombra. Abracei-a assim que saí da escola, disse que tudo tinha ido muito bem e perguntei se queria que estudássemos juntas no ano seguinte. Como tinha sido ela quem propusera nos encontrarmos só para estudar, achei que convidá-la a continuar seria uma bela maneira de manifestar-lhe minha alegria e gratidão. Esquivou-se com um gesto quase de fastio. Disse que só queria entender o que era o latim que os bons estudavam.

"E então?"
"Já entendi, chega."
"Você não gosta?"
"Gosto. Vou pegar uns livros na biblioteca."
"Em latim?"
"É."
"Mas ainda há muito que estudar."
"Estude por mim e, se eu tiver alguma dificuldade, me ajude. Agora preciso fazer uma coisa com meu irmão."
"O quê?"
"Depois lhe mostro."

8.

As aulas recomeçaram, e logo me saí muito bem em todas as disciplinas. Não via a hora de Lila me pedir que a ajudasse em latim ou noutra matéria, acho até que eu estudava não tanto para a escola, mas para ela. Me tornei a primeira da classe, nem na escola fundamental eu tinha ido tão bem.

Naquele ano tive a impressão de inchar como as massas de pizza. Fiquei cada vez mais cheia de peito, de coxas, de bunda. Num domingo em que estava andando nos jardins, onde tinha um encontro com Gigliola Spagnuolo, os irmãos Solara se aproximaram na Millecento. Marcello, o mais velho, estava ao volante, e Michele, o mais novo, sentado ao lado. Os dois eram bonitos, com cabelos muito pretos e lustrosos, um sorriso alvo. Mas o que mais me agradava era Marcello, parecia a figura de Heitor impressa na edição escolar da *Ilíada*. Eles me acompanharam por todo o trajeto, eu na calçada e eles ao lado, na Millecento.

"Você já andou de carro?"
"Não."

"Suba, vamos dar uma volta."

"Meu pai não deixa."

"É só não contarmos a ele. Quando você vai poder subir num carro como este?"

Nunca, pensei comigo. Entretanto eu disse que não e continuei a repeti-lo até os jardins, quando o carro acelerou e sumiu que nem um raio atrás dos prédios em construção. Disse que não porque, se meu pai viesse a saber que eu tinha entrado naquele carro, mesmo sendo um homem bom e amável, mesmo gostando muito de mim, teria me matado de pancada no ato, enquanto meus irmãos Peppe e Gianni, apesar da pouca idade, se sentiriam obrigados, agora e em anos futuros, a tentar matar os irmãos Solara. Não eram regras escritas, sabia-se que era assim e ponto final. Até os Solara sabiam disso, tanto é que tinham sido gentis, limitando-se a me convidar para um passeio.

No entanto, tempos depois, não foram tão gentis com Ada, a filha mais velha de Melina Cappuccio, a viúva louca que dera um escândalo quando os Sarratore se mudaram. Ada tinha catorze anos. Aos domingos, sem que a mãe soubesse, colocava batom e, com umas pernas compridas e bem feitas, os seios mais fartos que os meus, parecia grande e bonita. Os irmãos Solara lhe disseram palavras vulgares, Michele chegou a agarrá-la pelo braço, a abrir a porta do carro e puxá-la para dentro. Trouxeram-na de volta ao mesmo lugar uma hora depois, e Ada em parte se mostrava furiosa, em parte ria.

Entre os que a viram ser puxada à força para o carro havia um que contou o caso a Antonio, o irmão mais velho que trabalhava de mecânico na oficina de Gorresio. Antonio era um grande trabalhador, disciplinado, muito tímido, visivelmente ferido seja pela morte precoce do pai, seja pelos desequilíbrios da mãe. Sem dizer uma só palavra a amigos e parentes, postou-se em frente ao bar Solara à espera de Marcello e Michele e, quando os dois irmãos apareceram, ele os atacou a socos e pontapés, sem dizer sequer uma palavra de preâmbulo. Por alguns minutos se saiu bem, mas depois surgiram Solara pai e um dos garçons. Os quatro chutaram Antonio até sangrar, e nenhum dos passantes, nenhum dos clientes, interveio para ajudá-lo.

Nós, meninas, nos dividimos sobre esse episódio. Gigliola Spagnuolo e Carmela Peluso torceram para os dois Solara, mas só porque eram bonitos e tinham uma Millecento. Eu vacilei. Na presença de minhas duas amigas eu tendia para os Solara, e disputávamos para ver quem era mais apaixonada por eles, já que realmente eram lindos e era impossível não imaginarmos a bela figura que faríamos sentadas ao lado de um deles no carro. Mas também sentia que os dois tinham se comportado muito mal com Ada, e que Antonio, embora não fosse uma beleza, embora não fosse musculoso como eles, que iam à academia todos os dias levantar pesos, tivera a coragem de enfrentá-los. Por isso, quando estava com Lila – que exprimia sem meios termos essa mesma posição –, eu também avançava minhas reservas.

Uma vez a discussão se tornou tão acesa que Lila, talvez por não ser tão desenvolvida quanto nós e desconhecer o prazer e o espanto de ter sobre nossos corpos o olhar dos Solara, ficou mais pálida que de costume e disse que, se lhe acontecesse o que ocorrera com Ada, para evitar problemas ao pai e ao irmão Rino, ela mesma cuidaria daqueles dois.

"Seja como for, nem Marcello nem Michele dão a mínima para você", disse Gigliola Spagnuolo, e pensamos que Lila ficaria chateada. Em vez disso respondeu, séria:

"Melhor assim."

Continuava delgada como sempre, mas rija em cada fibra. Eu olhava suas mãos admirada: em pouco tempo tinham se tornado como as de Rino, as de seu pai, com a pele das pontas dos dedos amarelada e espessa. Embora ninguém a obrigasse – não era essa sua tarefa na oficina –, começara a fazer pequenos trabalhos, preparava o fio, descosturava, colava e até orlava, manejando agora os instrumentos de Fernando quase tão bem quanto o irmão. Foi por isso que, naquele ano, ela não me perguntou mais nada sobre o latim. Em vez disso, a certa altura me confidenciou o projeto que tinha em mente, uma coisa que não tinha nada a ver com livros: estava tentando convencer o pai a começar a fabricar sapatos novos. Mas Fernando não queria saber disso. Fazer sapatos à mão – dizia a ela – é uma arte sem futuro: hoje quem faz são as máquinas, e as máquinas custam dinheiro, e o dinheiro está nos bancos ou com agiotas, não nos bolsos da família Cerullo. Então ela insistia, o enchia de elogios sinceros, dizia: "Ninguém sabe fazer sapatos como você, papai." E ele respondia que, mesmo sendo verdade, agora tudo era feito nas fábricas, em série, a baixo custo, e, como ele tinha trabalhado nas fábricas, sabia bem as porcarias que acabavam no mercado, mas já não havia o que fazer, quando as pessoas precisavam de sapatos novos não iam mais ao sapateiro do bairro, iam às lojas da Rettifilo, de modo que, mesmo querendo fazer com todo esmero um produto artesanal, você não vende, só investe dinheiro, suor e no final se arruína.

Lila não se deixara convencer e, como de hábito, conquistara Rino para seu lado. Primeiro o irmão se alinhara com o pai, irritado com o fato de ela meter o bico em assuntos não de livros, mas de trabalho, onde o entendido era ele. Depois, aos poucos, se deixara fascinar e agora discutia com Fernando dia sim, dia não, repetindo o que Lila lhe enfiara na cabeça.

"Vamos pelo menos fazer uma tentativa."

"Não."

"Viu o automóvel que os Solara têm, viu como a charcutaria dos Carracci vai a todo vapor?"

"O que eu vi é que o armarinho metido a ateliê de costura já fechou, e vi também que Gorresio, por estupidez do filho, deu um passo maior que a perna com a oficina."

"Mas os Solara estão ampliando cada vez mais."

"Pense em suas coisas e deixe os Solara pra lá."
"Perto da ferrovia está nascendo o bairro novo."
"Estou me lixando."
"Papai, as pessoas ganham e querem gastar."
"As pessoas gastam em coisas de comer, porque é preciso comer todo dia. Já os sapatos, em primeiro lugar não são comestíveis, em segundo, quando estragam você os conserta e eles podem durar vinte anos. Nosso trabalho hoje em dia é consertar sapatos, e ponto final."

Eu gostava de como aquele rapaz, sempre gentil comigo, mas capaz de durezas que metiam medo até no pai, defendia sempre a irmã, em qualquer circunstância. Invejava Lila por aquele irmão tão sólido, e às vezes pensava que a verdadeira diferença entre mim e ela era que eu só tinha irmãos menores, ninguém que tivesse a força de me encorajar e me apoiar contra minha mãe, tornando-me livre de cabeça, ao passo que Lila podia contar com Rino, que era capaz de defendê-la contra qualquer um, qualquer coisa que lhe viesse à mente. Dito isto, eu achava que Fernando tinha razão, me sentia do lado dele. E, raciocinando com Lila, descobri que ela também pensava o mesmo.

Uma vez ela estava me mostrando desenhos de sapatos que queria produzir com o irmão, tanto para homens quanto para mulheres. Eram desenhos lindos, feitos em folhas quadriculadas, ricos em detalhes coloridos com precisão, como se tivesse tido a oportunidade de examinar sapatos daquele tipo de perto, em algum mundo paralelo ao nosso, e depois os tivesse fixado no papel. Na verdade ela os inventara, todos eles, em cada detalhe, assim como fazia na escola quando desenhava princesas, tanto que, mesmo sendo sapatos normalíssimos, não se assemelhavam aos que se viam no bairro, nem aos das atrizes das fotonovelas.

"Você gosta?"
"São muito elegantes."
"Rino disse que são difíceis."

"Mas ele sabe fazê-los?"
"Jura que sim."
"E seu pai?"
"Ele com certeza é capaz."
"Então façam."
"Papai não quer fazê-los."
"Por quê?"
"Disse que, enquanto eu quiser brincar, tudo bem; mas ele e Rino não podem perder tempo comigo."
"Ou seja?"
"Ou seja, que para fazer as coisas de verdade é preciso tempo e material que custa caro."

E quase me mostrou as contas que fizera, às escondidas de Rino, para entender quanto seria realmente necessário para produzir os sapatos. Depois parou, dobrou as folhas amassadas e me disse que era inútil perder tempo: seu pai tinha razão.

"Mas e então?"
"Devemos tentar assim mesmo."
"Fernando vai ficar uma fera."
"Se alguém não tenta, nada muda."

O que devia mudar, segundo ela, era sempre a mesma coisa: de pobres que éramos devíamos nos tornar ricas, do nada que tínhamos devíamos chegar ao ponto em que tivéssemos tudo. Tentei mencionar o projeto de escrever romances como tinha feito a autora de *Mulherzinhas*. Estava firme na ideia, acreditava nela. Estudava latim justamente para isso e, no fundo, no fundo, estava convencida de que ela só pegava tantos livros emprestados na biblioteca circulante do professor Ferraro porque, apesar de não ir mais à escola, apesar de agora estar fixada em sapatos, queria de algum modo escrever um romance comigo e ganhar uma fortuna. Mas, com aquele seu jeito indiferente, ela deu de ombros e esnobou *Mulherzinhas*. Agora – me explicou –, para nos tornarmos realmente ricas, é preci-

so entrar numa atividade econômica. Por isso ela pensava em começar com um único par de sapatos, só para demonstrar ao pai como eram bonitos e confortáveis; em seguida, depois de convencer Fernando, era a vez de começar a produção: dois pares de sapato hoje, quatro amanhã, trinta em um mês, quatrocentos em um ano, até chegar em pouco tempo a erguer – ela, o pai, Rino, a mãe, os outros irmãos – uma fábrica de sapatos com maquinário e pelo menos cinquenta empregados: a fábrica de sapatos Cerullo.
"Uma fábrica de sapatos?"
"Sim."
Discorreu sobre isso com muita convicção, como só ela sabia fazer, com frases em italiano que pintavam diante de meus olhos o emblema da fábrica: Cerullo; a marca impressa nas gáspeas: Cerullo; e por fim os sapatos Cerullo por inteiro, todos esplêndidos, todos elegantíssimos como em seus desenhos, desses que, uma vez calçados nos pés – disse –, são tão lindos e confortáveis que à noite você vai dormir com eles.
Rimos e nos divertimos.
Depois ela parou. Parecia se dar conta de que estávamos mais uma vez brincando de bonecas, como anos atrás, com Tina e Nu diante do respiradouro do porão, e me disse, quase numa urgência de concretude, acentuando o ar de menina-velha que me parecia estar se tornando seu traço característico:
"Sabe por que os irmãos Solara se acham os donos do bairro?"
"Porque são arrogantes."
"Não, porque têm dinheiro."
"Você acha?"
"Com certeza. Viu como eles nunca mexeram com Pinuccia Carracci?"
"É mesmo."
"E sabe por que se comportaram daquele jeito com Ada?"
"Por quê?"

"Porque Ada não tem pai, o irmão Antonio é fichinha, e ela ajuda Melina a limpar as escadas dos prédios."

Conclusão: ou também ganhávamos dinheiro, mais que os Solara, ou, para nos defendermos dos dois irmãos, devíamos passar a fazer-lhes muito mal. Me mostrou um trinchete afiadíssimo que pegara na oficina do pai.

"Eles não mexem comigo porque sou feia e não tenho menstruação", disse, "mas com você a história pode ser diferente. Qualquer coisa, me avise."

Olhei para ela, confusa. Com quase treze anos, não sabíamos nada de instituições, leis, justiça. Repetíamos, e às vezes fazíamos com convicção o que tínhamos ouvido e visto à nossa volta desde a primeira infância. A justiça não se realizava na porrada? Peluso não tinha matado dom Achille? Voltei para casa. Com aquelas últimas frases, me dei conta de que ela admitira gostar muito de mim, e me senti feliz.

9.

Passei no exame de conclusão da escola média com oito em tudo, além de nove em italiano e nove em latim. Fui a melhor do colégio: melhor que Alfonso, que teve média oito, e bem melhor que Gino. Durante dias e dias saboreei aquele primado absoluto. Fui muito elogiada por meu pai, que desde aquele momento passou a vangloriar-se com todos de sua filha primogênita, que tinha conseguido nove em italiano e nove – nada menos que isso – em latim. De surpresa, enquanto estava em pé na cozinha, ao lado da pia, lavando verduras, minha mãe me disse sem se virar:

"Você pode usar meu bracelete de prata no domingo, mas não vá perdê-lo."

Tive menos sucesso no pátio. Ali só importavam as paixões e os namoros. Quando disse a Carmela Peluso que eu era a melhor da escola, ela disparou a falar de como Alfonso a olhava quando passava. Gigliola Spagnuolo ficou muito triste porque reprovara em latim e matemática, e tentou recuperar o prestígio dizendo que Gino vivia atrás dela, mas ela não lhe dava confiança porque estava apaixonada por Marcello Solara e talvez Marcello também a amasse. Nem mesmo Lila mostrou particular entusiasmo. Quando lhe descrevi as notas em cada uma das matérias, ela disse, rindo, com seu tom malévolo:

"Não lhe deram um dez?"

Fiquei mal. Só se dava dez em conduta, e os professores não o tinham dado a ninguém nas matérias importantes. Mas bastou aquela frase para que um pensamento latente se me revelasse de chofre: se ela estivesse na escola comigo, se tivesse tido a oportunidade de frequentá-la, agora estaria com dez em tudo, e isso eu sabia desde sempre, assim como ela também sabia, e neste momento me recordava o fato.

Fui para casa guardando a dor de ser a primeira sem ser realmente a primeira. Além disso, meus pais começaram a falar entre si sobre onde poderiam me colocar, já que agora eu tinha nada menos que o diploma do ensino médio. Minha mãe queria pedir à dona da papelaria que me aceitasse como ajudante: segundo ela, boa como eu era, estaria apta a vender canetas, lápis, cadernos e livros escolares. Meu pai ficava imaginando tratar no futuro com seus conhecidos na prefeitura a fim de me conseguir uma colocação de prestígio. Senti uma tristeza por dentro que, mesmo indefinida, cresceu, cresceu, cresceu a ponto que me desinteressei até de sair aos domingos.

Não estava mais contente comigo, tudo me parecia opaco. Olhava-me no espelho e não via o que gostaria de ver. De louros, os cabelos se transformaram em castanhos. Tinha um nariz largo, achatado. Todo meu corpo continuava se dilatando, mas sem crescer em altura. E até minha pele estava estragando: na testa, no queixo, em volta das mandíbulas se multiplicavam arquipélagos de intumescências avermelhadas que depois se tornavam roxas e por fim terminavam em pontos amarelos. Por minha livre escolha comecei a ajudar minha mãe a limpar a casa, a cozinhar, a arrumar a desordem deixada por meus irmãos, a cuidar da pequena Elisa. Nas sobras de tempo eu não saía, me enfiava num canto e lia romances que pegava na biblioteca: Grazia Deledda, Pirandello, Tchecov, Gogol, Tolstói, Dostoiévski Às vezes sentia uma forte necessidade de ir procurar Lila na oficina e falar de personagens que me entusiasmavam, de frases que aprendera de cor, mas depois desistia: ela iria dizer algo amargo, desembestaria a falar dos projetos que tinha com Rino, sapatos, fabricação de calçados, dinheiro, e eu pouco a pouco sentiria que os romances que leio são inúteis e que minha vida é esquálida, e em que me tornaria no futuro: uma vendedora gorda e cheia de espinhas na papelaria em frente à paróquia, uma empregada solteirona da prefeitura, mais cedo ou mais tarde estrábica e claudicante.

Num domingo, impelida por um convite que me chegou pelos correios, no qual o professor Ferraro me convocava para uma sessão matutina na biblioteca, decidi finalmente reagir. Tentei ficar bonita como achava que era desde pequena, como ainda queria acreditar que era, e saí. Passei um tempo espremendo as espinhas com o resultado de inflamar ainda mais o rosto, pus o bracelete de prata de minha mãe, soltei os cabelos. Mas continuei não gostando de mim. Deprimida, com o calor que naquele verão se abatia sobre o bairro desde o início da manhã como uma mão inchada de febre, fiz o caminho até a biblioteca.

Pela pequena multidão de pais e crianças das escolas fundamental e média que adentrava a entrada principal, compreendi logo que algo não funcionava como de costume. Havia filas de cadeiras, todas já ocupadas, festões coloridos, o pároco, Ferraro, até o diretor da fundamental e a professora Oliviero. Ferraro, como descobri, inventara de premiar com um livro por pessoa os leitores que, pelos seus registros, eram os mais assíduos. Como a cerimônia estava para começar, e o empréstimo fora temporariamente suspenso, sentei-me ao fundo da saleta. Procurei Lila, mas só encontrei Gigliola Spagnuolo com Gino e Alfonso. Agitei-me na cadeira, incomodada. Logo depois se sentaram a meu lado Carmela Peluso e o irmão, Pasquale. Oi, oi. Cobri o melhor que pude com os cabelos as faces irritadas.

A pequena cerimônia começou. Os premiados foram: primeiro, Raffaella Cerullo; segundo, Fernando Cerullo; terceiro, Nunzia Cerullo; quarto, Rino Cerullo; quinto, Elena Greco, ou seja, eu.

Tive vontade de rir, Pasquale também. Olhamos um para o outro e sufocamos os risos, enquanto Carmela sussurrava insistente: "Por que estão rindo?". Não respondemos: olhamo-nos de novo e rimos tapando a boca com a mão. Assim, com o riso ainda nos olhos e uma inesperada sensação de bem-estar, depois que o professor perguntou várias vezes se havia alguém da família Cerullo na sala, fui finalmente chamada, a quinta na classificação, a retirar meu prêmio. Ferraro me entregou com muitos elogios *Três homens num barco*, de Jerome K. Jerome. Agradeci e indaguei num sussurro:

"Posso também retirar os prêmios da família Cerullo e levá-los para eles?"

O professor me deu os livros-prêmios de todos os Cerullo. Enquanto saíamos, enquanto Carmela se aproximava irritada de Gigliola, que conversava toda feliz com Alfonso e Gino, Pasquale me dizia em dialeto coisas que me faziam morrer de rir, como Rino consumindo a vista nos livros, Fernando, o sapateiro, que não dormia à noite para ler, dona Nunzia, que lia em pé, ao lado do forno, enquanto cozinhava o macarrão com batatas, numa mão o romance, noutra, a colher de pau. Ele tinha frequentado a escola elementar na mesma classe de Rino, onde dividiam a mesma carteira – me disse, com lágrimas nos olhos de tanto rir –, e os dois juntos, ele e o amigo, mesmo se ajudando, depois de seis ou sete anos de escola, incluídas as repetências, no máximo conseguiam ler: Secos e Molhados, Charcutaria, Correios e Telégrafos. Então me perguntou qual era o prêmio de seu ex-colega de escola.

"*Bruges, a morta.*"

"História de fantasmas?"

"Não sei."

"Posso ir com você quando for entregá-los? Aliás, posso eu mesmo entregar, com minhas próprias mãos?"

Caímos na risada mais uma vez.

"Pode."

"Então deram um prêmio a Rinuccio. Coisa de louco! É Lina quem lê todos eles, caramba, como essa menina é danada!"

As atenções de Pasquale Peluso me consolaram muito, gostei de como ele queria se mostrar divertido comigo. Talvez eu não seja tão feia assim, pensei, talvez eu é que não saiba me ver.

Naquele momento ouvi alguém me chamar, era a professora Oliviero.

Fui até ela, que me examinou com seu olhar sempre inquisidor e disse, quase confirmando a legitimidade de um julgamento mais generoso a meu respeito:

"Como você está bonita, como cresceu!"

"Não é verdade, professora."

"É verdade, sim, você está uma graça, cheia de saúde, gorda. E também competente. Soube que foi a melhor da escola."

"Sim."

"O que vai fazer agora?"

"Vou trabalhar."

Fechou a cara.

"Isso está fora de cogitação, você precisa continuar os estudos."

Olhei para ela surpresa. O que ainda havia para estudar? Não sabia nada a respeito dos graus escolares, não sabia exatamente o que vinha depois da escola média. Palavras como liceu, universidade, eram vazias de sentido para mim, assim como tantas palavras que encontrava nos romances.

"Não posso, meus pais não deixam."

"Quanto seu professor de letras lhe deu em latim?"

"Nove."

"Tem certeza?"

"Tenho."

"Então eu vou falar com seus pais."

Fiz menção de ir embora, um pouco assustada, devo dizer. Se Oliviero fosse mesmo falar com meu pai e minha mãe, insistindo em que eu continuasse os estudos, desencadearia novas brigas que eu não tinha nenhuma vontade de enfrentar. Preferia as coisas como estavam: ajudar minha mãe, trabalhar na papelaria, aceitar a feiúra e as espinhas, cheia de saúde, gorda, como dizia Oliviero, e penar na miséria. Não era isso que Lila já fazia há pelo menos três anos, à parte seus sonhos doidos de filha e irmã de sapateiros?

"Obrigada, professora", disse, "até mais ver."

Mas Oliviero me deteve pelo braço.

"Não perca tempo com ele", disse acenando a Pasquale, que me esperava. "Ele é pedreiro, nunca vai passar disso. De resto, vem de uma péssima família, o pai é comunista e assassino, matou dom Achille. Não quero absolutamente vê-la com ele, que com certeza é comunista assim como o pai."

Fiz um sinal de concordância e me afastei sem me despedir de Pasquale, que de início ficou imóvel, mas depois senti com prazer que me seguia a dez passos de distância. Não era um rapaz bonito, mas tampouco eu era mais bela que ele. Seus cabelos eram muito encaracolados e pretos, era moreno e tinha a pele queimada de sol, a boca era larga, e seu pai era assassino, quem sabe até comunista.

Aquele *comunista* ficou girando em minha mente, uma palavra que não fazia sentido para mim, mas à qual a professora imediatamente conferira uma marca de negatividade. Comunista,

comunista, comunista. Pareceu-me fascinante. Comunista e filho de assassino.

Assim que dobrei a esquina, Pasquale me alcançou. Fizemos juntos o trajeto até poucos metros de casa e, voltando a rir, marcamos um encontro para o dia seguinte, quando iríamos à oficina do sapateiro entregar os livros a Lila e a Rino. Antes de nos despedirmos, Pasquale ainda me disse que ele, a irmã e quem mais quisesse poderiam ir à casa de Gigliola no domingo seguinte, para aprender a dançar. Perguntou se eu também queria ir, quem sabe com Lila. Fiquei de queixo caído, já sabia que minha mãe não me deixaria ir. Mas mesmo assim respondi: tudo bem, vou dar um jeito. Então ele me estendeu a mão e eu, que não estava habituada a um gesto daquele tipo, hesitei e mal rocei a mão dele, dura, áspera, e me retraí.

"Continua trabalhando de pedreiro?", perguntei, apesar de já saber que sim.

"Continuo."

"E você é comunista?"

Ele me olhou com um ar perplexo.

"Sou."

"E vai visitar seu pai em Poggioreale?"

Ficou sério:

"Sempre que posso."

"Tchau."

"Tchau."

## 10.

Naquela mesma tarde a professora Oliviero se apresentou em minha casa sem prévio aviso, lançando meu pai na angústia mais completa e exasperando minha mãe. Fez ambos jurarem que me inscreveriam no liceu clássico mais próximo. Ofereceu-se a encontrar ela mesma os livros que me serviriam. Relatou a meu pai, enquanto me olhava com severidade, que me vira sozinha com Pasquale Peluso, uma companhia totalmente inadequada para mim, que prometia tanto. Meus pais não ousaram contestá-la. Ao contrário, juraram solenemente que me mandariam para a quarta ginasial e meu pai disse, ameaçador: "Lenu, não ouse mais conversar com Pasquale Peluso". Antes de se despedir, a professora me perguntou por Lila, sempre diante de meus pais. Respondi que estava ajudando o pai e o irmão, cuidando das contas e da loja. Teve um ricto de desprezo e me indagou:

"Ela sabe que você tirou nove em latim?"

Fiz um sinal positivo.

"Diga-lhe que agora você também vai estudar grego. Diga isso a ela."

Despediu-se de meus pais toda empertigada.

"Esta jovem", exclamou, "ainda nos dará enormes satisfações."

Na mesma tarde, enquanto minha mãe, furiosa, dizia que agora seria preciso me mandar de qualquer jeito para a escola dos ricos, do contrário Oliviero a perseguiria até o esgotamento e quem sabe quantas vezes reprovaria a pequena Elisa, só por represália; enquanto meu pai, como se aquele fosse o maior problema, ameaçava quebrar minhas duas pernas caso soubesse que eu continuava em intimidades com Pasquale Peluso, ouviu-se um grito altíssimo, que nos calou a boca. Era Ada, a filha de Melina, que pedia socorro.

Corremos para as janelas, havia uma grande confusão no pátio. Soube-se que Melina, que após a mudança dos Sarratore se comportara geralmente bem – um tanto melancólica, é claro, um tanto alheia, mas no fim das contas as bizarrias se tornaram raras e inócuas, do tipo cantar a plenos pulmões enquanto lavava as escadas dos prédios ou jogar baldes de água suja na rua sem se importar com quem passava –, estava tendo uma nova crise de doidice, uma espécie de loucura de alegria. Gargalhava, pulava na cama de casa e erguia a saia, mostrando as coxas magras e a calcinha aos filhos assustados. Isso foi o que minha mãe entendeu, perguntando da janela às mulheres surgidas nas janelas. Pude ver que até Nunzia Cerullo e Lila acorriam para ver o que estava acontecendo, e tentei escapar pela porta para alcançá-las, mas minha mãe me impediu. Ajeitou os cabelos e, com seu passo manco, foi ela mesma averiguar a situação.

Quando voltou, estava indignada. Alguém tinha enviado um livro a Melina. Um livro, sim, um livro. A ela, que cursara no máximo até o segundo ano fundamental e nunca lera um livro sequer em toda a vida. O livro trazia na capa o nome de Donato Sarratore. Dentro, na primeira página, havia uma dedicatória escrita a caneta para Melina e, assinalados com tinta vermelha, os poemas que escrevera para ela.

Ao ouvir aquela estranheza, meu pai insultou com palavras muito obscenas o ferroviário-poeta. Minha mãe disse que alguém deveria incumbir-se de arrebentar aquele homem de merda com a cabeça de merda que tinha. Ouvimos por toda a noite Melina cantando de felicidade, ouvimos as vozes dos filhos, especialmente de Antonio e Ada, que tentavam acalmá-la, mas sem sucesso.

Quanto a mim, estava arrebatada de encantamento. No mesmo dia eu tinha atraído a atenção de um jovem tenebroso como Pasquale, a perspectiva de uma nova escola se abrira à minha frente e tinha descoberto que uma pessoa, até pouco tempo atrás moradora do bairro, bem no prédio em frente ao nosso, tinha publicado um livro. O que demonstrava que Lila tinha razão quando pensava que a mesma coisa podia acontecer a nós duas. Certo, ela agora havia renunciado a isso, mas quem sabe eu, de tanto frequentar aquela escola difícil que se chamava ginásio, ajudada no caso pelo amor de Pasquale, não poderia escrever um sozinha, como fizera Sarratore. Quem sabe, se tudo seguisse pelo melhor caminho, eu não me tornaria rica antes mesmo de Lila, com seus desenhos de sapato e sua fábrica de calçados.

## 11.

No dia seguinte fui às escondidas ao encontro com Pasquale Peluso. Ele chegou esbaforido com as roupas do trabalho, todo suado, coberto de manchas brancas de cal. Na rua lhe contei a história de Donato e Melina. Disse que os últimos acontecimentos eram a prova de que ela não era louca, de que Donato realmente estava apaixonado por ela e ainda a amava. Mas já enquanto eu falava, enquanto Pasquale me dava razão manifestando sensibilidade nas coisas do amor, me dei conta de que, daquelas últimas notícias, o que continuava me entusiasmando mais que tudo era que Donato Sarratore tinha publicado nada menos que um livro. Aquele funcionário das ferrovias se tornara autor de um volume que o professor Ferraro poderia perfeitamente abrigar na biblioteca e emprestar. Portanto, disse a Pasquale, todos nós tínhamos conhecido não um tipo qualquer, fragilizado pelo modo como se deixava dominar pela mulher, Lidia, mas um poeta. Portanto, sob nossos olhos nascera nele um trágico amor, e quem o inspirou foi uma pessoa que conhecíamos muito bem, isto é, Melina. Fiquei muito excitada, meu coração batia forte. Mas percebi que Pasquale não conseguia me acompanhar naquele tema, dizia sim apenas para não me contradizer. De fato, logo em seguida começou a desviar do assunto, passou a me fazer perguntas sobre Lila: como ela era na escola, o que eu pensava dela, se éramos muito amigas. Respondi de boa vontade: era a primeira vez que alguém me indagava sobre minha amizade com ela, e falei sobre isso durante todo o trajeto, com grande entusiasmo. Foi também a primeira vez que senti como, precisando buscar palavras para um tema sobre o qual não dispunha de palavras prontas, eu tendia a reduzir a relação entre mim e Lila a afirmações destoantes e de positividade exclamativa.

Quando chegamos à loja do sapateiro ainda estávamos falando sobre ela. Fernando tinha ido fazer a sesta em casa, mas Lila e Rino estavam um ao lado do outro, com expressões sombrias, inclinados sobre algo que olhavam com hostilidade, e assim que nos viram através da porta de vidro guardaram tudo. Entreguei a minha amiga os presentes do professor Ferraro, enquanto Pasquale zombava do amigo abrindo seu prêmio bem debaixo do nariz e dizendo: "Depois que tiver lido a história dessa Bruges, a morta, me diga se gostou e, se for o caso, vou ler também". Riram muito entre si e de vez em quando sussurravam no ouvido frases a respeito de Bruges, certamente obscenas. Mas a certa altura notei que, mesmo brincando com Rino, Pasquale lançava olhares furtivos a Lila. Por que a olhava assim, o que queria, o que estava vendo? Eram olhares demorados e intensos, dos quais ela parecia nem sequer se dar conta, ao passo que – foi o que me pareceu – quem mais estava incomodado com isso era Rino, que logo arrastou Pasquale para a rua como para evitar que ouvíssemos o que estavam dizendo de Bruges, mas na verdade irritado com a maneira como o amigo olhava sua irmã.

Acompanhei Lila até o fundo da loja tentando perceber nela o que havia atraído a atenção de Pasquale. Pareceu-me a mesma mocinha de sempre, magra, só pele e ossos, exangue, exceto talvez os olhos mais delineados e uma pequena ondulação do peito. Ela arrumou os livros entre outros volumes que tinha entre velhos sapatos e alguns cadernos de capa muito surrada. Mencionei as loucuras de Melina, mas lhe falei especialmente de meu entusiasmo, porque afinal podíamos dizer que conhecíamos alguém que tinha acabado de publicar um livro, Donato Sarratore. Murmurei em italiano: "Imagine, o filho dele, Nino, foi nosso colega de escola; imagine, talvez toda a família Sarratore fique rica". Ela deu um meio sorriso cético.

"Com isto?", disse. Estendeu a mão e me mostrou o livro de Sarratore.

Antonio, o filho mais velho de Melina, lhe dera o livro para que ela o tirasse para sempre da vista e das mãos da mãe. Peguei e examinei o voluminho. O título era *Provas de sereno*. Tinha uma capa avermelhada, com o desenho de um sol brilhando no pico de uma montanha. Foi emocionante ler bem acima do título: Donato Sarratore. Abri o livro e recitei em voz alta a dedicatória a caneta: *A Melina, que alimentou meu canto. Donato. Nápoles, 12 de junho de 1958.* Fiquei emocionada, senti um arrepio atrás da nuca, na raiz dos cabelos. Disse:

"Nino vai ter um carro mais bonito que o dos Solara."

Mas Lila armou um daqueles seus olhares intensos, e vi que estava como colada ao livro que eu tinha nas mãos.

"Se isso acontecer, vamos ficar sabendo", resmungou. "Por ora esses poemas só causaram estrago."

"Por quê?"

"Sarratore não teve a coragem de ir pessoalmente até Melina e, em vez disso, lhe mandou o livro."

"E não é lindo?"

"Quem sabe. Agora Melina está esperando por ele e, se Sarratore não vier, ela vai sofrer ainda mais do que já sofreu até agora."

Que belas palavras. Observei sua pele branquíssima, lisa, sem nenhuma marca. Olhei os lábios, a forma delicada das orelhas. É verdade, pensei, talvez ela esteja mudando, e não só fisicamente, mas também no modo de se expressar. Pareceu-me – formulado com palavras de hoje – que não apenas sabia dizer bem as coisas, mas que estivesse desenvolvendo um dom que eu já conhecia: melhor do que fazia quando menina, tomava os fatos e os transformava com naturalidade em eventos cheios de tensão; reforçava a realidade enquanto a reduzia em palavras, injetava-lhes energia. Mas também percebi com prazer que, tão logo ela começava a fazê-lo, imediatamente eu sentia em mim a capacidade de fazer o mesmo, e tentava, e me saía bem. Isso – pensei contente – me distingue de Carmela Peluso e de todas as outras: eu me arrebato com ela, aqui, no próprio instante em que me fala. Como tinha mãos belas e fortes, que gestos bonitos lhe ocorriam, que olhares.

Contudo, enquanto Lila pensava o amor, enquanto eu pensava o amor, o prazer se rompeu e me veio um pensamento terrível. Compreendi de repente que eu me enganara: Pasquale, o pedreiro, o comunista, o filho do assassino, tinha querido me acompanhar até ali não por minha causa, mas por ela, para ter a oportunidade de revê-la.

## 12.

Ter pensado aquilo me tirou o fôlego por um instante. Quando os dois rapazes tornaram a entrar, interrompendo nossa conversa, Pasquale confessou rindo que tinha dado uma escapada do canteiro sem dizer nada ao mestre de obras, mas precisava voltar logo para trabalhar. Notei que de novo olhava para Lila, longa e intensamente, quase contra sua vontade, talvez para sinalizar: estou correndo o risco de perder o emprego só por você. Entretanto disse, virando-se para Rino:

"Domingo vamos todos dançar na casa de Gigliola, Lenuccia também vai, por que vocês não vêm?"

"Domingo está longe, depois pensamos nisso", respondeu Rino.

Pasquale lançou um último olhar a Lila, que não lhe deu a menor atenção, e depois foi embora sem nem me perguntar se eu queria voltar com ele.

Senti um mal-estar que me deixou nervosa. Comecei a tocar meu rosto justamente nas zonas mais abrasadas, percebi o gesto e me controlei para não o repetir. Enquanto Rino retomava de baixo do balcão as coisas em que estava trabalhando antes de chegarmos, e as analisava com ar cismado, tentei retomar com Lila o assunto dos livros e das histórias de amor. Engrandecemos enormemente Sarratore, a loucura de amor de Melina, os efeitos daquele livro.

O que iria acontecer? Que reações teria desencadeado não a leitura dos versos, mas o objeto em si, o fato de sua capa, o título, o nome e o sobrenome terem reacendido o coração daquela mulher? Falamos tão apaixonadamente que Rino de repente perdeu a paciência e gritou:

"Podem parar com isso? Lina, vamos trabalhar, se não papai volta e não se pode fazer mais nada."

Paramos. Dei uma olhada no que estavam fazendo, um molde de madeira envolvido num emaranhado de soletas, tirinhas de pele e cortes de couro entre facas e sovelas e ferros de todo tipo. Lila me disse que ela e Rino estavam tentando produzir um sapato masculino de viagem, e seu irmão, logo em seguida, ansioso, me fez jurar por minha irmã Elisa que eu nunca falaria sobre isso com ninguém. Estavam trabalhando escondido de Fernando, Rino conseguira o couro e a pele com um amigo que ganhava a vida em um curtume na Ponte de Casanova. Dedicavam à fabricação do sapato cinco minutos hoje, dez amanhã, porque não houve jeito de convencer o pai a apoiá-los, ao contrário, toda vez que tocavam no assunto, Fernando mandava Lila para casa gritando que não queria mais vê-la na oficina, enquanto ameaçava matar Rino porque metera na cabeça, aos dezenove anos, que podia ser melhor que ele, faltando-lhe com o respeito.

Fiz de conta que me interessava por sua aventura secreta, mas de fato me entristeci com aquilo. Embora ambos os irmãos me tivessem envolvido, escolhendo a mim como sua confidente, tratava-se de todo modo de uma experiência da qual eu só podia participar como testemunha: seguindo por aquele caminho, Lila realizaria grandes coisas sozinha, e eu estaria excluída. No entanto, acima de tudo, como era possível que depois de nossas intensas reflexões sobre o amor e a poesia ela me acompanhasse até a porta como estava fazendo agora, considerando bem mais interessante aquele clima de tensão em torno de um sapato? Tínhamos falado tão bem sobre

A AMIGA GENIAL  125

Sarratore e Melina. Não podia acreditar que, mesmo me apontando aquela miscelânea de couros, peles e instrumentos, ela não conservasse dentro de si, assim como eu, a ânsia pela mulher que sofria de amor. Que me importavam os sapatos. Ainda tinha em volta de mim, nos olhos, os movimentos mais secretos daquele caso de fidelidade violada, de paixão, de canto que se tornava livro, e era como se ela e eu tivéssemos lido juntas um romance, como se tivéssemos visto ali, nos fundos da loja, e não na sala paroquial de domingo, um filme muito dramático. Fiquei sentida pelo desperdício, por estar sendo forçada a ir embora, porque ela preferia a aventura dos sapatos às nossas conversas, porque sabia ser autônoma, ao passo que eu dependia dela, porque tinha coisas dentro de si às quais eu não podia ter acesso, porque Pasquale, que já era grande, e não um rapazinho, certamente buscaria outras ocasiões de encontrá-la, solicitá-la, de tentar convencê-la a namorar com ele em segredo, a deixar-se beijar, tocar, como diziam que se fazia quando se namorava – porque, enfim, ela me sentiria cada vez menos necessária.

Por isso, quase para espantar a sensação de repulsa que aqueles pensamentos me causavam, quase para sublinhar meu valor e minha indispensabilidade, lhe disse de chofre que iria para o ginásio. Disse-lhe na soleira da loja, aliás, quando eu já estava na rua. Contei que tinha sido a professora Oliviero que insistira com meus pais, prometendo que ela mesma se encarregaria dos livros usados, sem nenhum custo. Fiz isso porque queria que ela se desse conta de quanto eu era única e rara, e que, mesmo se ela ficasse rica fabricando sapatos com Rino, jamais poderia prescindir de mim, assim como eu não podia prescindir dela.

Ela me olhou perplexa.

"O que é um ginásio?", perguntou.

"Uma escola importante, que vem depois da escola média."

"E o que você vai fazer lá?"

"Vou estudar."

"O quê?"
"Latim?"
"Só isso?"
"Grego também."
"Grego?"
"É."
Fez uma expressão de quem se perdeu e não acha mais nada a dizer.
Por fim murmurou, sem nenhum nexo:
"Na semana passada fiquei menstruada pela primeira vez."
E, embora Rino não a tivesse chamado, tornou a entrar.

## 13.

Agora então ela também sangrava. Os movimentos secretos do corpo, que em mim começaram primeiro, tinham também chegado a ela como a onda de um terremoto e a mudariam por completo, já estavam mudando. Pasquale – pensei – o percebera antes de mim. Ele e provavelmente outros rapazes. O fato de que eu iria para o ginásio perdeu sua aura rapidamente. Por dias e dias só consegui pensar na incógnita das mudanças que afetariam Lila. Ela ficaria bonita como Pinuccia Carracci, ou Gigliola, ou Carmela? Ficaria feia como eu? Voltei para casa e me examinei no espelho. Como eu era de verdade? Como, mais cedo ou mais tarde, ela seria?

Passei a cuidar mais de mim. Num domingo à tarde, durante o habitual passeio da avenida até os jardins, usei meu vestido de festa, uma roupa azul com decote quadrado, e também pus o bracelete de prata que minha mãe me dera. Quando me encontrei com Lila, experimentei um secreto prazer ao vê-la a mesma de todos os dias, os cabelos pretíssimos em desordem, um vestidinho liso e desbotado. Não havia nada que a diferenciasse da Lila de sempre, uma menina enérgica e magra. Pareceu-me apenas mais alta, de baixinha que era estava quase do meu tamanho, talvez só um centímetro menor. Mas o que era aquela mudança? Eu já tinha seios grandes, formas de mulher.

Chegamos até os jardins, voltamos para trás, refizemos o percurso até os jardins. Era cedo, ainda não havia o burburinho dos domingos, os vendedores de avelãs, amêndoas torradas e tremoços. Lila tornou a perguntar-me cautelosamente sobre o ginásio. Disse-lhe o pouco que sabia, mas aumentando tudo o máximo possível. Queria que ela ficasse curiosa, que desejasse participar ao menos um pouquinho daquela minha aventura, de fora, que sentisse que estava perdendo alguma coisa minha, assim como eu sempre temia perder muito dela. Eu caminhava do lado da rua, ela, na parte interna da calçada. Eu falava, ela ouvia com muita atenção.

Depois a Millecento dos Solara se aproximou de nós, Michele ao volante, Marcello ao lado. Este último começou a nos dizer gracinhas. A dizer para nós duas, não só para mim. Cantarolava em napolitano frases do tipo: mas que belas senhoritas, não estão cansadas de andar pra cima e pra baixo?, olhem que Nápoles é grande, a cidade mais linda do mundo, linda como vocês, subam no carro, somente meia hora e depois as trazemos de volta.

Eu não deveria ter feito isso, mas fiz. Em vez de seguir em frente, como se nem ele nem o carro nem o irmão existissem; em vez de continuar conversando com Lila sem dar bola pra ele, por uma necessidade de me sentir atraente, afortunada e prestes a ir para a escola dos ricos, onde com toda probabilidade encontraria rapazes com carros mais bonitos que o dos Solara, me virei para os dois e disse em italiano:

"Obrigada, mas não podemos."

Então Marcello estendeu uma mão. Pude ver que era larga e curta, embora fosse um jovem alto e bem feito. Os cinco dedos atravessaram a janela e vieram me pegar pelo pulso, enquanto sua voz dizia:

"Miché, pare o carro, veja que belo bracelete a filha do contínuo tem."

O automóvel parou. Os dedos de Marcello em meu pulso me enrugaram a pele, puxei o braço com repulsa. O bracelete se quebrou, caindo entre a calçada e o carro.

"Meu Deus, olhe o que você fez", exclamei, pensando em minha mãe.

"Calma", ele disse, abrindo a porta e saindo do carro. "Vou consertar para você."

Era alegre, cordial, tentou de novo pegar meu pulso como para estabelecer uma familiaridade que me acalmasse. Foi só um instante. Lila, a metade dele, o empurrou contra o carro e lhe meteu o trinchete sob a garganta.

Disse com calma, em dialeto:

"Se tocar nela mais uma vez, vai ver o que lhe acontece."

Marcello se imobilizou, incrédulo. Michele logo saiu do carro dizendo em tom tranquilizador:

"Não é nada, Marcé, essa cadela não tem coragem."

"Vem", disse Lila, "vem que eu lhe mostro se não tenho coragem."

Michele contornou o carro enquanto eu começava a chorar. De onde eu estava podia ver que a ponta do trinchete já tinha cortado a pele de Marcello, um talho de onde saía um filete de sangue. Tenho na memória a cena com clareza: ainda fazia muito calor, havia poucos passantes, Lila estava em cima de Marcello como se tivesse visto um inseto feio em seu rosto e quisesse espantá-lo. Ficou-me na cabeça a absoluta certeza de então: ela não teria hesitado em cortar-lhe a garganta. Michele também se deu conta disso.

"Tudo bem, valentona", disse; e, sempre com a mesma calma, quase se divertindo, voltou para o carro. "Suba, Marcé, peça desculpas às senhoritas e vamos."

Lila afastou lentamente da garganta de Marcello a ponta da lâmina. Ele lhe deu um sorriso tímido, o olhar desorientado.

"Um momento", disse ele.

Ajoelhou-se na calçada, diante de mim, como se quisesse desculpar-se submetendo-se à forma extrema da humilhação. Apalpou debaixo do automóvel, recuperou o bracelete, o examinou e consertou apertando entre as unhas o elo de prata que se rompera. Devolveu-o olhando não para mim, mas para Lila. Foi a ela que disse: "me desculpe". Depois subiu no automóvel e o carro partiu.

"Chorei por causa do bracelete, não por medo", murmurei.

## 14.

Os limites do bairro se atenuaram ao longo daquele verão. Certa manhã meu pai me levou com ele. Aproveitando a inscrição no liceu, quis que eu entendesse bem que transportes deveria tomar e que ruas percorreria para ir à nova escola em outubro.

Era uma bela, claríssima manhã de vento. Me senti amada, acarinhada, e o afeto que sentia por ele logo se somou a um crescendo de admiração. Conhecia perfeitamente o espaço enorme da cidade, sabia onde pegar o metrô, ou um bonde, ou um ônibus. Na rua, se comportava com cortesia e sociabilidade pacatas, que em casa quase nunca demonstrava. Era íntimo de todos, nos meios públicos, nos escritórios, e sempre dava a entender ao interlocutor que ele trabalhava na prefeitura e que, se fosse necessário, poderia agilizar os trâmites, abrir portas.

Passamos o dia todo juntos, o único de nossas vidas, não me lembro de outros. Ele se dedicou muito a mim, como se quisesse me transmitir em poucas horas tudo o que tinha aprendido de útil no curso de sua existência. Mostrou-me a praça Garibaldi e a estação que estavam construindo: segundo ele, era tão moderna que vinham japoneses do Japão justamente para estudá-la e fazer uma idêntica na casa deles, especialmente as pilastras. Mas me confessou que gostava mais da estação antiga, era mais afeiçoado a ela. Paciência. Nápoles, segundo ele, era assim desde sempre: se corta, se quebra e depois se refaz, e assim o dinheiro corre e se cria trabalho. Levou-me pela avenida Garibaldi até o prédio que seria minha nova escola. Tratou na secretaria com extrema desenvoltura, tinha o dom de ser simpático, um dom que em nosso bairro e em casa ele mantinha oculto. Vangloriou-se de meu extraordinário currículo escolar com um bedel cujo padrinho de batismo, como descobriu naquele momento, conhecia muito bem. Senti que ele repetia frequentemente: está tudo certo? Ou então: vamos fazer o que for possível. Me mostrou a praça Carlo III, a Hospedaria dos Pobres, o Jardim Botânico, a rua Floria, o Museu. Me levou pela rua Costantinopoli, por Porto Alba, pela praça Dante, por Toledo. Fui soterrada pelos nomes, pelo barulho do tráfego, pelas vozes, pelas cores, pelo ar de festa que circulava, pelo esforço de conservar tudo na memória para depois contar a Lila, pela habilidade com que ele conversava com o pizzaiolo de quem me comprou uma pizza escaldante com ricota, com o verdureiro de quem me comprou um pêssego muito amarelo. Será que só o nosso bairro era tão cheio de tensões e de violências, quando o resto da cidade era radiante e benévolo?

Depois me levou para ver o local onde trabalhava, que ficava na praça Municipal. Ali também, disse, tudo tinha sido refeito, as árvores cortadas, os prédios destruídos: veja agora quanto espaço, a única coisa antiga é o Maschio Angioino, mas é bonito, rejuvenesceu, os dois verdadeiros machos de Nápoles são o papai e aquele ali. Fomos à prefeitura, ele cumprimentou este e aquele, era muito conhecido. Com alguns foi jovial, me apresentou, repetiu pela enésima vez que eu passara na escola com nove em italiano e nove em latim; com outros se mostrou quase mudo, apenas um tudo bem, sim, como o senhor quiser. Por fim me anunciou que me mostraria de perto o Vesúvio e o mar.

Foi um momento inesquecível. Seguimos pela rua Caracciolo, o vento cada vez mais forte, sempre mais sol. O Vesúvio era uma forma delicada de tom pastel, aos pés do qual se amontoavam as pedras esbranquiçadas da cidade, a silhueta cor de terra do Castel dell'Ovo, o mar. Mas que mar. Era agitadíssimo, fragoroso, o vento cortava a respiração, colava as roupas no corpo e erguia os cabelos da testa. Ficamos do outro lado da rua, junto a uma pequena multidão que contemplava o espetáculo. As ondas rolavam como um tubo de metal azul, levando no alto a clara de ovo da espuma, e depois se arrebentavam em mil estilhaços cintilantes, chegando até a rua com um oh de maravilha e temor por parte de todos nós que olhávamos. Que pena que Lila não estava ali. Fiquei atordoada com as poderosas investidas, com o estrondo. Tinha a impressão de que, mesmo absorvendo muito daquele espetáculo, uma enormidade de coisas, inumeráveis, se dissiparia ao redor sem se deixar apreender.

Meu pai me apertou a mão como se temesse que eu fugisse. De fato eu tinha vontade de deixá-lo, de correr, me mover, atravessar a rua, ser atingida pelas escamas cintilantes do mar. Naquele momento tão tremendo, cheio de luz e clamor, fingi-me sozinha dentro do novo da cidade, nova eu mesma com toda a vida pela frente, exposta à fúria movente das coisas, mas certamente vencedora: eu, eu e Lila, nós duas com aquela capacidade que juntas – somente juntas – tínhamos de captar a massa de cores, de sons, coisas e pessoas, e depois narrá-las e dar-lhes força.

Voltei ao bairro como se tivesse ido a um território distante. Lá estavam mais uma vez as ruas conhecidas, lá estava de novo a charcutaria de Stefano e sua irmã Pinuccia, Enzo vendendo frutas, a Millecento dos Solara estacionada na frente do bar e que agora eu teria pago não sei quanto para que sumisse da face da terra. Ainda bem que minha mãe não soube nada do episódio do bracelete. Ainda bem que ninguém disse a Rino o que tinha acontecido.

Falei a Lila das ruas, de seus nomes, do barulho, da luz extraordinária. Mas logo me senti incomodada. Se fosse ela que tivesse feito o relato daquele dia, eu teria me insinuado com um contracanto indispensável e, apesar de não ter estado presente, me sentiria viva e ativa, teria feito perguntas, levantado questões, teria tentado mostrar que precisávamos fazer aquele percurso juntas, necessariamente, porque eu o teria enriquecido, seria uma companhia muito melhor que o pai dela. Ela, ao contrário, me ouviu sem curiosidade e quase pensei que agisse assim por maldade, para arrefecer meu entusiasmo. Mas tive de admitir que não era isso, ela simplesmente tinha um fluxo de pensamento que se nutria de coisas concretas, fosse de um livro ou de um chafariz. Com certeza me escutava com os ouvidos, mas com os olhos, com a mente, estava firmemente ancorada na rua, nas plantas escassas do jardim, em Gigliola passeando com Alfonso e Carmela, em Pasquale que fazia um sinal do andaime da obra, em Melina que falava em voz alta de Donato Sarratore enquanto Ada tentava arrastá-la para casa, em Stefano, o filho bonito de dom Achille, que acabara de comprar uma Giardinetta e levava a mãe a seu lado e Pinuccia no banco de trás, em Marcello e Michele Solara passando com sua Millecento e Michele fingindo que não nos via, enquanto Marcello não deixava de nos lançar um olhar cordial, mas sobretudo no trabalho secreto, feito às escondidas do pai, ao qual se dedicava para levar adiante o projeto dos sapatos. Para ela, minha narrativa era naquele momento apenas um conjunto de sinais inúteis vindos de um espaço inútil. Só se interessaria por aqueles lugares quando tivesse a oportunidade de visitá-los. De fato, depois de tanto falar, ela apenas me disse:

"Preciso dizer a Rino que devemos aceitar o convite de Pasquale Peluso para o domingo."

Aí está, eu lhe falava do centro de Nápoles e ela punha no centro a casa de Gigliola, em um daqueles prediozinhos do bairro, aonde Pasquale queria nos levar para dançar. Fiquei triste. Sempre dizíamos sim aos convites de Pasquale, mas nunca tínhamos ido, eu, para evitar discussões com meus pais, ela, porque Rino era contra. Mas sempre estávamos de olho nele, especialmente nos dias de festa, quando esperava todo nos trinques os amigos, mais novos e mais velhos. Era um rapaz generoso, não fazia distinções de idade, saía com qualquer um. Em geral ele esperava em frente ao posto de gasolina, enquanto iam chegando Enzo, Gigliola e Carmela, que agora se chamava Carmen, e às vezes o próprio Rino, quando não tinha outros compromissos, e Antonio, que carregava o fardo de sua mãe, Melina, e, no caso de ela estar calma, também a irmã Ada, que os Solara tinham puxado para o carro e levado não se sabe aonde por uma boa hora. Quando o dia estava bonito, iam para a praia e voltavam com os rostos queimados de sol. Ou mais frequentemente se reuniam todos na casa de Gigliola, cujos pais eram mais receptivos que os nossos, e ali quem sabia dançar dançava, e quem não sabia aprendia.

Lila começou a me arrastar para aquelas festinhas, não sei como, caiu de amores pela dança. Ali, tanto Pasquale quanto Rino se revelaram surpreendentemente ótimos dançarinos, e a gente aprendia com ele tango, valsa, polca e mazurca. É preciso dizer que Rino, como professor, perdia a paciência depressa, sobretudo com a irmã; já Pasquale era muito paciente. No início nos fez dançar sobre seus pés, de modo que aprendêssemos bem os passos, depois, assim que ficamos mais hábeis, lá se foi rodopiando pela casa.

Descobri que gostava muito de dançar, dançaria sempre. Já Lila tinha aquele ar de quem quer entender bem como se faz, e parecia que sua diversão consistia apenas em aprender, tanto é que frequentemente ficava sentada, olhando, nos estudando, e aplaudia as duplas mais entrosadas. Certa vez fui à sua casa e ela me mostrou um livrinho que tinha pegado na biblioteca: explicava tudo sobre danças e cada movimento era ilustrado com figurinhas pretas de homem e mulher bailando. Estava muito alegre naquele período, uma exuberância surpreendente para ela. De repente ela me pegou pela cintura e, fazendo o papel de homem, me obrigou a dançar tango fazendo a música com a boca. Nisso Rino apareceu e nos viu, morrendo de rir. Ele também quis dançar, primeiro comigo e depois com a irmã, mesmo sem música. Enquanto dançávamos, me contou que Lila desenvolvera uma mania tão perfeccionista que a obrigava a se exercitar continuamente, apesar de não termos um gramofone. No entanto, assim que disse aquela palavra – gramofone, gramofone, gramofone –, Lila me gritou do canto da sala, apertando os olhos:

"Sabe que nome é esse?"
"Não."
"Grego."

Olhei para ela, incerta. Nesse meio tempo Rino me deixou e passou a dançar com a irmã, que lançou um grito fininho, me deu o manual de dança e voou pela sala com ele. Apoiei o manual entre seus livros. O que ela tinha dito? Gramofone era italiano, e não grego. Entretanto notei que, debaixo de *Guerra e paz*, com várias etiquetas da biblioteca do professor Ferraro, despontava um surrado volume cujo título era Gramática grega. Gramática. Grega. Ouvi que ela prometia, sem fôlego:

"Depois lhe escrevo gramofone com as letras gregas."

Respondi que tinha coisas a fazer e fui embora.

## 15.

Ela começara a estudar grego antes mesmo de eu entrar no ginásio? E o fizera sozinha quando eu ainda nem pensava nisso, e no verão, durante as férias? Ela sempre fazia as coisas que eu precisava fazer, e antes, e melhor? Escapava quando eu a perseguia e enquanto isso me encalçava para superar-me?

Tentei não me encontrar com ela por um tempo, estava com raiva. Fui por minha vez à biblioteca pegar uma gramática grega, mas lá havia apenas uma, que estava reservada em rodízio a toda a família Cerullo. Talvez eu tenha de apagar Lila de mim como um desenho na lousa, pensei, e foi, acho, a primeira vez que aquilo me ocorreu. Me sentia frágil, exposta a tudo, não podia passar meu tempo perseguindo-a ou descobrindo que ela me perseguia, e em ambos os casos me sentindo inferior. Mas não consegui, voltei logo a procurá-la. Deixei que me ensinasse como se dançava a quadrilha. Deixei que me mostrasse como sabia escrever todas as palavras italianas em alfabeto grego. Quis que eu também aprendesse aquele alfabeto antes de ir à escola, e me forçou a lê-lo e a escrevê-lo. Fiquei com o rosto ainda mais coberto de espinhas. Ia aos bailes na casa de Gigliola com uma sensação permanente de insuficiência e de vergonha.

Esperei que passasse, mas a insuficiência e a vergonha se intensificaram. Uma vez Lila se exibiu numa valsa com o irmão. Dançavam tão bem juntos que deixamos todo o espaço para eles. Fiquei encantada. Eram bonitos, eram afinados. Enquanto os observava, compreendi de uma vez que em pouco tempo ela perderia inteiramente seu ar de menina-velha, assim como se perde um motivo musical muito conhecido quando é adaptado com grande estro. Ela se tornara sinuosa. A fronte alta, os olhos grandes que se estreitavam de improviso, o nariz pequeno, as maçãs do rosto, os lábios, as orelhas estavam buscando uma nova orquestração e pareciam prestes a encontrá-la. Quando se penteava com os cabelos presos, o pescoço alongado se mostrava de uma alvura enternecedora. O peito tinha dois pequenos e graciosos pomos, cada vez mais visíveis. Suas costas faziam uma curva profunda, antes de chegar ao arco cada vez mais rijo do traseiro. Os tornozelos ainda eram muito magros, tornozelos de menina; mas quanto demorariam a adaptar-se à sua figura já de moça? Percebi que os rapazes, ao contemplá-

-la enquanto dançava com Rino, estavam vendo ainda mais coisas que eu. Sobretudo Pasquale, mas também Antonio, também Enzo. Mantinham os olhos fixos nela como se nós outras tivéssemos desaparecido. E no entanto eu tinha mais seios. E no entanto Gigliola era de um louro ofuscante, com lineamentos regulares, as pernas perfeitas. E no entanto Carmela tinha olhos lindos, mas acima de tudo movimentos provocantes. Mas não havia nada a fazer: do corpo ágil de Lila tinha começado a emanar algo que os rapazes sentiam, uma energia que os atordoava, como o rumor cada vez mais próximo da beleza que vem. Foi preciso interromper a música para que eles voltassem a si com sorrisos titubeantes e aplausos excessivos.

## 16.

Lila era má: em algum lugar secreto de mim, eu continuava a pensar isso. Ela me mostrara que sabia ferir não só com palavras, mas que também saberia matar sem hesitação, e mesmo assim suas potencialidades agora me pareciam uma ninharia. Eu me dizia: ela vai desatar algo ainda mais nefasto, e recorria à palavra malefício, um vocábulo exagerado, que me vinha das fábulas da infância. Mas, se era meu lado infantil que desencadeava aqueles pensamentos, um fundo de verdade havia. E de fato Lila estava segregando um fluido que não era simplesmente sedutor, mas até perigoso, o que lentamente ficou claro não só para mim, que a acompanhava desde que estávamos no primeiro ano fundamental, mas também a todo mundo.

Pelo final do verão começaram a intensificar-se as pressões sobre Rino para que, nas saídas em grupo fora do bairro para comer uma pizza ou num simples passeio, ele também levasse a irmã. Mas Rino queria espaços só dele. Dava para ver que ele também estava mudando, Lila acendera nele a fantasia e a esperança. Entretanto, ao vê-lo, ao escutá-lo, o efeito não era dos melhores. Tornara-se bravateiro, não perdia a oportunidade de aludir a como era bom no trabalho e dizer que enriqueceria, repetindo frequentemente uma frase que lhe agradava: basta pouco, um pouquinho de sorte, e eu mijo na cara dos Solara. Porém, para dizer essas fanfarronices, era indispensável que a irmã não estivesse por perto. Em sua presença ele se embaraçava, ensaiava umas poucas frases e então desistia. Percebia que Lila o olhava torto, como se ele estivesse traindo um pacto secreto de discrição, de distanciamento, e por isso preferia que ela não estivesse na área, já passavam todos os dias juntos se esfalfando na sapataria. Assim ele escapava e saía se pavoneando com os amigos. Mas às vezes precisava ceder.

Num domingo, depois de muitas discussões com nossos pais, saímos (Rino viera generosamente assumir perante meus pais a responsabilidade por mim) à noite. Vimos a cidade iluminada com os letreiros, as ruas apinhadas, o mau cheiro de peixe apodrecido pelo calor, mas também os perfumes dos restaurantes, das frituras, dos bares-confeitarias muito mais ricos que o dos Solara. Não me lembro se Lila já tinha tido a oportunidade de ir ao centro, com o irmão ou em outra companhia. Se sim, com certeza ela não tinha me contado. Mas lembro que, naquela ocasião, ela ficou completamente muda. Atravessamos a praça Garibaldi, e ela ficou para trás, se demorava olhando um engraxate, uma mulherona toda colorida, os homens cinzentos, os rapazes. Fixava as pessoas com muita atenção, olhava-as direto no rosto, tanto que algumas se riam e outras lhe faziam gestos como quem diz: o que é? De vez em quando eu a puxava, a arrastava com medo de nos perdermos de Rino, Pasquale, Antonio, Carmela, Ada.

Naquela noite fomos a uma pizzaria do Rettifilo e comemos com alegria. Tive a impressão de que Antonio me paquerava, forçando sua timidez, e fiquei contente com isso: assim se equilibravam as atenções de Pasquale para Lila. Porém, a certa altura, aconteceu que o pizzaiolo, um homem de seus trinta anos, começou a fazer malabarismos com a pizza enquanto preparava a massa, com um virtuosismo excessivo, trocando sorrisos com Lila, que o olhava admirada.

"Pare com isso", disse Rino.

"Não estou fazendo nada", respondeu ela, e se esforçou em desviar o olhar.

Mas logo o tempo fechou. Pasquale, rindo, nos disse que aquele homem, o pizzaiolo – que para nós, mocinhas, parecia um velho, de aliança no dedo, certamente pai de família –, mandara às escondidas um beijo para Lila, soprando na ponta dos dedos. Todos nos viramos para olhá-lo: ele apenas fazia seu trabalho, e só. Mas Pasquale perguntou a Lila, sempre rindo:

"É verdade ou me enganei?"

"Deixa pra lá, Pascá", disse Rino, fulminando a irmã com os olhos.

Mas Peluso se ergueu, foi até a bancada do forno, deu meia-volta nela e, com seu sorriso cândido nos lábios, aplicou um sopapo na cara do pizzaiolo, lançando-o para a boca do forno.

Imediatamente apareceu o dono do lugar, um homem de seus sessenta anos, pequeno e pálido, e Pasquale lhe explicou com calma que ele não precisava se preocupar, apenas tinha feito seu funcionário entender uma coisa que parecia não estar muito clara para ele, agora não haveria mais problemas. Terminamos de comer a pizza em silêncio, de olhos baixos, a lentas garfadas, como se estivesse envenenada. Quando saímos, Rino passou um grande sabão em Lila, que se concluiu com uma ameaça: "se continuar assim, não trago mais você".

O que estava acontecendo? Na rua, os homens com quem cruzávamos olhavam todas nós, as bonitas, as bonitinhas e as feias, e não tanto os rapazes, mas sobretudo os mais maduros. Era assim tanto no bairro quanto fora dele, e Ada, Carmela e eu – especialmente após o incidente com os Solara – tínhamos aprendido instintivamente a manter os olhos baixos, a fingir que não ouvíamos as porcarias que nos diziam e seguir em frente. Lila não. Passear com ela aos domingos se transformou num elemento permanente de tensão. Se alguém a olhava, ela retribuía o olhar. Se alguém lhe dizia alguma coisa, ela parava perplexa, como se não acreditasse que falavam com ela, e às vezes respondia intrigada. Tanto mais que – e isso era algo fora do comum – quase nunca lhe dirigiam as obscenidades que quase sempre reservavam para nós.

Numa tarde de fins de agosto fomos até a Villa Comunale e ali nos sentamos em um café porque Pasquale, que na época gostava de bancar o nobre de Espanha, quis oferecer merengues a todos nós. Na mesa em frente estava uma família tomando sorvete, como nós: pai, mãe e três meninos, de doze a sete anos. Parecia gente de bem: o pai, um homem grande, de seus cinquenta anos, tinha um ar de professor. E posso jurar que Lila não exibia nada de muito vistoso: não usava batom e vestia as mesmas peças que a mãe costurava – mais atraente éramos nós, sobretudo Carmela. Mas aquele senhor – dessa vez todos nós percebemos – não conseguia tirar os olhos de Lila; e ela, por mais que tentasse manter o controle, respondia ao olhar como se não percebesse que era tão admirada. Por fim, enquanto em nossa mesa crescia o nervosismo de Rino, de Pasquale e de Antonio, o homem, evidentemente sem se dar conta do risco que corria, se levantou, postou-se diante de Lila e, virando-se educadamente para os rapazes, disse:

"Vocês são jovens de sorte: têm aqui uma garota que se tornará mais bela que a Vênus de Botticelli. Peço desculpas, mas disse a mesma coisa a minha esposa e a meus filhos, e senti a necessidade de dizer o mesmo a vocês também."

Lila desatou a rir, de tanta tensão. O homem por sua vez sorriu e, fazendo-lhe uma mesura contida, estava para regressar à sua mesa quando Rino o agarrou pela nuca, o obrigou a fazer o percurso de volta correndo, o fez sentar-se à força e, diante da mulher e dos filhos, disparou-lhe uma série de insultos como os que dizíamos no bairro. Então o homem se enfureceu, a mulher gritou metendo-se no meio, e Antonio puxou Rino. Outro domingo arruinado.

Mas o pior ocorreu certa vez em que Rino não estava. O que mais me espantou não foi o fato em si, mas a concentração, em torno de Lila, de tensões de proveniência diversa. Para festejar seu onomástico, a mãe de Gigliola (se chamava Rosa, se me lembro bem) deu uma festa para pessoas de todas as idades. Como o marido era o confeiteiro da confeitaria Solara, tudo foi feito com muita abundância: havia grande quantidade de *sciu, raffiuoli a cassata, sfogliatelle*, folhados de amêndoa, licores, bebidas para crianças e vinis com músicas de dança, dos mais comuns aos da última moda. Veio gente que jamais viria a nossas festinhas de adolescente. Por exemplo, o farmacêutico com a mulher e o filho mais velho, Gino, prestes a ir para o ginásio como eu. Por exemplo, o professor Ferraro e toda sua numerosa família. Por exemplo, Maria, a viúva de dom Achille, e o filho Alfonso, e a filha Pinuccia, maquiadíssima, e até Stefano.

De início a presença desta família causou certa tensão. Também estavam na festa Pasquale e Carmela Peluso, filhos do assassino de dom Achille. Mas depois tudo ficou bem. Alfonso era um rapaz gentil (ele também estava indo para o ginásio e frequentaria a mesma escola que eu) e até trocou umas palavras com Carmela; Pinuccia estava especialmente contente de ir a uma festa, já que se sacrificava todos os dias na charcutaria; Stefano tinha rapidamente compreendido que o comércio se funda na ausência de exceções, por isso considerava todos os moradores do bairro potenciais clientes que gastariam dinheiro em sua loja, exibindo em geral a qualquer um seu belo sorriso bondoso e limitando-se, assim, a evitar cruzar por um instante sequer o olhar com Pasquale; e Maria, que de regra virava a cabeça para o outro lado quando via a senhora Peluso, ignorou em absoluto os dois jovens e conversou longamente com a mãe de Gigliola. Mas o que dissolveu todas as tensões foi que logo a dança começou, a confusão se instalou e ninguém mais se importou com nada.

Primeiro foram as danças tradicionais, depois se passou a uma dança nova, o rock'n'roll, que despertava em todos, de velhos a crianças, uma enorme curiosidade. Eu, cheia de calor, me retirei num canto. Claro, eu sabia dançar rock'n'roll, dançara várias vezes em casa com Peppe, meu irmão, e na casa de Lila, aos domingos, com ela, mas me sentia desajeitada demais para aqueles movimentos rápidos e ágeis e, embora a contragosto, preferi ficar apreciando. De resto, nem mesmo Lila me pareceu particularmente hábil: se movimentava de modo meio ridículo, cheguei até a lhe dizer isso, mas ela tomara a crítica como um desafio e insistiu em treinar sozinha, já que Rino também se recusava a dançá-lo. Porém, perfeccionista como era em tudo, naquela noite ela também decidiu, para minha satisfação, retirar-se da pista e sentar-se a meu lado, observando como Pasquale e Carmela Peluso dançavam bem.

No entanto, a certa altura Enzo se aproximou dela. O menino que atirara pedras em nós, que de surpresa disputara aritmética com Lila, que certa vez lhe dera uma coroa de sorvas, com o passar dos anos tinha sido como absorvido por um organismo de baixa estatura, mas potente, habituado ao trabalho duro. À primeira vista, parecia até mais velho que Rino, que entre nós era o maior. Em cada traço seu se via nitidamente que acordava antes do alvorecer, que lidava com a *camorra* do mercado verdureiro, que saía em todas as estações – fizesse frio, chuva – para vender frutas e hortaliças com o carreto, circulando pelas ruas do bairro. No entanto no rosto claro, sobrancelhas e cílios louros, olhos azuis, ainda havia um resíduo do menino rebelde com quem pelejamos na infância. Quanto ao resto, Enzo era de pouquíssimas palavras, tranquilas, todas em dialeto, e nenhuma de nós pensaria em brincar sobre isso ou debochar dele. Foi ele quem tomou a iniciativa. Perguntou a Lila por que não estava dançando. Ela respondeu: porque ainda não sei bem essa dança. Ele ficou calado um instante e então disse: nem eu. No entanto, quando começou a tocar outro rock, ele a pegou pelo braço com naturalidade e a ergueu no meio da sala. Lila, que se alguém a tocasse sem sua permissão se esquivava de lado como picada de vespa, não reagiu, tão evidente era sua vontade de dançar. Em vez disso, o olhou com gratidão e se abandonou à música.

Logo se viu que Enzo não sabia bem o que fazer. Movia-se pouco, de modo sério e compassado, mas estava muito atento a Lila, obviamente desejava agradá-la, permitir que se exibisse. E ela, mesmo não sendo tão boa quanto Carmen, conseguiu como sempre atrair a atenção de todos. Até Enzo gosta dela, disse a mim mesma, desolada. E – me dei conta imediatamente – até Stefano, o salsicheiro: ficou o tempo todo de olhos grudados nela, como quem assiste a uma diva do cinema.

Mas justamente enquanto Lila dançava com ele os irmãos Solara chegaram.

Assim que bati os olhos neles me agitei. Os dois foram cumprimentar o confeiteiro e a esposa, deram um tapinha amigável em Stefano e então se puseram também a apreciar os dançarinos. A princípio com um jeito de donos do bairro, que era como se sentiam, olharam pesadamente para Ada, que desviou o olhar; depois conversaram entre si e apontaram para Antonio, lançando-lhe um cumprimento exagerado que ele fingiu não perceber; por fim notaram Lila, a fixaram demoradamente, cochicharam entre si algo no ouvido, Michele fez um vistoso sinal de concordância.

Não os perdi de vista e não demorei a entender que especialmente Marcello – Marcello, de quem todas gostavam – parecia não estar nada chateado com a história do trinchete. Ao contrário. Em poucos segundos foi inteiramente capturado pelo corpo sinuoso e elegante de Lila, por seu rosto anômalo para o bairro e talvez para toda a cidade de Nápoles. Mirou-a sem jamais desviar o olhar, como se houvesse perdido o pouco cérebro que tinha. Manteve os olhos sobre ela mesmo quando a música terminou.

Foi um instante. Enzo fez que ia conduzir Lila ao canto onde eu estava, e já Stefano e Marcello se moveram, juntos, para convidá-la a dançar; mas Pasquale foi mais rápido. Lila deu um pulinho gracioso de consentimento e bateu as mãos, feliz. Aconteceu exatamente assim. Sobre uma figurinha de catorze anos se inclinaram simultaneamente quatro homens, de idades variadas, cada qual a seu modo convencido da própria e absoluta potência. A agulha tocou o disco, e a música recomeçou. Stefano, Marcello e Enzo recuaram, incertos. Pasquale começou a dançar com Lila e, diante da mestria do bailarino, Lila logo se soltou.

Nesse ponto Michele Solara, talvez por amor ao irmão, talvez pelo puro gosto de criar discórdia, decidiu complicar à sua maneira a situação. Deu uma cotovelada em Stefano e lhe disse em voz alta:

"Você tem sangue de barata ou o quê? Esse aí é filho do assassino de seu pai, um comunista de merda, e você fica olhando como ele dança com a menina com quem você queria dançar?"

Com certeza Pasquale não ouviu, porque a música era alta e ele estava concentrado em fazer acrobacias com Lila. Mas eu ouvi, e também Enzo, que estava a meu lado, e obviamente Stefano. Esperamos que houvesse algo, mas nada aconteceu. Stefano era um rapaz centrado. A charcutaria estava indo de vento em popa, ele estava pensando em comprar um local ao lado para ampliá-la, enfim, se sentia um rapaz de sorte, ou melhor, tinha absoluta certeza de que a vida lhe daria tudo o que desejava. Então disse a Michele com seu sorriso cativante:

"Vamos deixar o rapaz dançar, ele dança bem", e continuou olhando Lila, como se ela fosse a única coisa que lhe importava naquele momento. Michele fez uma careta de desgosto e foi procurar o confeiteiro e a esposa.

O que ele iria fazer agora? Vi que falava com os donos da casa de maneira agitada, apontava Maria num canto, apontava Stefano,

Alfonso e Pinuccia, apontava Pasquale dançando, apontava Carmela se exibindo com Antonio. Assim que a música parou, a mãe de Gigliola pegou Pasquale cordialmente pelo braço, o levou para um canto e lhe disse alguma coisa no ouvido.

"Vá lá", disse Michele ao irmão, rindo, "sinal verde." E Marcello Solara voltou à carga com Lila.

Eu estava certa de que ela o recusaria, sabia quanto o detestava. Mas não foi assim. A música reiniciou, e ela, com a vontade de dançar entranhada em cada músculo, primeiro procurou Pasquale com o olhar, depois, não o avistando, agarrou a mão de Marcello como se fosse só uma mão, como se além não houvesse um braço, todo o corpo dele, e, suada, recomeçou a fazer o que naquele momento mais lhe importava: dançar.

Olhei Stefano, olhei Enzo. Tudo estava carregado de tensão. Enquanto meu coração pulava de ansiedade, Pasquale, furioso, foi até Carmela e lhe disse algo com modos bruscos. Carmela protestou em voz baixa, ele em voz baixa a fez se calar. Antonio se aproximou deles, confabulou com Pasquale. Ambos olharam com raiva Michele Solara, que mais uma vez dizia coisas a Stefano, e Marcello, que dançava com Lila e a erguia, e puxava, e sacudia. Depois Antonio foi retirar Ada da dança. A música parou, Lila voltou para meu lado e eu lhe disse:

"Está acontecendo alguma coisa, vamos embora daqui."

Ela riu e exclamou:

"Vou dançar mais uma, nem que haja um terremoto", e olhou Enzo, que estava apoiado numa parede. Enquanto isso Marcello tornou a tirá-la, e ela se deixou arrastar de novo na dança.

Pasquale veio falar comigo e me disse nervoso que precisávamos ir.

"Vamos esperar Lila terminar a dança."

"Não, agora", disse ele com um tom que não admitia réplicas, duro, deselegante. Então foi direto até Michele Solara e lhe deu um tranco forte com o ombro. O outro riu e lhe disse entre dentes algo obsceno. Pasquale avançou rumo à porta de saída, seguido de Carmela, relutante, e de Antonio, que por sua vez puxava Ada.

Eu me virei para ver o que Enzo estava fazendo, mas ele continuou apoiado na parede, olhando Lila dançar. A música terminou. Lila veio em minha direção seguida de Marcello, que estava com os olhos brilhando de prazer.

"Precisamos ir embora", quase gritei, nervosíssima.

Devo ter posto uma tal angústia no tom de voz que ela finalmente olhou ao redor, como se despertasse.

"Tudo bem, vamos", respondeu perplexa.

Caminhei para a porta sem esperar mais nada, e a música recomeçou. Marcello Solara segurou Lila pelo braço e lhe disse, entre o risinho e a súplica:

"Fique, depois te levo pra casa."

Como se só o reconhecesse agora, Lila o olhou incrédula; parecia-lhe impossível que a estivesse tocando com tanta intimidade. Tentou livrar o braço, mas Marcello a apertou com firmeza, dizendo:

"Só mais uma dança."

Enzo se afastou da parede e agarrou o pulso de Marcello sem dizer uma palavra. Ainda consigo vê-lo diante de meus olhos: estava tranquilo e, mesmo sendo mais novo e mais baixo, parecia não fazer nenhum esforço. Só se percebeu a força do aperto pelo rosto de Marcello Solara, que soltou Lila com uma careta de dor e imediatamente pegou o pulso com a outra mão. Fomos embora enquanto eu ouvia Lila falando indignada a Enzo, em dialeto cerrado:

"Ele me tocou, você viu? Em mim, aquele bosta. Ainda bem que Rino não estava. Se fizer outra vez, já era."

Será possível que ela nem se deu conta de que dançara com Marcello umas duas vezes seguidas? Sim, é possível, ela era assim.

Fora do prédio topamos com Pasquale, Antonio, Carmela e Ada. Pasquale estava fora de si, nunca o tínhamos visto daquele jeito. Gritava insultos, urrava furiosamente, com olhos de doido, e não havia meio de acalmá-lo. Estava com raiva, sim, de Michele, mas principalmente com ódio de Marcello e de Stefano. Dizia coisas que não tínhamos elementos para entender. Dizia que o bar Solara sempre foi um local de *camorristas* agiotas, que era a base para o contrabando e para recolher os votos de Stella e Corona, uns monarquistas. Dizia que dom Achille tinha sido espião dos nazifascistas, dizia que o dinheiro que Stefano usara para ampliar a charcutaria tinha sido obtido pelo pai no mercado negro. Gritava: "Papai fez bem em matá-lo". Gritava: "Quanto aos Solara, o pai e os filhos, eu mesmo vou acabar com eles, e depois também vou varrer Stefano e toda a família dele da face da terra". E por fim gritou, virado para Lila, como se fosse a coisa mais grave: "E você, você ainda dançou com aquele merda".

Naquela altura, como se a fúria de Pasquale lhe tivesse injetado o peito, Antonio também começou a gritar, e parecia quase com raiva de Pasquale por querer privá-lo de uma alegria: a alegria de matar ele mesmo os Solara, pelo que tinham feito com Ada. E Ada imediatamente se pôs a chorar, e Carmela não conseguiu mais se segurar e caiu em prantos também. E Enzo tentou convencer todos nós a sair da rua. "Vamos dormir", disse. Mas Pasquale e Antonio o calaram, queriam ficar e enfrentar os Solara. Ameaçadores, repetiram a Enzo várias vezes, com falsa calma: "Vá, vá, nos vemos amanhã". Então Enzo disse sossegado: "Se vocês ficarem, eu também fico". A essa altura eu também comecei a chorar, e um segundo depois – coisa que me comoveu ainda mais – também Lila, que eu jamais tinha visto chorar, nunca.

Até ali éramos três meninas em prantos, e prantos desesperados. Mas Pasquale só serenou quando a viu chorar. Falou em tom resignado: "Tudo bem, esta noite não, acerto as contas com os Sola-

ra noutro dia, vamos". Imediatamente, entre soluços, eu e Lila lhe demos o braço e o levamos embora. De início o consolamos falando malíssimo dos Solara, mas também dizendo que o melhor seria fazer de conta que não existiam. Depois Lila perguntou, enxugando as lágrimas com o dorso da mão:
"Quem são os nazifascistas, Pascá? Quem são os monarquistas? O que é o mercado negro?".

## 17.

É difícil dizer qual foi o efeito das palavras de Pasquale sobre Lila, corro o risco de contar de modo equivocado, até porque, na época, elas não causaram nenhum impacto efetivo em mim. Quanto a ela, ao seu modo habitual, foi atravessada e modificada por aquilo, tanto que até o fim do verão ela me perseguiu com uma só ideia, para mim bastante insuportável. Com a língua de hoje tento resumir assim: não há gestos, palavras, suspiros que não contenham a soma de todos os crimes que os seres humanos cometeram e cometem.

Naturalmente ela o dizia de outro modo. Mas o que importa é que foi tomada de um frenesi do desvelamento absoluto. Apontava as pessoas pela cidade, as coisas, as ruas, e dizia:

"Aquele ali combateu na guerra e matou, aquele bateu de cassetete e fez beber óleo de rícino, aquele dedurou um monte de gente, aquele deixou até a mãe passar fome, naquela casa torturaram e assassinaram, sobre esta mesma pedra marcharam e fizeram a saudação romana, nesta esquina desceram o cacete, o dinheiro desses vem da fome daqueles, esse carro foi comprado vendendo pão com pó de mármore e carne podre no mercado negro, aquele açougue nasceu roubando cobre e assaltando vagões de mercadoria, atrás daquele bar está a *camorra*, o contrabando, a agiotagem."

Em pouco tempo Pasquale já não era suficiente. Era como se ele tivesse acionado um mecanismo na cabeça dela e agora sua tarefa fosse pôr em ordem uma massa caótica de impressões. Cada vez mais tensa, cada vez mais obcecada, provavelmente ela mesma transtornada pela urgência de sentir-se encerrada numa visão compacta, sem falhas, acabou complicando as escassas informações que recebia de Pasquale com livros que pegou emprestado na biblioteca. E assim pôde atribuir motivações concretas e rostos comuns ao clima de abstrata tensão que desde menina tínhamos respirado no bairro. O fascismo, o nazismo, a guerra, os aliados, a monarquia, a república, ela os fez se transformarem em ruas, casas, rostos, dom Achille e o mercado negro, Peluso, o comunista, o avô *camorrista* dos Solara, o pai Silvio, ainda mais fascista que Marcello e Michele, seu pai Fernando, o sapateiro, e meu pai, todos, todos, todos a seus olhos marcados até a medula por culpas tenebrosas, todos criminosos empedernidos ou cúmplices aquiescentes, todos comprados por migalhas. Ela e Pasquale me fecharam dentro de um mundo terrível, que não apresentava saídas.

Depois o próprio Pasquale começou a ficar calado, ele também vencido pela capacidade de Lila de juntar uma coisa a outra numa cadeia que nos apertava de todos os lados. Muitas vezes os observava passeando juntos e, se antes era ela que ficava escutando as palavras dele, agora era ele que a escutava. Está apaixonado, eu pensava. Pensava ainda: Lila vai se apaixonar também, vão ficar noivos, vão se casar, falarão sempre desses assuntos políticos, terão filhos que por sua vez falarão das mesmas coisas. Quando as aulas no colégio recomeçaram, de um lado sofri muito porque sabia que não teria mais tempo para Lila, de outro esperava furtar-me àquela sua somatória de malfeitos, aquiescências e canalhices de pessoas que conhecíamos, que amávamos, que levávamos – eu, ela, Pasquale, Rino, todos – no sangue.

## 18.

Os dois anos do ginásio foram bem mais cansativos que a escola média. Fui parar numa classe de quarenta e dois alunos, uma das raríssimas classes mistas daquela escola. As meninas eram pouquíssimas, e eu não conhecia nenhuma. Gigliola, depois de muitos lances de exibição ("Claro, eu também vou para o ginásio, com certeza, vamos nos sentar no mesmo banco"), terminou indo ajudar o pai na confeitaria Solara. Quanto aos meninos, eu conhecia Alfonso e Gino, mas os dois se sentaram juntos num dos primeiros bancos, cotovelo com cotovelo, ambos de ar assustado, e quase fingiram não me conhecer. A sala fedia, um cheiro ácido de suor, pés mal lavados, medo.

Nos primeiros meses vivi minha nova vida escolar em silêncio, os dedos sempre na testa e nas faces devastadas de acnes. Sentada numa das filas do fundo, de onde mal enxergava os professores e o que eles escreviam na lousa, eu era uma desconhecida para minha colega de banco, assim como ela era desconhecida para mim. Graças à professora Oliviero tive logo os livros de que precisava, sujos, usadíssimos. Impus-me uma disciplina aprendida na escola média: estudava a tarde toda até a hora do jantar e, depois, das cinco da manhã às sete, quando era a hora de ir. Na saída de casa, carregada de livros, frequentemente me acontecia de encontrar Lila, que corria à sapataria para abrir a loja, onde varria, lavava e arrumava tudo antes de o pai e o irmão chegarem. Ela me perguntava sobre as matérias que eu veria naquele dia, sobre o que eu tinha estudado, e queria respostas precisas. Se eu deixasse de responder direito, ela me cumulava de questões que me angustiavam por talvez não ter estudado o suficiente, por não ser capaz de responder aos professores assim como não era capaz de responder a ela. Em certas manhãs frias, quando me levantava ao alvorecer e repassava as lições na cozinha, tinha a impressão de que, como sempre, eu estava sacrificando o sono quente e profundo da manhã para fazer bonito diante da filha do sapateiro, e não com os professores da escola dos ricos. Até o café da manhã era apressado por culpa dela. Engolia o café com leite e corria para a rua só para não perder nem um metro do trajeto que fazíamos juntas. Eu esperava no portão. Dali podia vê-la chegar do prediozinho onde morava, e constatava que continuava mudando. Já era mais alta que eu. Caminhava não como a menina espigada que fora até meses antes, mas como se, arredondando-se de corpo, até o passo se tornasse mais macio. Oi, oi, e começávamos logo a conversar. Quando parávamos no cruzamento e nos despedíamos, ela indo em direção à sapataria, eu, rumo à estação de metrô, me virava continuamente para dar uma última olhada. Uma ou duas vezes vi que Pasquale chegava apressado e a alcançava, acompanhando-a.

O metrô ia lotado de rapazes e garotas sujos de sono, da fumaça dos primeiros cigarros. Eu não fumava nem falava com ninguém. Nos poucos minutos do percurso, repassava as lições aterrorizada, metia freneticamente na cabeça linguagens estranhas, tons diferentes dos que eram usados no bairro. Vivia aterrorizada pelo fracasso na escola, pela sombra esconsa de minha mãe descontente, pelos olhos duros da professora Oliviero. No entanto, àquela altura eu tinha apenas um pensamento verdadeiro: encontrar um namorado, e logo, antes que Lila me anunciasse que estava com Pasquale.

Todo dia sentia mais forte a angústia de não conseguir um a tempo. Voltando da escola, temia encontrá-la e saber de sua própria voz cativante que agora ela fazia amor com Peluso. Ou, se não fosse ele, era Enzo. E, se não era Enzo, era Antonio. Ou então, sei lá, Stefano Carracci, o salsicheiro, ou até Marcello Solara: Lila era imprevisível. Os rapazes que zumbiam à sua volta eram quase homens, cheios de pretensões. Consequentemente, entre o projeto dos sapatos, as leituras sobre o mundo horrível no qual fomos parar ao nascer e os namorados, ela não teria mais tempo para mim. Às vezes, ao voltar da escola, eu fazia um grande desvio para não passar em frente à sapataria. Se no entanto a avistasse, em pessoa, de longe, mudava de rumo por angústia. Mas depois não resistia e ia a seu encontro como a uma fatalidade.

Na entrada e na saída do liceu, um enorme edifício cinzento e escuro, em péssimas condições, eu olhava os rapazes. Olhava-os com insistência para que sentissem meu olhar sobre eles e me olhassem. Olhava meus contemporâneos do ginásio, alguns ainda de calças curtas, outros de calça comprida ou à zuavo. Olhava os maiores, os do liceu, que vestiam na maioria paletó e gravata, mas nunca um casaco, pois deviam demonstrar antes de tudo a si mesmos que jamais sentiam frio: cabelo escovinha, nucas brancas por causa do corte rente. Eu preferia esses, mas também me contentaria com um da quinta ginasial: o mais importante era que tivesse calças compridas.

Um dia um estudante me chamou a atenção por seu andar flexível, magérrimo, cabelos escuros e desgrenhados, um rosto que me pareceu muito bonito e com algo de familiar. Quantos anos podia ter: dezesseis, dezessete? Examinei-o bem, tornei a examiná-lo e meu coração congelou: era Nino Sarratore, filho de Donato Sarratore, o ferroviário-poeta. Ele retribuiu o olhar, mas distraidamente, sem me reconhecer. O paletó era desajustado nos cotovelos, estreito nos ombros, as calças eram lisas, os sapatos, cheios de calombos. Não tinha nenhum sinal de prosperidade, como ao contrário exibiam Stefano e sobretudo os Solara. Mesmo tendo escrito um livro de poesia, o pai dele ainda não tinha, evidentemente, se tornado rico.

Fiquei muito perturbada com aquela surpreendente aparição. Na saída do colégio, pensei em ir contar a novidade a Lila imediatamente, o impulso foi fortíssimo, mas depois mudei de ideia. Se tivesse contado a ela, com certeza manifestaria o desejo de ir comigo à escola, para reencontrá-lo. E eu já sabia o que iria acontecer. Assim como Nino nem se dera conta de mim, não reconhecendo a menina loura e magra da escola fundamental na adolescente de catorze anos gorda e espinhenta em que me transformara, do mesmo modo ele reconheceria Lila imediatamente e seria conquistado por ela. Decidi cultivar para mim, em silêncio, a imagem de Nino Sarratore enquanto saía da escola de cabeça baixa, com um passo vacilante, e enveredava pela avenida Garibaldi. Desde aquele dia passei a ir ao colégio como se vê-lo, ou somente entrevê-lo, fosse a única razão verdadeira para ir até lá.

O outono passou voando. Certa manhã fui sabatinada sobre a *Eneida*, e foi a primeira vez que subi à cátedra. O professor, um tal Gerace, homem de seus sessenta anos, desinteressado, que bocejava rumorosamente, explodiu numa risada quando pronunciei *oracúlo* em vez de oráculo. Não lhe ocorreu que, embora eu conhecesse o significado da palavra, vivia num mundo em que ninguém nunca tivera motivos para usá-la. Todos riram, especialmente Gino, sentado na primeira fila com Alfonso. Me senti humilhada. Passaram-se alguns dias e fizemos nossa primeira prova de latim. Quando Gerace trouxe os trabalhos corrigidos, perguntou:

"Quem é Greco?"

Ergui a mão.

"Venha aqui."

Fez uma série de perguntas sobre as declinações, os verbos, a sintaxe. Respondi aterrorizada, sobretudo porque ele me olhava com uma atenção que até aquele momento não demonstrara por nenhum de nós. Então me passou a folha sem nenhum comentário. Eu tinha tirado nove.

Desde então foi um crescendo. Em italiano ele me deu oito, em história não errei nenhuma data, em geografia soube à perfeição o relevo, as populações, as riquezas do subsolo, a agricultura. Mas foi especialmente em grego que o deixei de queixo caído. Graças ao que eu tinha aprendido com Lila, demonstrei uma tal familiaridade com o alfabeto, uma destreza na leitura, uma desenvoltura na fonação que finalmente arrancaram do docente um elogio público. Minha competência alcançou, como um dogma, os outros mestres. Até o professor de religião me chamou à parte, numa manhã, e me perguntou se eu queria me inscrever num curso gratuito de teologia por correspondência. Disse que sim. Às vésperas do Natal, todos já me chamavam de Greco, alguns de Elena. Gino começou a demorar-se na saída, me esperando para voltarmos juntos ao bairro. Um dia ele voltou a me perguntar, de repente, se aceitava ser sua namorada, e eu, embora ele fosse um meninão, dei um suspiro de alívio: sempre melhor do que nada, e aceitei.

Toda aquela tensão exaltada sofreu uma pausa nas férias de Natal. Fui reabsorvida pelo bairro, tive mais tempo, vi Lila com mais frequência. Ela soubera que eu estava estudando inglês e naturalmente providenciara uma gramática da língua. Já conhecia incontáveis vocábulos que pronunciava de maneira muito aproximada e, naturalmente, minha pronúncia não ficava atrás. Mas ela me atormentava, dizendo: quando voltar à escola, pergunte ao professor como se pronuncia isso, como se pronuncia aquilo. Um dia me levou à loja e me mostrou uma caixa metálica cheia de pedacinhos de papel: em cada um estava escrito de um lado a palavra italiana, de outro, o equivalente inglês: *matita/ pencil, capire/ to understand, scarpa/ shoe*. Foi o professor Ferraro que a aconselhara a fazer assim, uma excelente maneira de aprender os vocábulos. Ela me lia o lado em italiano e queria que eu dissesse o correspondente em inglês. Mas eu sabia pouco ou nada.

Percebi que parecia estar à frente de mim em tudo, como se frequentasse uma escola secreta. Notei nela até uma certa tensão, a vontade de me mostrar que estava à altura do que eu estudava. Mas para falar a verdade eu preferiria conversar sobre outras coisas. Em vez disso, me sabatinou sobre as declinações gregas, e logo pude deduzir que eu estava parada na primeira, enquanto ela já havia estudado a terceira. Também me perguntou sobre a *Eneida*, que adorava. Tinha lido todo o poema em poucos dias, ao passo que eu, na escola, estava na metade do segundo livro. Falou-me em detalhes sobre Dido, figura inteiramente desconhecida para mim, cujo nome escutei pela primeira vez não na escola, mas dela. E, numa tarde, lançou uma observação que me abalou muito. Disse: "Se não há amor, não só a vida das pessoas se torna árida, mas também a das cidades". Não lembro como se expressou exatamente, mas a noção era essa, e eu a associei às nossas ruas sujas, aos jardins descuidados, ao campo arrasado por prédios novos, à violência em cada casa, em cada família. Entretanto temi que recomeçasse a falar de fascismo, nazismo, comunismo. E não resisti, dei a entender que eu estava passando por coisas fantásticas, disse-lhe primeiramente, de supetão, que estava namorando com Gino e, depois, que Nino Sarratore frequentava minha escola, ainda mais bonito do que era na escola fundamental.

Ela estreitou os olhos, e temi que me dissesse: também estou namorando. Em vez disso, começou a zombar de mim: "Está transando com o filho do farmacêutico", disse, "muito bem, você se rendeu, se apaixonou que nem a noiva de Eneias". Em seguida, saltou bruscamente de Dido a Melina e me contou detalhes sobre a vida dela, visto que eu sabia bem pouco do que estava acontecendo nos prédios, já que de manhã ia ao colégio e, à tarde, ficava estudando até a noite. Falou de sua parente como se nunca a perdesse de vista. A miséria devorava a ela e aos filhos, e assim continuava lavando as escadas dos edifícios com Ada (o dinheiro que Antonio levava para casa não era suficiente). Mas já não se ouvia seu canto, a euforia tinha passado, agora trabalhava com gestos maquinais. Ela a descreveu minuciosamente para mim: dobrada em duas, partia do último andar e passava o trapo molhado com as mãos, lance após lance, degrau atrás de degrau, com uma energia e uma agitação que teriam destroncado gente bem mais robusta que ela. Se alguém descia ou subia, começava a gritar impropérios, atirando o esfregão na pessoa. Ada lhe contara que uma vez tinha visto a mãe, em plena crise porque tinham estragado seu trabalho com pisadas, beber a água suja do balde, e ela precisou arrancá-lo da mão dela. Dá para entender? Passagem após passagem, de Gino fora parar em Dido e Eneias, que a abandonara. E só naquela altura trouxe à baila o nome de Nino Sarratore, sinal de que me ouvira com atenção. "Fale a ele sobre Melina", me exortou, "e diga que ele precisa contar isso ao pai." Depois acrescentou, maldosamente: "Se não, fica fácil demais escrever poesias". Por fim deu uma risada e prometeu com certa solenidade: "Nunca vou me apaixonar por ninguém e nunca escreverei uma poesia".

"Não acredito."

"É isso mesmo."

"Mas outros se apaixonarão por você."

"Pior para eles."

"Vão sofrer como essa tal de Dido."

"Não, eles vão se casar com outra, justamente como Eneias fez, que no final ficou com a filha de um rei."

Mostrei que não estava muito convencida. Então fui embora, depois voltei; agora que eu tinha namorado, aquelas conversas me agradavam. Perguntei a ela, cheia de dedos:

"O que Marcello Solara tem feito? Tem ido atrás de você?"

"Sim."

"E você?"

Deu um meio sorriso de desprezo como quem diz: Marcello Solara me dá nojo.

"E Enzo?"

"Somos amigos."

"E Stefano?"

"Você acha que todos pensam em mim?"

"Acho."

"Stefano sempre olha primeiro para mim, mesmo quando há muita gente."

"Está vendo?"
"Não há nada pra ver."
"E Pasquale? Já se declarou a você?"
"Ficou maluca?"
"Vi que de manhã ele vai com você até a loja."
"Porque está me explicando as coisas que aconteceram antes de nós."

E assim ela voltou ao tema do "antes", mas de um modo diferente do que costumava fazer na escola fundamental. Disse que não sabíamos de nada, nem quando éramos pequenas nem agora, e que por isso não estávamos em condição de compreender nada, que cada coisa do bairro, cada pedra ou pedaço de pau, qualquer coisa já existia antes de nós, mas tínhamos crescido sem nos dar conta disso, sem sequer pensar no assunto. E não só a gente. O pai dela fazia de conta que, antes, não tinha acontecido nada. A mãe dela, minha mãe, meu pai, até Rino faziam o mesmo. No entanto, *antes*, a charcutaria de Stefano era a marcenaria de Peluso, o pai de Pasquale. No entanto o dinheiro de dom Achille tinha sido acumulado *antes*. Assim como o dinheiro dos Solara. Ela havia feito o teste com o pai e com a mãe. Ambos não sabiam de nada, não queriam falar nada. Nada de fascismo, nada de rei. Nada de abusos, perseguições, exploração. Odiavam dom Achille e tinham medo dos Solara. Mas passavam por cima disso e iam fazer suas compras tanto com o filho de dom Achille quanto com os Solara, inclusive nos mandando até lá. E votavam nos fascistas, nos monarquistas, como os Solara queriam que fizessem. E pensavam que o que tinha ocorrido antes era passado e, por apego à tranquilidade, davam o assunto por encerrado; e no entanto estavam dentro, dentro das coisas de antes, e nos mantinham ali dentro também, e assim, sem o saber, continuávamos o que eles eram.

Aquela conversa sobre o "antes" me abalou mais que as histórias tenebrosas nas quais ela me enredara durante o verão. As férias passaram em meio àquelas muitas conversas, na sapataria, nas ruas, no pátio. Compartilhamos tudo, até as mínimas coisas, e ficamos bem.

## 19.

Naquele período me senti forte. Na escola me comportara de modo perfeito, contei meus êxitos à professora Oliviero, e ela me elogiou. Saía com Gino, todo dia dávamos um passeio até o bar Solara: ele me comprava um doce, que dividíamos, e retornávamos. Certas vezes até tinha a impressão de que era Lila quem dependia de mim, e não eu dela. Eu tinha ido além das fronteiras do bairro, frequentava o ginásio, passava minhas horas com rapazes que estudavam latim e grego, e não com pedreiros, mecânicos, remendões, verdureiros, salsicheiros e sapateiros que nem ela. Quando ela me falava de Dido ou de seu método para aprender vocábulos do inglês ou da terceira declinação, ou do que ia assimilando enquanto conversava com Pasquale, eu percebia cada vez com maior clareza que ela o fazia um pouco envergonhada, como se finalmente fosse ela que precisasse demonstrar o tempo todo que era capaz de raciocinar em pé de igualdade comigo. Mesmo quando, numa tarde, decidi com alguma incerteza ir ver a que ponto estava o sapato secreto que estava fabricando com Rino, já não senti que ela habitava um terreno maravilhoso sem mim. Ao contrário, tive a impressão de que tanto ela quanto o irmão hesitavam em me falar de coisas tão pouco dignas.

Ou quem sabe era apenas eu que começava a me sentir superior a eles. Quando vasculharam num desvão e tiraram um pacote dali, encorajei-os artificialmente. Mas o par de sapatos masculinos que me mostraram me pareceu realmente fora do comum, um número quarenta e um, a medida de Rino e de Fernando, marrom, justamente como eu lembrava em um dos desenhos de Lila, com

um ar ao mesmo tempo leve e robusto. Nunca tinha visto algo do gênero nos pés de ninguém. Enquanto me deixavam tocar neles e descreviam suas qualidades, passei a elogiá-los entusiasticamente. "Toque aqui", dizia Rino empolgado com meus elogios, "e me diga se se sente a costura." "Não", eu respondia, "não se sente nada." Então ele pegou os sapatos de minha mão, os dobrou, alargou, me mostrou sua resistência. Eu aprovava, dizia "muito bem", como fazia a professora Oliviero quando queria nos encorajar. Mas Lila não parecia satisfeita. Quanto mais o irmão listava atributos, mais ela me mostrava defeitos e dizia a Rino: "Quanto tempo papai vai demorar para ver esses erros?". A certa altura disse, séria: "Vamos tentar de novo com a água". O irmão se mostrou contrariado. Mesmo assim ela encheu uma bacia, enfiou a mão num dos sapatos como se fosse um pé e o fez caminhar na água por uns instantes. "Ela precisa brincar", me disse Rino, com um tom de irmão mais velho que se irrita com as criancices da irmã menor. Mas assim que viu Lila tirar o sapato da água fez uma cara preocupada e perguntou:
"E então?"
Lila tirou a mão de dentro, esfregou os dedos e o passou para ele.
"Toque."
Rino enfiou uma mão e disse:
"Está seco".
"Está úmido."
"Só você sente a umidade. Toque, Lenu."
Toquei.
"Está um pouco úmido", eu disse.
Lila fez uma careta de insatisfação.
"Viu? Ficou um minuto na água e já está úmido, assim não dá. Precisamos descolar e costurar tudo de novo."
"Mas e daí se tem um pouco de umidade, caralho?"
Rino ficou furioso. Não só: passou, sob meus olhos, por uma espécie de transfiguração. Ficou com a cara vermelha, um inchaço

em volta dos olhos e nas maçãs do rosto, não conseguiu se conter e explodiu numa série de ofensas e insultos contra a irmã. Lamentou-se dizendo que assim não acabariam nunca. Acusou Lila de primeiro encorajá-lo e depois destruí-lo. Gritou que não queria ficar o resto da vida naquela merda de lugar, sendo escravo do pai e vendo os outros enriquecendo. Agarrou o pé de ferro, fez um gesto de que iria arremessá-lo nela e, se o tivesse feito pra valer, certamente a mataria.

Eu fui embora, em parte desorientada pela fúria de um jovem em geral gentil, em parte orgulhosa de como meu parecer no fim das contas foi respeitado e decisivo.

Nos dias seguintes descobri que as espinhas estavam secando.

"Você está muito bem, é a satisfação que o colégio lhe dá, é o amor", me disse Lila, e a senti um tanto triste.

## 20.

Com a aproximação das festas de fim de ano, Rino foi tomado pela ânsia de detonar mais fogos de artifício que todos os outros, sobretudo mais do que os Solara soltavam. Lila zombava dele, mas às vezes se mostrava bastante dura com o irmão. Disse que, na sua opinião, Rino, que no início estava cético quanto à possibilidade de ganhar muito dinheiro com os sapatos, agora começara a apostar muito nisso, já se via proprietário da fábrica de calçados Cerullo e não queria voltar à vida de sapateiro. Isso a preocupava, era um lado de Rino que não conhecia. Ele sempre lhe parecera apenas generosamente impetuoso, às vezes agressivo, mas nunca fanfarrão. Agora, no entanto, se comportava cada vez mais como aquilo que não era. Sentia-se na iminência da riqueza. Um senhorzinho. Alguém que já podia dar ao bairro um primeiro sinal da fortuna que o ano novo lhe traria soltando rojões em quantidade, mais, muito mais que os irmãos Solara, que a seus olhos tinham se tornado o modelo de jovem a ser imitado e até superado. Gente que ele invejava e que sentia como inimigos a serem batidos para enfim chegar a assumir seu papel.

Lila nunca disse explicitamente, como ao contrário fizera com Carmela e outras meninas do pátio: talvez eu tenha inculcado nele uma fantasia que não é capaz de manter sob controle. Ela mesma acreditava na fantasia, sentia que era realizável, e o irmão era uma peça importante naquela realização. Além disso gostava dele, era seis anos mais velho que ela, não queria reduzi-lo a um menino que não sabe gerir os próprios sonhos. Mas muitas vezes desabafou que o irmão tinha pouco senso do concreto, não sabia enfrentar as dificuldades com os pés no chão, tendia a se exceder. Como naquela disputa com os Solara, por exemplo.

"Talvez esteja com ciúmes de Marcello", sugeri certa vez.

"Ou seja?"

Riu fingindo-se de tonta, mas ela mesma me contara. Marcello Solara passava e repassava todo dia em frente à loja, a pé ou com a Millecento, e Rino deve ter percebido, tanto que dissera várias vezes à irmã: "Não ouse dar confiança a esse bosta". Talvez, quem sabe, não podendo quebrar a cara dos Solara por assediarem sua irmã, queria mostrar sua força com os fogos de artifício.

"Se é assim, está vendo como tenho razão?"

"Razão por quê?"

"Por ele ter virado um exibido: onde ele consegue dinheiro para os fogos?"

Era verdade. A noite do último dia do ano era uma noite de batalha, no bairro e em toda a Nápoles. Luzes ofuscantes, explosões. A fumaça densíssima de pólvora tornava cada coisa nebulosa, entrava nas casas, ardia os olhos, provocava tosse. Mas os estouros dos traques, o assovio dos rojões, o canhoneio dos morteiros tinham um custo e, como sempre, disparava mais quem tinha mais dinheiro. Nós da família Greco não tínhamos dinheiro, em minha casa o contributo aos fogos de fim de ano era escasso. Meu pai comprava uma caixa de rojão de vara, uma de rojão de serpentina e uma de pequenos foguetes. À meia-noite, por eu ser a mais velha, ele punha em minha mão o pavio do morteiro ou o das girândolas, acendia, e eu ficava imóvel, excitada e assustada, fixando as fagulhas movediças, os breves vórtices de fogo a pouca distância dos dedos. Enquanto isso ele corria para pôr a haste dos foguetes numa garrafa de vidro sobre o mármore da janela, queimava o pavio com a brasa do cigarro e, entusiasmado, via partir pelo céu o sibilo luminoso. Por fim, jogava a garrafa no meio da rua.

Na casa de Lila também havia poucos fogos de artifício, tanto é que Rino logo se rebelou. Desde os doze anos pegara o hábito de passar a meia-noite com gente mais ousada que o pai, e eram famosas suas incursões para recuperar bombas não explodidas, as quais ia buscar assim que o caos da festa terminava. Recolhia todas juntas na zona dos mangues, tocava fogo e apreciava a chama alta, trac trac trac, o estouro final. Ainda tinha uma cicatriz escura na mão, uma mancha larga, de uma vez em que não se afastara a tempo.

Entre as muitas razões evidentes e secretas daquele desafio no fim de ano de 1959, é preciso também levar em conta que Rino talvez quisesse ter sua revanche contra a infância pobre. Por isso se empenhou em juntar dinheiro aqui e ali para comprar os fogos. Mas se sabia – e ele também sabia, apesar da mania de grandeza que o tomara – que com os Solara não havia competição. Como em todos os anos, os dois irmãos iam pra cima e pra baixo por vários dias em sua Millecento, o porta-malas cheio dos explosivos que, na noite do Ano-Novo, matariam passarinhos, assustariam cães, gatos, ratos, fariam tremer os prédios do subsolo até a última laje. Rino os observava da loja com antipatia, enquanto negociava com Pasquale, com Antonio e principalmente com Enzo, que tinha um pouco mais de dinheiro, para reunir um arsenal que pelo menos fizesse bonito.

As coisas sofreram uma pequena e inesperada mudança quando Lila e eu fomos, mandadas por nossas mães, fazer as compras da ceia na charcutaria de Stefano Carracci. A loja estava lotada de gente. Atrás do balcão, além de Stefano e de Pinuccia, Alfonso, que também estava atendendo, nos mandou um sorriso encabulado. Estávamos preparadas para uma longa espera. Mas Stefano dirigiu a mim, inequivocamente a mim, um gesto de cumprimento e disse algo no ouvido do irmão. Meu colega de escola deixou o balcão e veio me perguntar se tínhamos a lista das coisas que queríamos; demos a lista a ele, e ele sumiu. Em cinco minutos nossas compras estavam feitas.

Colocamos tudo nas sacolas, pagamos o valor a dona Maria e fomos embora. Tínhamos dado poucos passos quando não Alfonso, mas Stefano, justamente Stefano, me chamou com sua bela voz de homem feito:

"Lenu."

Veio até nós. Tinha uma expressão tranquila, um sorriso cordial. Apenas o avental branco manchado de gordura o estragava um pouco. Disse a nós duas em dialeto, mas olhando para mim:

"Querem vir festejar o Ano-Novo em minha casa? Alfonso gostaria muito."

Depois do assassinato do pai, a esposa e os filhos de dom Achille levavam uma vida muito reclusa: igreja, charcutaria, casa, no máximo uma dessas festinhas inevitáveis. Aquele convite era uma novidade. Respondi apontando para Lila:

"Já temos um compromisso, vamos passar com o irmão dela e mais alguns amigos."

"Chamem Rino também, chamem seus pais: a casa é grande e, na hora dos fogos, vamos subir ao terraço."

Lila se intrometeu com um tom peremptório:

"Combinamos também de festejar com Pasquale e Carmen Peluso, que vêm com a mãe deles."

Devia ser uma frase que eliminaria qualquer possibilidade de prolongar a conversa: Alfredo Peluso estava na prisão de Poggioreale porque tinha matado dom Achille, e o filho de dom Achille não podia convidar os filhos de Alfredo para brindar o Ano-Novo na casa dele. Mas Stefano a olhou como se até aquele momento não a tivesse visto, um olhar muito intenso, e lançou com o tom das coisas óbvias:

"Tudo bem, venham todos: vamos beber espumante, dançar – ano novo, vida nova."

Aquelas palavras me comoveram. Olhei Lila, que também estava desconcertada. Ela murmurou:

"Precisamos conversar com meu irmão."

"Depois me digam."

"E os fogos?"

"Em que sentido?"

"Vamos levar os nossos, e você?"

Stefano sorriu:

"Quantos fogos você quer?"

"Muitíssimos."

O rapaz se dirigiu mais uma vez a mim:

"Venham todos a minha casa e lhes prometo que, quando começar a clarear, ainda estaremos disparando."

## 21.

Durante todo o caminho só fazíamos rir às gargalhadas, dizendo coisas do tipo:

"Ele está fazendo isso por você."

"Não, por você."

"Está apaixonado e, para ter você na casa dele, convida até os comunistas, até os assassinos do pai."

"Que nada. Ele nem olhou pra mim."
Rino ouviu a proposta de Stefano e disse logo que não. Mas a vontade de vencer os Solara o fez vacilar e falou sobre isso com Pasquale, que ficou muito chateado. Já Enzo resmungou: "Tudo bem, se eu puder eu vou". Quanto aos nossos pais, ficaram contentíssimos com o convite porque, para eles, dom Achille não existia mais, e a viúva e os filhos eram pessoas ótimas, abastadas, e tê-los como amigos era uma honra.

De início Lila pareceu surpresa, como se estivesse esquecida de onde estava, as ruas, o bairro, a sapataria. Depois me apareceu num fim de tarde com ar de quem entendeu tudo e me disse:

"Nós nos enganamos: Stefano não quer nem eu nem você."

Raciocinamos juntas segundo nosso costume, misturando fatos reais e fantasias. Se não estava interessado na gente, o que queria? Pensamos que Stefano também estivesse planejando dar uma lição aos Solara. Lembramos quando Michele havia provocado a expulsão de Pasquale da festa da mãe de Gigliola, intrometendo-se na intimidade dos Carracci e fazendo Stefano desempenhar o papel de quem não sabe defender a memória do pai. Pensando bem, naquela ocasião os dois irmãos não tinham espezinhado apenas Pasquale, mas ele também. Portanto agora ele dobrava a aposta, como para provocá-los: apaziguava-se definitivamente com os Peluso, convidando-os inclusive para a festa de fim de ano em sua casa.

"E o que ele ganha com isso?", perguntei a Lila.

"Não sei. Quer fazer um gesto que ninguém aqui no bairro faria."

"Perdoar?"

Lila balançou a cabeça, cética. Estava tentando entender, estávamos ambas tentando entender, e entender era algo que nos agradava muito. Stefano não parecia o tipo capaz de perdoar. Segundo Lila, ele tinha outra coisa em mente. E pouco a pouco, partindo de uma de suas ideias fixas dos últimos tempos, isto é, desde que começara a conversar com Pasquale, teve a impressão de ter achado a solução.

"Você se lembra de quando eu disse a Carmela que ela poderia namorar com Alfonso?"

"Lembro."

"Stefano tem em mente algo assim."

"Se casar com Carmela?"

"Mais que isso."

Segundo Lila, Stefano queria zerar tudo. Queria tentar sair do *antes*. Não queria fazer de conta que nada, como nossos pais, mas pôr em ato uma frase do tipo: eu sei, meu pai foi quem foi, mas agora sou eu, somos nós, e então chega. Enfim, queria que todo o bairro compreendesse que ele não era dom Achille e nem os Peluso eram o ex-marceneiro que o assassinara. Essa hipótese nos agradou, transformou-se rapidamente numa certeza, e tivemos um movimento de grande simpatia pelo jovem Carracci. Decidimos ficar do lado dele.

Passamos a explicar a Rino, a Pasquale e a Antonio que o convite de Stefano era mais que um convite, que por trás disso havia significados importantes, que era como se ele estivesse dizendo: antes de nós aconteceram coisas horríveis; nossos pais, cada qual a seu modo, não se comportaram bem; a partir de agora assumimos esse fato e demonstramos que nós, seus filhos, somos melhores que eles.

"Melhores?", indagou Rino, interessado.

"Melhores, sim", eu disse, "o contrário dos Solara, que em vez disso são piores que o avô e o pai."

Falei muito emocionada, em italiano, como se estivesse na escola. A própria Lila me lançou um olhar encantado, enquanto Rino, Pasquale e Antonio balbuciaram algo, constrangidos. Pasquale tentou até me responder em italiano, mas desistiu logo. Disse, soturno:

"O dinheiro que Stefano está multiplicando é o mesmo dinheiro que o pai dele ganhou no mercado negro. O local da charcutaria é o mesmo onde antes havia a marcenaria de meu pai."

Lila estreitou os olhos, quase não se viam.

"É verdade. Mas vocês preferem estar do lado de alguém que quer mudar ou do lado dos Solara?"

Pasquale disse com orgulho, um pouco por convicção, um pouco porque estava visivelmente enciumado com a inesperada centralidade de Stefano nas palavras de Lila:

"Eu estou do meu lado, e ponto final."

Mas ele era um bom rapaz, e ficou pensando e repensando no assunto. Foi falar com a mãe, discutiu com toda a família. Giuseppina, que de incansável trabalhadora, de bom caráter, desenvolta, exuberante, transformara-se depois da prisão do marido numa mulher arrasada, melancólica pela má sorte, recorreu ao pároco. O pároco passou pela loja de Stefano, falou demoradamente com Maria e então voltou a falar com Giuseppina Peluso. Ao final todos se convenceram de que a vida já era difícil demais e que, caso se conseguisse reduzir as tensões durante os festejos de Ano-Novo, seria melhor para todos. Assim, em 31 de dezembro, depois da ceia, às 23h30, famílias diversas, a família do contínuo, a do sapateiro, a do verdureiro, a família de Melina – que caprichou no figurino para a ocasião –, subiram em pequenos grupos ao quarto andar do prédio, até a velha casa odiadíssima de dom Achille, a fim de celebrar o novo ano juntas.

## 22.

Stefano nos acolheu com grande cordialidade. Lembro-me de que estava penteado com esmero, tinha o rosto um tanto avermelhado pela agitação, vestia uma camisa branca com gravata e um colete sem mangas, azul. Achei-o lindo, com modos de príncipe. Calculei que tivesse quase sete anos a mais que eu e Lila e pensei que ser namorada de Gino, de minha idade, era bem pouca coisa: quando lhe pedi que fosse me encontrar nos Carracci, disse-me que não podia porque os pais não o deixavam sair depois de meia-noite, era perigoso. Eu queria um namorado mais velho, não um menininho, alguém como aqueles rapazes, Stefano, Pasquale, Rino, Antonio, Enzo: os observei e passei rente a eles toda a noite. Tocava nervosamente meus brincos, o bracelete de prata de minha mãe. Tinha recomeçado a me sentir bonita e queria ler a prova disso em seus olhos. Mas todos pareciam tomados pela festança dos fogos à meia-noite. Esperavam sua guerra entre machos e não pareciam dar atenção nem mesmo a Lila.

Stefano foi especialmente gentil com a senhora Peluso e com Melina, que não dizia uma palavra, tinha os olhos transtornados, o nariz comprido, mas estava bem penteada e de brincos, parecendo uma grande dama com seu velho vestido preto de viúva. À meia-noite o dono da casa encheu de espumante primeiro a taça da mãe e, logo em seguida, a da mãe de Pasquale. Fizemos um brinde às coisas maravilhosas que aconteceriam no novo ano e então começamos a debandar para a laje, os velhos e as crianças com capotes e echarpes, pois fazia muito frio. Notei que o único a se demorar desinteressadamente lá embaixo era Alfonso. Chamei-o por educação, ele não me ouviu ou fez de conta que não escutou. Corri para cima. Topei sobre minha cabeça com um céu tremendo, carregado de estrelas e trevas, gelado.

Os rapazes estavam de pulôver, Pasquale e Enzo apenas em mangas de camisa. Lila, eu, Ada e Carmela vestíamos as roupinhas finas que usávamos nas festas dançantes e tremíamos de frio e excitação. Já se ouviam os primeiros assovios dos foguetes que rasgavam o céu e explodiam em flores coloridíssimas. Já se escutavam os baques das coisas velhas que voavam das janelas, os gritos, as risadas. Todo o bairro fazia algazarra, soltava bombas. Eu acendi os rojões de vara e os de serpentina para as crianças, gostava de ver em seus olhos o espanto amedrontado que eu sentira quando menina.

Lila convenceu Melina a acender com ela o pavio de uma bengala, e o jorro de fogo esguichou com um chiado colorido. Ambas gritaram de alegria e, no fim, se abraçaram. Rino, Stefano, Pasquale, Enzo e Antonio transportaram caixotes, caixas e pacotes de explosivos, orgulhosos de toda a munição que tinham conseguido acumular. Alfonso também se esforçou, mas o fez timidamente, reagindo às pressões do irmão com rompantes de fastio. Pareceu-me intimidado por Rino, que dava a impressão de estar realmente acima do tom, empurrando-o de mau jeito, tirando--lhe as coisas, tratando-o como um menino. No fim das contas, em vez de irritar-se, Alfonso se retraiu, misturando-se cada vez menos aos outros. Entretanto os fósforos brilhavam, e os mais velhos acendiam reciprocamente seus cigarros com as mãos em concha, conversando sérios e cordiais. Se tivesse havido uma guerra civil, pensei, como aquela entre Rômulo e Remo, entre Mário e Silas, entre César e Pompeu, eles, antes da batalha, devem ter tido aquelas mesmas expressões, trocado aqueles mesmos olhares, feito aquelas mesmas poses.

Afora Alfonso, todos os rapazes encheram as camisas de traques e de bombas, e arrumaram as filas de rojões em fileiras de garrafas vazias. Eu, Lila, Ada e Carmela fomos encarregadas por Rino, cada vez mais agitado, sempre aos gritos, de reabastecer todas as munições a tempo. Em seguida, crianças, jovens e não tão jovens – ou seja, meus irmãos Peppe e Gianni, mas também meu pai, também o sapateiro, que era o mais velho – começaram a movimentar--se no escuro gelado, acendendo pavios e lançando fogos para além do parapeito ou para o céu, num clima de festa e crescente excitação, de gritos do tipo viu que colorido?, meu Deus, que explosão!, dá-lhe, dá-lhe, estragados de leve pelos gemidos aterrorizados de Melina, por Rino que arrancava os traques de meus irmãos e os detonava, ralhando que eles os desperdiçavam porque os lançavam sem esperar que o pavio realmente se acendesse.

A fúria cintilante da cidade se atenuou e extinguiu lentamente, deixando emergir o rumor dos carros e das buzinas. Ressurgiram amplas zonas de céu escuro. A sacada dos Solara, mesmo na fumaça, mesmo entre os clarões, se tornou mais visível. Estavam a pouca distância, podíamos vê-los. O pai, os filhos, os parentes, os amigos estavam todos tomados pela ânsia de caos, assim como nós. No bairro, todos sabiam que o que tinha ocorrido até aquele momento era bem pouco, eles só se lançariam de fato depois que os miseráveis terminassem suas festinhas e disparos mesquinhos e chuvinhas de prata e de ouro, só no momento em que eles se afirmariam como os donos absolutos da festa.

E assim foi. Bruscamente o fogo se intensificou na sacada, e o céu e a rua começaram a explodir. A cada disparo, especialmente se o petardo fazia um barulho de destruição, chegavam da sacada obscenidades entusiásticas. Porém, de surpresa, eis que Stefano, Pasquale, Antonio e Rino começaram a responder com outros disparos e obscenidades equivalentes. A cada rojão dos Solara eles respondiam com rojão, a cada bomba uma bomba, e no céu se expandiam corolas admiráveis, e embaixo a estrada lampejava, tremia, e Rino a certo ponto chegou a subir de pé no parapeito, urrando insultos e lançando morteiros, enquanto sua mãe gritava de terror, suplicando: "Desça, senão vai cair lá embaixo".

Naquela altura o pânico dominou Melina, que começou a lançar uivos agudos e longos. Ada resmungou, cabia a ela levá-la embora, mas Alfonso fez-lhe um sinal, ele mesmo se ocupou disso e desapareceu com a mulher. Minha mãe logo os acompanhou, mancando, e as outras também começaram a levar as crianças para baixo. As explosões causadas pelos Solara estavam se tornando cada vez mais potentes, um de seus rojões em vez de subir ao céu foi explodir contra o parapeito do nosso terraço com um fragoroso clarão vermelho e fumaça sufocante.

"Fizeram de propósito", gritou Rino a Stefano, fora de si.

Stefano, uma silhueta escura no gelo, lhe fez sinal que se acalmasse. Correu a um canto onde ele mesmo havia posto um caixote que nós, meninas, recebemos a ordem de não tocar, e tirou coisas dali, convidando os outros a se servirem.

"Enzo", gritou, já sem a mínima sombra do comerciante afável, "Pascá, Rino, Antó, aqui, força, venham, vamos fazê-los sentir o que temos aqui."

Todos acorreram, rindo. Repetiam: é isso aí, agora eles vão ver, toma, bosta, toma, e faziam gestos obscenos para a sacada dos Solara. Nós observávamos seus vultos negros e frenéticos, tremendo cada vez mais de frio. Tínhamos ficado sozinhas, sem nenhuma função. Até meu pai descera acompanhado do sapateiro. Lila, não sei, estava muda, arrebatada pelo espetáculo como por um enigma.

Estava passando pela coisa a que já me referi, e que mais tarde ela batizou de desmarginação. Foi – me disse – como se, numa noite de lua cheia sobre o mar, uma massa preta de temporal avançasse sobre o céu, engolisse toda a claridade e destruísse a circunferência do círculo lunar, deformando o disco luminoso e reduzindo-o à sua verdadeira natureza de bruta matéria insensata. Lila imaginou, viu, sentiu – como se fosse real – seu irmão se rompendo. Diante de seus olhos, Rino perdeu a fisionomia que sempre tivera desde quando se recordava dele, a fisionomia do rapaz generoso, honesto, as feições amenas da pessoa confiável, os traços amados de quem desde sempre, desde que tinha memória, a divertira, ajudara, protegera. Ali, em meio a explosões violentíssimas, no frio, entre a fumaça que queimava as narinas e o cheiro violento do enxofre, alguma coisa violou a estrutura orgânica de seu irmão e exerceu sobre ele uma pressão tão intensa que desfez seus contornos, e a matéria se expandiu como um magma, revelando-lhe de que realmente era feito. Cada segundo daquela noite de festa lhe causou horror, teve a impressão de que quando Rino se movia, quando se expandia em torno de si mesmo, toda margem cedia, e também ela, suas margens, se tornavam cada vez mais fluidas e cediças. Teve dificuldade de manter o controle, mas conseguiu, quase nada de sua angústia transpareceu. É verdade que, no tumulto de explosões e cores, pouco prestei atenção a ela. Mas acho que fiquei tocada por sua expressão de medo crescente. Também notei que fixava a sombra do irmão – o mais ativo, o mais exibicionista, o que gritava de modo mais exagerado insultos sangrentos em direção ao terraço dos Solara – com repulsa. Parecia, ela que em geral não temia nada, estar assustada com tudo aquilo. Mas foram impressões que só mais tarde me fizeram pensar. Naquele momento eu me sentia mais próxima de Carmela e de Ada do que dela. Como de hábito, parecia não ter nenhuma necessidade da atenção masculina. Quanto a nós, ali no frio, em meio ao caos, sem aquelas atenções ficávamos vazias de sentido. Teríamos preferido que Stefano ou Enzo ou Rino suspendessem a guerra, passassem um braço em volta de nossos ombros, nos pressionassem os flancos contra os seus e nos dissessem palavras galantes. Em vez disso, estávamos agarradas umas às outras para nos aquecer, enquanto eles se precipitavam a apanhar cilindros com grandes pavios, espantados com a reserva infinita de fogos de Stefano, admirados por sua generosidade, perturbados com quanto dinheiro era possível transformar em rastros, centelhas, explosões e fumaça pela pura satisfação de ter vencido.

Disputaram com os Solara por não sei quanto tempo, explosões de um lado a outro, como se terraço e sacada fossem trincheiras, e todo o bairro tremeu, vibrou. Não se entendia mais nada, estrondos, vidros estilhaçados, céu arrombado. Mesmo quando Enzo gritou "eles acabaram, não têm mais nada", os nossos prosseguiram, sobretudo Rino, até que não restou mais nenhum pavio a acender. Então todos entoaram um coro vitorioso, pulando e se abraçando. Por fim se acalmaram, e veio o silêncio.

Mas durou pouco, foi logo interrompido pelo choro distante e crescente de um menino, por gritos e insultos, por carros que avançavam pelas ruas atulhadas de detritos. E então vimos lampejos na sacada dos Solara, e nos chegaram rumores secos, pah, pah. Rino gritou desiludido: "Estão recomeçando". Mas Enzo, que compreendeu num piscar de olhos o que estava acontecendo, foi o primeiro a nos empurrar para dentro, e depois dele também Pasquale, também Stefano. Somente Rino continuou lançando insultos de sangue, debruçando-se no parapeito do terraço, tanto que Lila se esquivou de Pasquale e correu para também puxar o irmão para dentro, gritando-lhe insultos por sua vez. Nós, as meninas, descemos gritando. Os Solara, querendo vencer a qualquer custo, estavam atirando na gente.

23.

Como já disse, muitas coisas me escapam daquela noite. Mas acima de tudo, tomada pela atmosfera de festa e de perigo, pelo turbilhão dos rapazes cujos corpos emanavam um calor mais ardente que os fogos no céu, negligenciei Lila. No entanto foi ali que se verificou sua primeira transformação interior.

Do que lhe acontecera não me dei conta, o movimento era difícil de perceber. Mas as consequências foram óbvias para mim, quase imediatamente. Ficou mais preguiçosa. Já dois dias depois, mesmo não tendo escola, me levantei cedo para acompanhá-la até a loja e ajudá-la na limpeza, mas ela não apareceu. Chegou tarde, emburrada, e passeamos pelo bairro evitando a sapataria.

"Não vai trabalhar hoje?"
"Não."
"Por quê?"
"Não me interessa mais."
"E os sapatos novos?"
"Vão de vento em popa."

"E então?"
Tive a impressão de que nem ela mesma sabia o que queria. A única coisa segura é que parecia muito preocupada com o irmão, bem mais do que eu tinha visto nos últimos tempos. E foi justamente a partir daquela preocupação que ela começou a mudar seus argumentos sobre a riqueza. Havia sempre a urgência de ficar rica, isso era ponto pacífico, mas o escopo já não era o mesmo da infância: nada de cofres, nada de rebrilhar de moedas e pedras preciosas. Agora parecia que, em sua cabeça, o dinheiro tinha se transformado num cimento: se consolidava, reforçava, alterava isso e aquilo. Alterava sobretudo a cabeça de Rino. Ele já considerava pronto e bem-acabado o par de sapatos que tinham feito juntos e queria mostrá-lo a Fernando. Mas Lila bem sabia (e, segundo ela, Rino também sabia) que o trabalho estava cheio de falhas, que o pai examinaria os sapatos e os desprezaria. Por isso lhe dizia que era preciso testar e testar de novo, que o caminho para a fábrica de calçados era um percurso difícil; mas ele não queria esperar mais, tinha urgência de se tornar como os Solara, como Stefano, e Lila não conseguia fazê-lo raciocinar. De repente tive até a impressão de que a riqueza em si não a interessava mais. Falava de dinheiro sem mais nada de radiante, era só um remédio para evitar que o irmão se envolvesse em problemas. "Tudo culpa minha", começou a admitir ao menos comigo, "fiz com que acreditasse que a sorte grande estava ali na esquina." Mas, como ali na esquina não havia nada, ela se perguntava com olhos carregados o que devia inventar para sedá-lo.

De fato Rino se debatia. Fernando, por exemplo, jamais censurou Lila por ter deixado de ir à sapataria, ao contrário: deu mostras de estar contente por ela ficar em casa, ajudando a mãe. O irmão por sua vez ficou furioso, e já nos primeiros dias de janeiro assisti a outra briga feia. Rino chegou de cabeça baixa, bloqueou nossa passagem na rua e disse a ela: "Venha logo trabalhar". Lila respondeu que nem pensava nisso. Então ele a puxou pelo braço, ela se rebelou com um insulto pesado, e Rino lhe deu um tabefe, gritando: "Então vá pra casa, vá ajudar mamãe". Ela obedeceu, ele nem me cumprimentou e foi embora. O ápice do conflito ocorreu no Dia da Befana.* Ela, ao que parece, acordou e encontrou ao lado da cama uma meia cheia de carvão. Compreendeu que tinha sido Rino e, no café da manhã, pôs a mesa para todos, menos para ele. A mãe apareceu: o filho lhe deixara pendurada numa cadeira uma meia com balas e chocolates, coisa que a comovera – ela era louca pelo rapaz. Por isso, quando se deu conta de que a mesa não estava posta para Rino, foi arrumar o lugar dele, mas Lila a impediu. Enquanto mãe e filha discutiam, o irmão apareceu e ela logo lhe atirou um pedaço de carvão. Rino riu, pensando que fosse uma brincadeira, que ela tivesse apreciado a peça, mas, quando percebeu que a irmã agia a sério, tentou agarrá-la para lhe dar uns tapas. Foi então que Fernando apareceu, de cueca e camiseta, segurando uma caixa de papelão.

"Olhem o que a Befana me trouxe", disse, e se via que estava muito chateado.

Tirou da caixa os sapatos novos fabricados em segredo pelos filhos. Lila ficou boquiaberta com a surpresa. Não sabia nada daquela iniciativa, Rino decidira por conta própria mostrar os sapatos novos ao pai, como se fossem um presente da Befana.

Quando viu no rosto do irmão um risinho maroto e ao mesmo tempo angustiado, quando flagrou nele o olhar alarmado perscrutando o rosto do pai, pareceu-lhe ter a confirmação do que a assustara no terraço, em meio à fumaça e aos estouros: Rino havia perdido seu aspecto usual, ela agora tinha um irmão desmarginado, de onde podia irromper o irremediável. Naquele sorriso, naquele olhar ela percebeu algo de insuportavelmente mesquinho, tanto mais in-

---

* Dia da Befana: no original, Giorno della Befana. A Befana é uma espécie de bruxa do bem na tradição italiana, cujo dia é comemorado em 6 de janeiro, como o dia de reis, quando as pessoas trocam presentes. (N. E.)

suportável quanto mais continuava amando o irmão e sentindo a necessidade de estar a seu lado, para ajudá-lo e ser ajudada.

"Como são lindos", disse Nunzia, que ignorava tudo da história dos calçados.

Sem dizer palavra, com a expressão de um Randolph Scott colérico, Fernando se sentou e calçou primeiro o sapato direito, depois o esquerdo.

"A Befana", disse, "fez esses sapatos bem sob medida para mim." Levantou-se, experimentou andar para a frente e para trás, foi até a cozinha sob o olhar da família.

"Realmente confortáveis", comentou.

"São sapatos de aristocrata", disse a mulher, lançando ao filho olhares apaixonados.

Fernando voltou a se sentar. Tirou o par, os examinou em cima, embaixo, dentro e fora.

"Quem fez esses sapatos é um mestre", disse, mas sem relaxar minimamente o rosto. "Muito boa, essa Befana."

Em cada palavra se notava quanto sofria, e quanto seu sofrimento o estava carregando de uma vontade de arrebentar tudo. Mas Rino parecia não se dar conta. A cada palavra sarcástica do pai ele ficava mais orgulhoso, sorria todo vermelho, formulava frases entrecortadas: fiz assim, papai, acrescentei isso, achei que. Já Lila queria sair da cozinha, subtrair-se ao iminente ataque de fúria do pai, mas não conseguia se decidir, não queria deixar o irmão sozinho.

"São ao mesmo tempo leves e robustos", continuou Fernando, "não há nenhuma imperfeição. Nunca vi um desses nos pés de ninguém, com essa ponta larga, são muito originais."

Sentou-se, calçou-os de novo, os amarrou. Disse ao filho:

"Vire-se, Rinu, que eu preciso agradecer à Befana."

Rino pensou que era uma brincadeira que encerraria definitivamente toda a longa controvérsia entre eles e se virou, feliz e constrangido. Porém, assim que começou a dar as costas, o pai acertou-lhe um chute violentíssimo no traseiro e o chamou de besta e de cretino, atirando nele tudo o que lhe caía nas mãos, e no final até os sapatos. Lila só se meteu no meio quando viu que o irmão, de início apenas preocupado em esquivar-se dos socos e pontapés, começava também a gritar, derrubando cadeiras, quebrando pratos, chorando, jurando que se mataria só para não seguir trabalhando de graça para o pai, aterrorizando a mãe, os outros irmãos e a vizinhança. Mas inutilmente. Antes pai e filho precisariam desafogar-se até exaurir suas forças. Depois voltaram a trabalhar juntos, mudos, trancados na pequena oficina com seu desespero.

Durante certo tempo não se falou mais nos sapatos. Lila decidiu definitivamente que seu papel era ajudar a mãe, fazer as compras, cozinhar, lavar roupa, estendê-la ao sol, e não foi mais à sapataria. Rino, entristecido, emburrado, sentiu a coisa como um erro incompreensível e começou a pretender que a irmã deixasse suas meias, cuecas e camisas em ordem na gaveta, que o servisse e reverenciasse quando voltava do trabalho. Se algo não estava de seu agrado, ele protestava e dizia coisas desagradáveis, do tipo: nem uma camisa você sabe passar, sua idiota. Ela dava de ombros sem se queixar, e passou a executar suas tarefas com atenção e zelo.

Naturalmente ele mesmo não estava contente de agir assim, e se atormentava, tentava se acalmar, esforçando-se muito para voltar ao que era antes. Em dias bons, nos domingos de manhã, por exemplo, ele a procurava com brincadeiras e assumia tons gentis: "Está chateada comigo porque fiquei com todo o crédito pelos sapatos? Mas eu fiz isso", dizia mentindo, "para evitar que papai se enfurecesse com você também". E depois pedia: "Me ajude, o que vamos fazer agora? Não podemos ficar parados, eu preciso sair dessa situação". Lila, calada: cozinhava, passava, às vezes beijava-o no rosto para mostrar que não estava mais chateada. Entretanto era ele que voltava a irritar-se e sempre terminava quebrando alguma coisa. Gritava acusando-a de tê-lo traído, e que o trairia ainda, já que mais cedo ou mais tarde se casaria com algum imbecil e iria embora, abandonando-o para sempre naquela vida de miséria. Às vezes, quando não havia ninguém em casa, Lila ia até o quartinho onde escondera os sapatos e apalpava-os, contemplava-os, ela mesma abismada de que bem ou mal eles existiam e que tinham nascido graças a um desenhinho feito numa folha de caderno. Quanto esforço desperdiçado.

## 24.

Retomei a escola, fui tragada pelo ritmo torturante que os professores nos impunham. Muitos colegas meus começaram a ceder, a turma começou a reduzir-se. Gino colecionou notas vermelhas e me pediu ajuda. Tentei ajudá-lo, mas na verdade ele só queria copiar as tarefas que eu fazia. Deixei que copiasse, mas ele era desinteressado: mesmo quando copiava, não prestava atenção, não se esforçava em entender. Até Alfonso, embora muito disciplinado, estava em dificuldades. Um dia rompeu em prantos durante uma sabatina de grego, coisa que, para um garoto, era considerada muito humilhante. Notava-se com clareza que ele teria preferido morrer a derramar uma única lágrima diante da classe, mas não conseguiu se conter. Ficamos todos em silêncio, muito perturbados, exceto Gino, que, talvez pela tensão, talvez pelo prazer de constatar que seu colega de banco também estava em apuros, desatou a rir. Na saída da escola eu disse a ele que, por causa daquela risada, não éramos mais namorados. Ele reagiu me perguntando, preocupado: "Você gosta de Alfonso?". Expliquei que simplesmente não gostava mais dele. Balbuciou que tínhamos acabado de começar, que não era justo. Durante o namoro, não houve grande coisa entre nós: tínhamos nos beijado, mas sem língua, ele tinha tentado tocar meus peitos, eu me chateara e o empurrara. Pediu que continuássemos mais um pouco, fiquei firme em minha decisão. Compreendi que não me custava nada prescindir de sua companhia sempre que ia e voltava da escola. Poucos dias tinham se passado do rompimento com Gino quando Lila me confidenciou que recebera duas declarações quase simultâneas, as primeiras de sua vida. Numa manhã, Pasquale se aproximara quando ela ia fazer as compras. Estava manchado de suor, agitadíssimo. Disse-lhe que estava preocupado porque não a vira mais na sapataria e pensara que estivesse doente. Mas agora, que a encontrava bem de saúde, estava feliz. No entanto, enquanto falava, não se percebia nenhum traço de felicidade em seu rosto. Interrompera-se como se estivesse sufocando e, para liberar a garganta, disse quase aos gritos que a amava. Amava-a tanto que, se ela estivesse de acordo, iria falar com o irmão, com os pais, com quem quer que fosse, imediatamente, para namorarem em casa. Ela ficara sem palavras, por um instante achou que estivesse brincando. É verdade que eu lhe dissera mil vezes que Pasquale estava de olho nela, mas ela nunca acreditara em mim. Mas agora ele estava ali, num lindo dia de primavera, quase com lágrimas nos olhos, e suplicava, e lhe dizia que sua vida não valia mais nada se ela dissesse que não. Como era difícil desemaranhar os sentimentos de amor. Com muito cuidado, mesmo sem nunca dizer não, Lila encontrou as palavras para recusá-lo. Dissera-lhe que também gostava dele, mas não como se deve gostar de um namorado. Dissera-lhe ainda que lhe seria eternamente grata por todas as coisas que lhe explicara: o fascismo, a Resistência, a monarquia, a república, o mercado negro, o comandante Lauro, os neofascistas, a Democracia Cristã, o comunismo. Mas namorar, não, nunca namoraria com ninguém. E concluíra: "Gosto de todos vocês, de Antonio, de você, de Enzo, como gosto de Rino". Pasquale então murmurou: "Pois eu não gosto de você como gosto de Carmela". Disse isso e foi embora, de volta ao batente.

"E a outra declaração?", perguntei curiosa, mas também com certa ansiedade.

"Você nunca vai imaginar."

A outra declaração viera de Marcello Solara.

Ao ouvir aquele nome, senti uma pontada no estômago. Se o amor de Pasquale era um sinal de quanto Lila era capaz de ser atraente, o amor de Marcello, um jovem bonito, rico, de carro, durão, violento, *camorrista*, ou seja, habituado a pegar as mulheres que quisesse, era a meus olhos, aos olhos de todas as moças de minha idade, apesar da péssima fama que ele tinha, ou justamente por isso, uma promoção, a passagem de menina mirrada a mulher capaz de dobrar qualquer um a seus pés.

"E como foi isso?"

Marcello estava guiando a Millecento sozinho, sem o irmão, e a avistara enquanto voltava para casa pela estrada. Não se aproximara dela, não lhe falara da janela. Simplesmente deixou o carro no meio da estrada, com a porta aberta, e a alcançara. Lila continuou caminhando, e ele atrás. Implorou que o perdoasse pelo modo como se comportara antes, admitiu que ela teria agido muito bem se o matasse com o trinchete. Recordara comovido como tinham dançado bem o rock na festa da mãe de Gigliola, sinal de quanto poderiam ser afinados. Enfim, fizera-lhe um monte de elogios: "Como você cresceu, que olhos lindos você tem, como você é bonita". E depois lhe contara o sonho que tivera naquela noite: ele a pedia em namoro, ela dizia que sim, ele lhe dava de presente um anel de compromisso idêntico ao anel de sua avó, que tinha na faixa do engaste três diamantes. Continuando a caminhar, Lila finalmente falou e perguntou a ele: "Nesse sonho eu lhe disse sim?". Marcello confirmou, e ela rebateu: "Então era mesmo um sonho, porque você é um animal, você e sua família, seu avô, seu pai, seu irmão, e eu não namoraria com você nem se me ameaçasse de morte".

"Você disse isso a ele?"

"Disse até mais."
"O quê?"
Quando Marcello, ofendido, respondeu que seus sentimentos eram muito delicados, que dia e noite só pensava nela com amor e, por isso, não era um animal, mas alguém que a amava, ela replicou que, se uma pessoa se comportava como ele se comportara com Ada, e se essa mesma pessoa, na noite de Ano-Novo, se pusera a disparar com uma pistola contra outras pessoas, chamá-lo de animal era ofender os bichos. Marcello finalmente entendeu que ela não estava brincando, que realmente o considerava muito inferior a uma lesma, a um verme, e de repente ficou deprimido. Murmurou baixinho: "Foi meu irmão quem atirou". Mas já no momento em que falava percebeu que, depois daquela frase, ela o desprezaria ainda mais. E foi exatamente assim. Lila apressou o passo e, quando ele tentou acompanhá-la, ela gritou: "Vá embora" – e começou a correr. Então Marcello parou como se não se lembrasse de onde estava e o que devia fazer, voltando em seguida à Millecento, de cabeça baixa.

"Você fez isso com Marcello Solara?"
"Fiz."
"Você é doida: não diga a ninguém que o tratou assim."

No momento aquilo me pareceu uma recomendação supérflua, disse a frase só para demonstrar que levava a sério sua história. Por caráter, Lila era alguém que gostava de raciocinar e fantasiar sobre os fatos, mas nunca fazia fofocas, ao contrário de nós, que vivíamos fofocando. De fato, só falou para mim sobre o amor de Pasquale, e eu nunca soube que o tenha revelado a mais ninguém. Já sobre Marcello Solara ela contou a todo mundo. Tanto é que encontrei Carmela e ela me disse: "Soube que sua amiga deu um fora em Marcello Solara?". Depois encontrei Ada, que me disse: "Olha só, sua amiga deu um fora em Marcello Solara". Na charcutaria, Pinuccia Carracci me sussurrou no ouvido: "É verdade que sua amiga deu um fora em Marcello Solara?"". Até Alfonso me disse um dia, no colégio, estarrecido: "Sua amiga deu um fora em Marcello Solara!".

Quando encontrei Lila, lhe disse:

"Você fez mal em contar pra todo mundo, Marcello vai ficar uma fera."

Ela deu de ombros. Tinha que cuidar dos irmãos, da casa, a mãe, o pai, e não pôde conversar muito. Agora, desde a noite de fim de ano, só se ocupava de tarefas domésticas.

## 25.

Assim mesmo. Durante todo o resto do ano letivo Lila se desinteressou totalmente do que eu fazia na escola. E, quando lhe perguntei que livros pegava emprestado na biblioteca, o que estava lendo, respondeu brava: "Não pego mais nada, os livros fazem mal à minha cabeça".

Já eu estudava e, agora, lia quase por um agradável costume. Mas logo tive de admitir que, desde quando Lila parou de me encalçar, de me antecipar no estudo e nas leituras, a escola – e até a biblioteca do professor Ferraro – deixou de ser uma espécie de aventura e se tornou apenas algo que eu sabia fazer bem e que me rendia muitos elogios.

Em duas ocasiões me dei conta disso com clareza.

Uma vez fui pegar uns livros na biblioteca com minha carteira cheia de empréstimos e devoluções, e o professor primeiro me cumprimentou por minha assiduidade, depois me perguntou por Lila, mostrando muito pesar pelo fato de ela e toda a família terem deixado de pegar livros. É difícil explicar por que, mas aquele desgosto me fez sofrer. Pareceu-me o sinal de um interesse verdadeiro e profundo por Lila, algo de muito mais forte que os cumprimentos por minha disciplina de leitora assídua. Me veio à mente que, mesmo se Lila pegasse apenas um livro por ano, ela deixaria sua marca nesse livro, e o professor a teria notado no momento da devolução, ao passo que eu não deixava vestígios, encarnava apenas a perseverança de quem soma desordenadamente volume a volume. A outra circunstância teve a ver com os rituais escolares. O professor de letras trouxe corrigidas as redações de italiano (ainda me lembro do tema: "As várias fases do drama de Dido") e, se geralmente se limitava a dizer duas palavras para justificar meu oito ou nove costumeiros, naquela ocasião me elogiou minuciosamente diante da classe e por fim revelou que me tinha dado nada menos que dez. Ao final da aula, me chamou no corredor realmente admirado com o modo como eu tinha tratado o assunto e, quando o professor de religião apareceu, ele o deteve e lhe resumiu entusiasticamente minha redação. Passaram-se uns dias e me dei conta de que Gerace não se limitara ao padre, fazendo meu texto circular também entre os outros professores, e não só do meu ano. Agora alguns docentes do liceu me sorriam nos corredores, e até faziam algum comentário. Uma professora da primeira A, por exemplo, a professora Galiani, que todos admiravam e todos evitavam porque tinha fama de ser comunista e, com duas frases, conseguia desmontar qualquer argumentação mal fundamentada, me parou no átrio e se entusiasmou especialmente com a ideia-central em minha redação – de que, se o amor é exilado das cidades, as cidades mudam sua natureza benéfica em natureza maligna. Por fim me perguntou:

"O que significa para você uma 'cidade sem amor'?"

"Um povo privado da felicidade."

"Me dê um exemplo."

Pensei nas conversas que tive com Lila e Pasquale durante o verão e de repente senti aquilo como uma verdadeira escola, mais verdadeira do que aquela que eu frequentava todos os dias.

"A Itália sob o fascismo, a Alemanha sob o nazismo, todos nós, seres humanos, do mundo de hoje."

Ela me examinou com crescente interesse. Disse que eu escrevia muito bem, me aconselhou algumas leituras, se ofereceu para me emprestar alguns livros. No final me perguntou o que meu pai fazia; respondi: "Contínuo na prefeitura". E se afastou de cabeça baixa.

Naturalmente aquele interesse de Galiani me encheu de orgulho, mas não teve grandes desdobramentos, e tudo voltou à rotina escolar. Sendo assim, o fato de eu ter me tornado, já no quarto ginásio, uma estudante com sua modesta fama logo me pareceu não ser grande coisa. No fim das contas, o que aquilo comprovava? Comprovava sobretudo como tinha sido proveitoso estudar e conversar com Lila, contar com seu estímulo e seu apoio na incursão por aquele mundo fora do bairro, entre as coisas, as pessoas, as paisagens e as ideias que estão nos livros. Claro, eu me dizia, certamente a redação sobre Dido é minha, a capacidade de formular belas frases é algo que vem de mim; claro, o que eu escrevi sobre Dido me pertence; mas por acaso não elaborei tudo isso junto com ela, não nos estimulamos reciprocamente, minha paixão não cresceu ao calor da dela? E aquela ideia da cidade sem amor, que agradara tanto aos professores, não me viera de Lila, ainda que depois eu a tivesse desenvolvido, com minhas capacidades? O que devo deduzir desse caso?

Comecei a esperar novos elogios que testemunhassem um feito meu, autônomo. Porém, quando Gerace passou outra redação sobre a rainha de Cartago ("Eneias e Dido: encontro entre dois prófugos"), não se entusiasmou muito, limitando-se a me dar um oito. Já da professora Galiani obtive cordiais acenos de saudação e a agradável descoberta de que era a docente de latim e grego de Nino Sarratore, aluno da primeira A. Eu tinha de fato urgência de atenção e de estima corroborantes, e esperei recebê-las pelo menos dele. Torci para que, se a professora de letras dele me elogiasse publicamente, quem sabe em sua classe, ele se lembrasse de mim e finalmente me dirigisse a palavra. Mas não aconteceu nada disso, e continuei a espreitá-lo na saída, na entrada, sempre com aquele ar absorto, jamais um olhar sequer. Uma vez cheguei a segui-lo pela avenida Garibaldi e pela rua Casanova, esperando que me notasse e me dissesse: oi, estamos fazendo o mesmo caminho, ouvi falar muito de você. Mas ele avançava a passos rápidos, cabeça baixa, sem nunca olhar para trás. Me cansei, me desprezei. Deprimida, virei na avenida Novara e voltei para casa.

Segui em frente dia após dia, empenhada em confirmar cada vez mais aos professores, aos colegas, a mim mesma, minha assiduidade e diligência. Entretanto dentro de mim cresceu um sentimento de solidão, sentia que estava aprendendo sem energia. Então experimentei falar a Lila do desgosto do professor Ferraro, disse-lhe que voltasse à biblioteca. Também mencionei a ótima acolhida da redação sobre Dido, mas sem lhe dizer o que eu tinha escrito, apenas dando a entender que era um sucesso dela também. Ela me ouviu com desinteresse, talvez nem se lembrasse mais do que tínhamos conversado sobre aquela personagem, agora tinha outras preocupações. Assim que lhe dei espaço, me disse que Marcello Solara não se resignara como Pasquale e continuava atrás dela. Se saía para fazer as compras, ele a seguia sem perturbá-la até a loja de Stefano, até a carroça de Enzo, só para poder olhá-la. Se aparecia na janela, o encontrava parado na esquina, esperando que ela aparecesse. Estava ansiosa com aquela insistência. Temia que seu pai percebesse, que sobretudo Rino percebesse. Estava assustada com a possibilidade de que começasse uma daquelas histórias de machos, em que se terminava brigando dia sim, dia não – no bairro havia muitos casos assim. "O que é que eu tenho?", dizia. Via-se magra, feia: por que Marcello Solara se fixara nela? "Tenho algo de doentio?", perguntava. "Faço as pessoas fazerem coisas erradas."

Agora ela repetia essa ideia frequentemente. A convicção de ter feito mais mal que bem ao irmão se consolidara. "Basta olhar para ele", dizia. Dissipado o projeto da fábrica de calçados Cerullo, Rino permanecera enredado na agonia de se tornar rico que nem os Solara, que nem Stefano, até mais, e não conseguia resignar-se ao dia a dia do trabalho na oficina. Dizia a ela, tentando reacender-lhe o velho entusiasmo: "Nós somos inteligentes, Lina, nós dois juntos ninguém segura, me diga o que precisamos fazer". Ele também desejava comprar um carro, uma televisão, e detestava Fernando, que não entendia a importância daquelas coisas. Mas o pior é que, quando Lila mostrava não querer mais apoiá-lo, ele a tratava pior que a uma escrava. Talvez ele nem soubesse a que ponto se estragara, mas ela, que o tinha diante os olhos todos os dias, estava alarmada. Uma vez me disse:

"Já viu como as pessoas quando acordam são feias, deformadas, de olhar vazio?"

Segundo ela, Rino agora era assim.

## 26.

Num domingo à noite de meados de abril, lembro bem, saímos os cinco: Lila, eu, Carmela, Pasquale e Rino. Nós meninas nos vestimos o melhor que podíamos e, assim que saímos de casa, pusemos batom e pintamos um pouco os olhos. Pegamos o metrô lotado, e Rino e Pasquale passaram todo o percurso em alerta, colados em nós. Temiam que alguém nos bolinasse, mas ninguém nos tocou, nossos acompanhantes tinham caras ameaçadoras demais.

Descemos a pé por Toledo. Lila insistia em ir pelas ruas Chiaia, Filangieri e depois rua dei Mille, até a praça Amedeo, zonas onde se sabia que estava a gente mais rica e elegante. Rino e Pasquale eram contra, mas não sabiam das coisas ou não queriam nos explicar, respondendo apenas com grunhidos em dialeto e insultos a pessoas indistintas, que chamavam de almofadinhas. Nós três nos unimos e insistimos. Naquele momento escutamos uma buzina. Nos viramos e vimos a Millecento dos Solara. Nem nos demos conta dos dois irmãos, de tanto que estávamos surpresas com as meninas agitando os braços das janelinhas: eram Gigliola e Ada. Pareciam lindas, belos vestidos, belos penteados, lindos brincos cintilantes, sacudindo as mãos e nos gritando palavras alegres. Rino e Pasquale viraram a cara, Carmela e eu não respondemos, pasmas. Lila foi a única que gritou algo com entusiasmo e as cumprimentou com largos acenos, enquanto o carro desaparecia em direção à praça do Plebiscito.

Ficamos em silêncio por um tempo, depois Rino disse sério a Pasquale que sempre se soube que Gigliola era uma vadia, e Pasquale concordou com gravidade. Nenhum dos dois mencionou Ada, Antonio era amigo deles e não queriam ofendê-lo. Já Carmela falou horrores, inclusive de Ada. Eu senti acima de tudo amargura. Num lampejo passara a imagem da potência, quatro jovens num carro, o modo certo de sair do bairro e fazer a festa. Já o nosso era o modo errado: a pé, mal vestidos, deslocados. Tive ganas de voltar logo pra casa. Já Lila reagiu como se aquele encontro nem tivesse existido, voltando a insistir que queria passear onde a gente elegante estava. Agarrou-se ao braço de Pasquale, deu gritinhos, riu, fez o que segundo ela era a paródia da pessoa rica, vale dizer, rebolou e se derramou em amplos sorrisos e gestos derretidos. Hesitamos um instante e depois passamos a incentivá-la, atiçadas pela ideia de que Gigliola e Ada estavam curtindo a noite numa Millecento com os belos Solara enquanto nós estávamos a pé, na companhia de Rino que remendava sapatos e de Pasquale, pedreiro.

Essa nossa insatisfação, obviamente não expressa, deve ter chegado por vias secretas aos dois rapazes, que se olharam, suspiraram e cederam. Tudo bem, anuíram, e pegamos a rua Chiaia.

Foi como atravessar uma fronteira. Lembro-me de uma calçada lotada e de algo como uma humilhante diversidade. Não olhava os rapazes, mas as garotas, as senhoras: eram absolutamente diferentes de nós. Pareciam ter respirado outro ar, ter comido outro alimento, estar vestidas como em outro planeta, ter aprendido a andar sobre fios de vento. Eu estava boquiaberta. Tanto mais que, enquanto eu teria parado para olhar com calma as roupas, os sapatos, o tipo de óculos que usavam, se usavam, elas passavam e pareciam não me ver. Não viam nenhum de nós cinco. Éramos imperceptíveis. Ou desinteressantes. Aliás, se às vezes o olhar recaía sobre nós, logo se viravam para outro lado, como enfastiadas. Só se olhavam entre si.

Todos nós percebemos isso. Ninguém tocou no assunto, mas notamos que Rino e Pasquale, mais velhos, só tiveram naquelas ruas a confirmação de coisas que já sabiam, e isso os deixava de mau humor, taciturnos, espicaçados pela certeza de estarem fora de lugar, ao passo que nós, meninas, só o descobrimos naquele momento, e com sentimentos ambíguos. Sentimo-nos incomodadas e encantadas, feias, mas também impelidas a nos imaginar como nos tornaríamos se tivéssemos tido meios de nos reeducar e vestir e maquiar e enfeitar como se deve. Entretanto, para não estragar a noite, reagíamos com risadas e ironias.

"Você vestiria um vestido daquele?"

"Nem se me pagassem."

"Eu, sim."

"Ainda bem, senão você ficaria parecendo um botijão, que nem aquela ali."

"E você viu os sapatos?"

"Por quê? Aquele troço é um sapato?"

Avançamos até a altura do Palazzo Cellamare, rindo e debochando. Pasquale, que evitava a todo custo ficar ao lado de Lila e, quando ela lhe dera o braço, logo se esquivara com gentileza (claro, se dirigia a ela com frequência, sentia um evidente prazer em ouvir sua voz, em vê-la, mas se percebia que até o menor contato o transtornava, talvez até o fizesse chorar), mantendo-se próximo de mim, indagou com sarcasmo:

"Suas colegas de escola são assim?"
"Não."
"Isso significa que não é uma boa escola."
"É um liceu clássico", respondi mordida.
"Não é bom", ele insistiu, "fique sabendo que, se não tem gente assim, não é bom: não é verdade, Lina, que não é bom?"
"Bom?", disse ela, indicando uma jovem loura que vinha em nossa direção acompanhada de um rapaz moreno, pulôver alvo em gola V, alto: "Se não tiver uma como aquela ali, sua escola é uma porcaria". E explodiu numa risada.

A garota estava toda de verde: sapatos verdes, saia verde, blazer verde e, na cabeça – era especialmente isso que fazia Lila gargalhar –, tinha um chapéu-coco como o de Carlitos, igualmente verde.

O riso dela contagiou a nós, meninas, e aos rapazes. Quando o casal passou por nós, Rino fez um comentário muito ofensivo sobre o que a senhorita de verde deveria fazer com seu chapéu, e Pasquale parou de tanto que riu, apoiando um braço no muro. A garota e seu acompanhante deram poucos passos, depois pararam. O rapaz de pulôver branco se virou, contido imediatamente pela jovem. Mas ele se desvencilhou, deu uns passos para trás e se dirigiu diretamente a Rino com frases ultrajantes. Foi um piscar de olhos. Rino o abateu com um murro na cara, gritando:

"De que é que você me chamou? Não entendi bem, repita, me chamou de quê? Você escutou, Pascá, o que ele disse?"

Passamos bruscamente do riso ao terror.

Lila foi a primeira a se lançar sobre o irmão, antes que ele enchesse de chutes o rapaz estendido no chão, e o arrastou com uma expressão incrédula, como se os mil fragmentos de nossa vida, desde a infância até aqueles nossos catorze anos, estivessem compondo uma imagem finalmente nítida, mas que naquele momento lhe parecia inverossímil.

Empurramos Rino e Pasquale para longe, enquanto a garota de chapéu-coco ajudava o namorado a se levantar. Nesse meio tempo a perplexidade de Lila se transformou numa fúria desesperada. Justamente enquanto estava afastando o irmão, o atacou com os insultos mais vulgares, puxando-o pelo braço e o ameaçando. Rino a deteve com uma mão, um riso nervoso no rosto, e se dirigiu a Pasquale:

"Minha irmã pensa que aqui é brincadeira, Pascá", disse em dialeto com olhos desvairados, "minha irmã acha que, se eu digo vamos por ali, é melhor não irmos, só pra bancar a que sempre sabe tudo, a que entende tudo, sempre, e ir a pulso aonde quer." Pequena pausa para controlar a respiração, e emenda: "Ouviu que aquele merda me chamou de casca-grossa? Casca-grossa, eu? Casca-grossa!". E, ainda tomado pela agitação: "Minha irmã me trouxe até aqui e imagine se vou deixar que me chamem de casca-grossa, veja o que eu faço se me chamam de casca-grossa".

"Calma, Rino", respondeu Pasquale, preocupado e olhando por cima dos ombros, em alerta.

Rino continuou exasperado, mas arrefeceu. Lila por sua vez se acalmou. Paramos na praça Dei Martiri. Pasquale disse, quase frio, virando-se para Carmela:

"Vocês agora voltam pra casa."

"Sozinhas?"

"Sim."

"Não."

"Carmé, não quero discutir: podem ir."

"A gente não sabe voltar."

"Não diga mentiras."

"Vá", disse Rino a Lila, tentando se conter, "tome um dinheiro, comprem um sorvete na rua."

"Saímos juntos e vamos voltar juntos."

Rino perdeu a paciência de novo e lhe deu um empurrão:

"Quer parar com isso? O irmão mais velho sou eu, e você deve me obedecer. Vamos, mexa-se, vá, senão eu lhe quebro a cara."

Vi que ele não estava brincando e puxei Lila pelo braço. Ela também percebeu que se arriscava:

"Vou dizer a papai."

"Estou me lixando. Vamos, andando, vaza, você não merece nem o sorvete."

Inseguras, fomos nos afastando rumo a Santa Caterina. Mas não demorou muito e Lila mudou de ideia, parou e disse que ia voltar até o irmão. Tentamos convencê-la a ficar conosco, mas não houve jeito. Justo enquanto estávamos discutindo, vimos um grupo de rapazes, uns cinco ou seis, pareciam os remadores que tínhamos admirado algumas vezes nos passeios de domingo sob o Castel dell'Ovo. Eram todos altos, fortes, bem-vestidos. Alguns seguravam um bastão, outros não. Passaram ao lado da igreja a passos rápidos e foram para a praça. Entre eles estava o jovem que Rino tinha acertado na cara, com a malha em V suja de sangue.

Lila se desvencilhou de mim e correu na mesma direção, eu e Carmela atrás. Chegamos a tempo de ver Rino e Pasquale recuando lado a lado até o monumento no meio da praça, e o grupo dos bem-vestidos correndo atrás deles e depois golpeando-os com os bastões. Gritamos por socorro, começamos a chorar, a bloquear os passantes, mas os bastões metiam medo, as pessoas não faziam nada. Lila agarrou um dos agressores pelo braço, mas foi jogada no chão. Vi Pasquale de joelhos, sob uma saraivada de chutes, vi Rino se protegendo das cacetadas com um braço. Em seguida um carro parou, era a Millecento dos Solara.

Imediatamente Marcello saiu, levantou Lila do chão e, atiçado por ela, que gritava de raiva e chamava o irmão, se lançou na briga distribuindo e recebendo socos. Só naquela altura Michele desceu do carro, abriu sem pressa o porta-malas, pegou algo que parecia uma barra de ferro reluzente e entrou na confusão, batendo com uma ferocidade fria, que espero nunca mais ver na minha vida. Rino e Pasquale se reergueram furiosos e agora batiam, apertavam, puxavam, e me pareceram dois desconhecidos, de tanto que estavam transformados pelo ódio. Os jovens bem-vestidos foram obrigados a fugir. Michele se aproximou de Pasquale, que sangrava pelo nariz; mas Pasquale o rechaçou com maus modos, passando a manga da camisa branca no rosto e depois olhando a roupa toda manchada de vermelho. Marcello recolheu do chão um molho de chaves e o passou a Rino, que agradeceu contrariado. As pessoas que antes se afastaram agora se aproximavam, curiosas. Eu estava paralisada de medo.

"Levem as meninas pra casa", Rino disse aos dois Solara, com o tom agradecido de quem faz uma solicitação que sabe irrecusável.

Marcello nos obrigou a entrar no carro, primeiro Lila, a que mais resistia. Todas nos apertamos no banco de trás, uma no colo da outra, e fomos embora. Ainda me virei para ver Pasquale e Rino, que se afastavam no sentido da orla – Pasquale mancava. Senti como se o bairro tivesse se alargado a ponto de englobar toda Nápoles, até as ruas da gente de bem. No carro as tensões logo começaram. Gigliola e Ada estavam muito chateadas, protestaram pelo desconforto da viagem. "Não é possível", diziam. "Então desçam e vão a pé", disse Lila, e estavam prestes a se pegar. Marcello freou, achando graça. Gigliola desceu e, com um andar lento de princesa, foi se sentar no banco da frente, sobre os joelhos de Michele. Fizemos o percurso assim, com Gigliola e Michele se beijando sem parar sob nossos olhos. Eu olhava para ela e ela, enquanto dava beijos apaixonados, olhava para mim. E eu desviava logo o olhar.

Lila não falou mais nada até chegarmos ao bairro. Marcello ainda disse umas palavras, procurando-a com o olhar no espelho retrovisor, mas ela não respondeu às suas tentativas. Descemos longe de casa para evitar que nos vissem no carro dos Solara. Fizemos o resto do caminho a pé, nós cinco. Afora Lila, que parecia preocupada e corroída pela raiva, estávamos todas admiradíssimas com o comportamento dos dois irmãos. Corajosos, dizíamos, agiram muito bem. Gigliola repetia sem parar: "É claro", "E o que vocês acha-

vam?", "Certamente", com o ar de quem, trabalhando na confeitaria, sabia bem que os Solara eram gente de qualidade. A certo ponto ela me perguntou, com um leve tom de zombaria:
"Como é na escola?"
"É bom."
"Mas você não se diverte tanto quanto eu."
"É um outro tipo de diversão."
Quando ela, Carmela e Ada nos deixaram para entrar nos portões de suas casas, eu disse a Lila:
"A verdade é que os ricos são piores do que a gente."
Ela não replicou. Apenas acrescentou, circunspecta:
"Os Solara são uma gente de merda, mas ainda bem que estavam lá: aqueles caras da rua Dei Mille podiam ter matado Rino e Pasquale."
Sacudiu a cabeça energicamente. Estava mais pálida que de costume e tinha sob os olhos profundos vincos arroxeados. Não concordava, mas não me disse por quê.

## 27.

Fui aprovada com nove em tudo, e até receberia uma coisa chamada bolsa de estudos. Dos quarenta da turma, restamos trinta e dois. Gino foi reprovado, Alfonso ficou de recuperação em setembro em três matérias. Incentivada por meu pai, fui à casa da professora Oliviero – minha mãe era contra, não gostava que a professora metesse o bico em coisas de família e se arrogasse o direito de tomar decisões sobre seus filhos em lugar dela – com os dois pacotes costumeiros, um de açúcar e um de café, comprados no bar Solara, para agradecer seu interesse por mim.

Ela não se sentia muito bem, tinha algo na garganta que a incomodava, mas me elogiou muito, se congratulou por eu ser tão aplicada, disse que estava me achando um tanto pálida e que pretendia telefonar a uma prima sua que morava em Ischia para ver se me hospedava por um tempo. Agradeci, não disse nada a minha mãe sobre aquela possibilidade. Já sabia que ela nunca permitiria. Eu em Ischia? Eu sozinha na balsa em uma viagem por mar? Eu em pessoa, na praia, tomando banho de maiô?

Nem comentei com Lila. Em poucos meses sua vida tinha perdido até a aura aventurosa da fábrica de calçados, e eu não queria me vangloriar de minhas notas altas, da bolsa de estudos, de umas possíveis férias em Ischia. Aparentemente as coisas tinham melhorado: Marcello Solara tinha parado de persegui-la. Porém, depois da violência na praça Dei Martiri, acontecera um fato inesperado, que a deixara perplexa. O jovem, causando agitação sobretudo em Fernando pela honra que lhe era feita, aparecera na sapataria para saber como Rino estava. Entretanto Rino, que evitara contar ao pai o que havia ocorrido (para justificar os hematomas que tinha no rosto e no corpo inventara que tinha caído da lambreta de um amigo), temendo que Marcello falasse além da conta, levou-o logo para a rua. Deram uns poucos passos e Rino lhe agradeceu de má vontade, seja pela ajuda, seja pela gentileza de passar para saber como ele estava. Depois de dois minutos, se despediram. Ao voltar para a loja, o pai lhe dissera:

"Finalmente você está fazendo uma boa coisa."

"O quê?"

"A amizade com Marcello Solara."

"Não tem nenhuma amizade, papai."

"Então quer dizer que você era um cretino e continua um cretino."

Fernando queria dizer que algo estava mudando e que o filho, não importa o nome que quisesse dar àquela coisa com os Solara, deveria encorajá-lo. Tinha razão. Marcello voltou dois dias depois com os sapatos do avô, para trocar a sola; depois convidou Rino para dar uma volta de carro; depois quis ensiná-lo a guiar; depois o incentivou a fazer as provas para tirar a habilitação, oferecendo-lhe a Millecento para que ele treinasse. Talvez não se tratasse de amizade, mas os Solara certamente começaram a demonstrar afeição por Rino.

Lila, excluída de toda aquela movimentação em torno da sapataria, onde ela não punha mais os pés, ao ouvir as notícias que circulavam experimentava, ao contrário do pai, uma crescente preocupação. No início se lembrou da batalha dos fogos de artifício e pensou: Rino odeia demais os Solara, não é possível que se deixe enganar. Depois teve de constatar que as atenções de Marcello estavam seduzindo não só seus pais, mas mais ainda o irmão. Ela já conhecia a fragilidade de Rino, e se irritava com o modo como os Solara estavam dominando sua cabeça, fazendo dele uma espécie de macaquinho contente.

"Que mal há nisso?", contestei certa vez.

"Eles são perigosos."

"Aqui tudo é perigoso."

"Você viu o que Michele pegou do carro na praça Dei Martiri?"

"Não."

"Uma barra de ferro."

"Os outros estavam com bastões."

"Você não viu, Lenu, mas a barra tinha a ponta afiada: se quisessem podiam enfiá-la no peito de um daqueles, ou no estômago."

"Bem, você ameaçou Marcello com um trinchete."

Naquele ponto ela se ofendeu, disse que eu não estava entendendo. E provavelmente era verdade. O irmão era dela, não meu; e eu me comprazia em lançar hipóteses, enquanto ela tinha outras necessidades, queria tirar Rino daquela situação. Mas sempre que fazia qualquer crítica, Rino mandava que se calasse, ameaçava-a, às vezes batia nela. E assim as coisas bem ou mal seguiram adiante, tão adiante que numa noite de junho – eu estava na casa de Lila, ajudando-a a dobrar os lençóis enxutos ou outra coisa, agora não me lembro – a porta de casa se abriu e Rino entrou, seguido de Marcello.

O rapaz tinha convidado Solara para jantar, e Fernando, que tinha acabado de voltar cansadíssimo da oficina, num primeiro momento se irritou, mas depois se sentiu honrado e se comportou cordialmente. Nunzia, então, foi às alturas: ficou excitada, agradeceu pelas três garrafas de bom vinho que Marcello tinha trazido, levou para a cozinha os filhos menores, para que não perturbassem.

Eu mesma fui recrutada, com Lila, para os preparativos do jantar.

"Vou colocar veneno de barata", dizia Lila furiosa à beira do fogão, e ríamos, enquanto Nunzia nos impunha silêncio.

"Veio para se casar com você", eu provocava, "vai pedir sua mão a seu pai."

"Está iludido."

"Por quê", perguntava Nunzia ansiosa, "se ele quiser, você vai dizer não?"

"Mas eu já lhe disse não."

"É mesmo?"

"É."

"O que você acha?"

"Foi isso mesmo", confirmei.

"Seu pai nunca deve saber disso, senão você está perdida."

Durante o jantar só Marcello falou. Era evidente que tinha se reinventado, e Rino, que não soubera lhe dizer não, permaneceu quase sempre calado à mesa, ou então ria sem motivo. Solara falou dirigindo-se principalmente a Fernando, mas sem se esquecer de servir água ou vinho a Nunzia, a Lila e a mim. Disse ao dono da casa quanto ele era admirado no bairro por seu talento de sapateiro. Disse como seu pai sempre falava muito bem de sua grande habilidade. Disse que Rino tinha uma admiração sem limites por suas competências de sapateiro.

Fernando, até pelo efeito do vinho, ficou comovido. Murmurou algo elogioso a Silvio Solara e chegou a dizer que Rino era um grande trabalhador, que estava se tornando muito bom no ofício. Então Marcello começou a louvar a necessidade de sempre melhorar. Disse que o avô tinha começado num subsolo, depois seu pai o ampliara e hoje o bar-confeitaria Solara era o que era, todos o conheciam, as pessoas vinham de todos os cantos de Nápoles para tomar um café, comer uma massa.

"Que exagero", exclamou Lila, e o pai a fulminou com o olhar.

Mas Marcello lhe sorriu com humildade e admitiu:

"Talvez eu tenha exagerado um pouco, mas foi só para dizer que o dinheiro precisa circular. Começa-se com um subsolo e, de geração em geração, pode-se ir bem longe."

A essa altura, com visível incômodo, sobretudo de Rino, ele passou a elogiar a ideia de fazer sapatos novos. E a partir dali começou a olhar para Lila como se, elogiando a energia das novas gerações, estivesse louvando sobretudo a ela. Dizia: se alguém se sente capaz, se é bom, se sabe inventar coisas boas, que agradam, por que não tentar? Falou num belo dialeto, cativante, e ao falar não tirou os olhos de minha amiga. Eu sentia e via que ele estava apaixonado por ela como nas canções, que desejava beijá-la, que queria respirar seu respiro, que ela poderia fazer dele tudo o que quisesse, que encarnava a seus olhos todas as possíveis qualidades femininas.

"Sei", concluiu Marcello, "que seus filhos fizeram um par de sapatos muito bonito, número quarenta e um, justamente meu número."

Fez-se um longo silêncio. Rino fixava o prato e não ousava erguer os olhos para o pai. Só se escutava o vaivém do pintassilgo ao lado da janela. Fernando disse lentamente:

"Sim, é de fato um número quarenta e um."

"Eu gostaria muito de vê-lo, se não o incomodar."

Fernando resmungou:

"Não sei onde estão. Nunzia, você sabe?"

"Ela os guardou", disse Rino, apontando a irmã.

Lila olhou Solara nos olhos e então disse:

"Eu estava com eles, é verdade, estavam guardados no depósito. Mas depois mamãe me mandou outro dia fazer uma limpeza, e eu os joguei fora. De todo modo, ninguém gostava deles."

Rino ficou furioso e disse:

"Você é uma mentirosa, vá logo pegar os sapatos."

Fernando também disse, em tom nervoso:

"Vá buscar os sapatos, vá."

Lila explodiu, virando-se para o pai:

"Como é que agora você quer os sapatos? Joguei fora porque você disse que não prestavam."

Fernando bateu a mão aberta na mesa e fez o vinho tremer nas taças.

"Levante-se e vá pegar os sapatos, agora."

Lila afastou a cadeira, se levantou.

"Joguei fora", repetiu num fio de voz e saiu da sala.

Não voltou mais.

O tempo transcorreu em silêncio. O primeiro a alarmar-se foi justamente Marcello. Disse, realmente ansioso:

"Acho que cometi um erro, não tinha entendido que há problemas em relação a isso."

"Não há problema nenhum", disse Fernando, e sibilou à mulher: "Vá ver o que sua filha está aprontando".

Nunzia saiu da sala. Quando voltou, estava embaraçadíssima, Lila havia sumido. Procuramos por toda a casa, não estava lá. Chamamos da janela: nada. Marcello, desolado, se despediu. Assim que ele foi embora, Fernando gritou, virando-se para a mulher:

"Juro por Deus que desta vez eu mato sua filha."

Rino se uniu ao pai nas ameaças, Nunzia começou a chorar. Eu me retirei quase na ponta dos pés, assustada. Porém, assim que fechei a porta e cheguei ao patamar da escada, Lila me chamou.

Ela estava no último andar, e eu subi na ponta dos pés. Encontrei-a encolhida ao lado da porta que dá para o terraço, na penumbra. Estava com os sapatos no colo, e pela primeira vez pude vê-los prontos e inteiros. Brilhavam na luz tênue de uma lampadinha pendurada num fio elétrico.

"O que custava mostrar a eles?", perguntei desorientada.

Sacudiu a cabeça energicamente:

"Não quero que cheguem nem perto."

Mas parecia arrasada por sua própria reação extrema. O lábio inferior tremia, coisa que nunca vi.

Aos poucos a convenci a voltar, não podia ficar entocada lá em cima pra sempre. Acompanhei-a até em casa contando que minha presença a protegeria. Mas mesmo assim houve gritos, insultos, alguns tapas. Fernando gritou que, por um capricho, ela o fizera passar vergonha na frente de uma visita de respeito. Rino lhe arrancou os sapatos das mãos, disse que eram dele, ele é que penara para fazê-los. Ela se pôs a chorar, murmurando: "Eu também trabalhei, mas seria melhor se nunca os tivesse feito, você se transformou num animal enlouquecido". Foi Nunzia quem pôs um fim naquele tormento. Ficou lívida e, com uma voz que não era a sua de costume, ordenou aos filhos e até ao marido – ela, que era sempre submissa – que acabassem logo com aquilo, que lhe dessem os sapatos e não dissessem nem mais uma palavra, do contrário ela se jogaria da janela. Rino lhe deu os sapatos imediatamente e, para o momento, as coisas terminaram assim. Fui embora de fininho.

## 28.

Mas Rino não desistiu, nos dias seguintes continuou agredindo a irmã com palavras e com as mãos. Toda vez que eu e Lila nos encontrávamos, notava um novo roxo em sua pele. Depois de um tempo, percebi que ela estava resignada. Numa manhã ele a obrigou a saírem juntos, a acompanhá-lo até a sapataria. Na rua ambos tentaram, com movimentos cautelosos, achar um meio de encerrar a guerra. Rino disse que gostava muito dela, mas que ela não se preocupava com o bem-estar de ninguém, nem dos pais, nem dos irmãos. Lila murmurou: "O que é o bem para você, qual é o bem para nossa família? Quero ouvir". Passo a passo, Rino explicou o que tinha em mente.

"Se Marcello gostar dos sapatos, papai muda de ideia."

"Não acho."

"Com certeza. E se além disso Marcello os comprar, papai vai entender que seus modelos são bons, que podem dar lucro, e assim nos deixa começar a trabalhar."

"Nós três?"

"Eu, ele e quem sabe você também. Papai é capaz de fazer um par de sapatos perfeitamente acabados em quatro dias, no máximo cinco. E você vai ver que eu, se me esforçar, posso fazer igual. Vamos fabricá-los, vendê-los e nos autofinanciarmos."

"E a quem vamos vender, sempre a Marcello Solara?"

"Os Solara fazem negócios, conhecem gente importante. Vão fazer propaganda da gente."

"E vão fazer isso de graça?"

"Se quiserem uma pequena porcentagem, estamos de acordo."

"E por que eles se contentariam com uma pequena porcentagem?"

"Porque têm simpatia por mim."

"Os Solara?"

"Sim."

Lila suspirou:

"Vamos fazer uma coisa: eu falo com papai e vamos ver o que ele acha disso."

"Não ouse."

"Ou assim ou nada feito."

Rino se calou, muito nervoso.

"Tudo bem. Seja como for, você sabe falar melhor que eu."

Naquela mesma noite durante o jantar, na frente do irmão com o rosto afogueado, Lila disse a Fernando que Marcello não só havia manifestado muita curiosidade pela iniciativa dos sapatos, mas também podia até estar interessado em comprá-los e quem sabe, caso se entusiasmasse com a coisa do ponto de vista comercial, faria uma grande publicidade do produto nos ambientes que frequentava, em troca, naturalmente, de uma pequena porcentagem sobre as vendas.

"Isso quem disse fui eu", especificou Rino de olhos baixos, "não Marcello".

Fernando olhou a mulher: Lila percebeu que tinham se falado sobre o assunto e já haviam chegado a uma conclusão secreta.

"Amanhã", disse, "vou colocar o sapato de vocês na vitrine da loja. Se alguém se interessar, se quiser provar, se quiser comprar, se quiser fazer a merda que for, deve falar comigo, sou eu quem decide."

Dias depois passei na frente da oficina. Rino trabalhava, Fernando trabalhava, ambos curvados, cabeça baixa. Entre latas de graxa e cadarços, vi na vitrine os belos e harmoniosos sapatos da marca Cerullo. Um cartaz colado no vidro, certamente escrito pela mão de Rino, dizia assim, pomposamente: "Vendem-se aqui os sapatos da marca Cerullo". Pai e filho esperavam que a sorte grande chegasse.

Mas Lila estava cética, carrancuda. Não dava nenhum crédito às hipóteses ingênuas do irmão e temia a concórdia indecifrável entre o pai e a mãe. Em suma, esperava coisas ruins. Passou uma semana, e ninguém demonstrou o mínimo interesse pelos sapatos na vitrine, nem mesmo Marcello. Somente pela insistência de Rino, aliás, arrastado à força para dentro da loja, Solara deu uma olhada neles, mas como quem tem outras coisas em mente. É verdade que os calçou, mas disse que estavam um pouco apertados, tirou-os logo e sumiu sem nem uma palavra de elogio, como se estivesse com dor de barriga e precisasse correr para casa. Desilusão de pai e filho. Porém, dois minutos depois, Marcello reapareceu. Rino imediatamente se pôs de pé, radiante, e lhe estendeu a mão como se algum acordo, por aquele puro e simples comparecimento, já tivesse sido estipulado. Mas Marcello o ignorou e se dirigiu diretamente a Fernando. Disse de um jato:

"Tenho intenções muito sérias, dom Ferná: gostaria de pedir a mão de sua filha Lina."

## 29.

Rino reagiu àquela reviravolta com uma febre violentíssima, que o deixou fora do trabalho por dias. Quando bruscamente a febre desapareceu, teve manifestações inquietantes: se levantava da cama no meio da noite mesmo continuando a dormir, ia até a porta mudo e agitadíssimo, tentava abri-la e se debatia de olhos arregalados. Nunzia e Lila, assustadas, arrastavam-no de novo para a cama.

Fernando, por sua vez, que assim como a esposa intuíra de pronto as reais intenções de Marcello, conversou calmamente com a filha. Explicou que a proposta de Marcello Solara era importante não só para o futuro dela, mas para o de toda a família. Falou que ela ainda era uma menina e que ainda não precisava dizer sim já naquele momento, mas acrescentou que ele, como pai, aconselhava que ela aceitasse. Um longo noivado em casa aos poucos a habituaria ao casamento.

Lila lhe respondeu com a mesma calma que, se fosse para ficar noiva e depois se casar com Marcello Solara, ela preferiria ir se afogar no pântano. O resultado foi uma enorme briga, mas que não a fez mudar de opinião.

Eu fiquei arrasada com aquela notícia. Sabia muito bem que Marcello queria namorar Lila a todo o custo, mas nunca pensaria que na nossa idade se pudesse receber uma proposta de casamento. E no entanto Lila a recebeu, e ainda nem tinha quinze anos, nunca namorara escondido, nunca tinha dado um beijo em ninguém. Imediatamente fiquei ao lado dela. Casar? Com Marcello Solara? Quem sabe até ter filhos? Não, absolutamente não. Encorajei-a a combater aquela nova batalha contra o pai e jurei que a apoiaria, mesmo ele já tendo perdido toda a calma e passado a ameaçá-la, dizendo que lhe arrebentaria os ossos pelo seu bem se não aceitasse um partido daqueles.

Mas não tive como ficar ao lado dela. Em meados de julho aconteceu uma coisa que eu deveria ter previsto e que, mesmo assim, me pegou de surpresa e mudou tudo. Num fim de tarde, depois do costumeiro passeio pelo bairro a trocar ideias com Lila sobre o que estava ocorrendo com ela e como sair daquela enrascada, voltei para casa e quem veio abrir a porta foi minha irmã Elisa. Disse emocionada que sua professora estava na sala de jantar, isto é, Oliviero. Estava falando com nossa mãe.

Apareci timidamente na sala e minha mãe resmungou, aborrecida:

"A professora Oliviero está dizendo que você precisa repousar, que está muito cansada."

Olhei Oliviero sem entender. Ela é que parecia precisar de repouso, estava pálida e com o rosto inchado. Então ela me disse:

"Minha prima respondeu ontem: você pode ir a Ischia e ficar com ela até o final de agosto. Ela gostou da ideia, você só precisa ajudá-la um pouco em casa."

Dirigiu-se a mim como se fosse ela a minha mãe, como se minha mãe, a verdadeira, aquela da perna machucada e do olho torto, fosse apenas um ser vivo descartável e, como tal, não merecedor de consideração. Além disso, não se retirou em seguida ao comunicado, mas se deteve ainda uma boa hora, mostrando-me um a um os livros que me trouxera emprestado. Explicou quais eu deveria ler primeiro, me fez jurar que antes de lê-los eu os encaparia, me disse que eu deveria devolvê-los todos até o final do verão, sem nenhuma dobradura. Minha mãe resistiu pacientemente. Permaneceu sentada, atenta, embora o olho bailarino lhe desse um ar alucinado. Só explodiu quando a professora finalmente foi embora com um cumprimento de desprezo a ela e nem um carinho em minha irmã, que contava com isso e ficaria orgulhosa. Virou-se para mim transtornada de rancor pela humilhação que, segundo ela, tinha sofrido por minha culpa. Disse:

"A senhorita deve ir repousar em Ischia, a senhorita está muito cansada. Vá logo preparar o jantar, vá, se não quiser levar uma bolacha."

No entanto, passados dois dias, depois de ter tomado minhas medidas e de ter costurado às pressas uma roupa de banho copiada de não sei onde, ela mesma me acompanhou à balsa. No caminho para o porto, durante a compra da passagem e depois, enquanto esperávamos meu embarque, ela me azucrinou com recomendações. O que mais a assustava era a travessia. "Tomara que o mar não fique agitado", dizia quase para si e jurava que, quando eu era pequena, aos três ou quatro anos, ela me levara a Coroglio todos os dias para me curar do catarro, que o mar era bonito e que eu aprendera a nadar. Mas eu não me lembrava nem de Coroglio, nem do mar, nem de saber nadar – e lhe disse isso. Ela assumiu um tom irritado, como se um eventual afogamento meu devesse ser atribuído não a ela, que tinha feito o que era preciso para evitá-lo, mas inteiramente à minha desmemória. Depois recomendou que eu não me afastasse da orla nem com o mar calmo, e que ficasse em casa se ele estivesse agitado ou com a bandeira vermelha. "Acima de tudo", me disse, "se estiver de estômago cheio ou menstruada, não molhe nem os pés." Antes de me deixar, solicitou a um velho marinheiro que ficasse de olho em mim. Quando a balsa se soltou do cais, me senti a um só tempo aterrorizada e feliz. Pela primeira vez eu saía de casa, fazia uma viagem, uma viagem por mar. O corpo largo de minha mãe – junto com o bairro, com a história de Lila – se afastou cada vez mais e se perdeu.

## 30.

Desabrochei. A prima da professora se chamava Nella Incardo e morava em Barano. Cheguei ao vilarejo de ônibus e achei a casa facilmente. Nella se revelou uma mulherona gentil, muito alegre, conversadora, solteira. Alugava seus quartos aos turistas e mantinha para si um quartinho e a cozinha. Eu dormiria na cozinha. Precisava fazer a cama à noite e desmontar tudo (estrado, estrutura, colchão) de manhã. Descobri que tinha obrigações incontornáveis: levantar às seis e meia, preparar o café para ela e seus hóspedes – quando cheguei, havia um casal de ingleses com duas crianças –, lavar e guardar xícaras e tigelas, pôr a mesa para o jantar, lavar os pratos antes de dormir. No resto do tempo eu estava livre. Podia ficar no terraço, lendo de cara para o mar, ou descer a pé por uma estradinha branca e íngreme até uma praia comprida, larga, escura, que se chamava praia dos Maronti.

No início, depois de todos os medos que minha mãe me inoculara e de todos os problemas que eu tinha com meu corpo, passei o tempo no terraço, toda vestida, escrevendo a Lila uma carta por dia, cada uma cheia de perguntas, gracinhas e descrições entusiásticas da ilha. Mas um dia Nella me provocou e disse: "Mas o que é isso? Ponha logo o maiô". Quando vesti minha roupa de banho, ela morreu de rir, achou que era coisa de velha. Costurou outro maiô para mim, segundo ela mais moderno, muito decotado nos seios, mais aderente ao traseiro, de um belo azul. Eu o provei e ela se entusiasmou, disse que já era hora de eu ir à praia, chega de terraço.

No dia seguinte, morrendo de medo e de curiosidade, peguei uma toalha, um livro, e fui para Maronti. O percurso me pareceu interminável, não encontrei ninguém subindo ou descendo. A praia era enorme e deserta, com uma areia granulosa que chiava a cada passo. O mar emanava um cheiro intenso, um som seco, monótono. Olhei demoradamente, de pé, aquela grande massa de água. Depois me sentei na toalha, incerta sobre o que fazer. Por fim me levantei e molhei os pés na água. Como tinha sido possível viver em Nápoles e jamais cogitar, nem sequer uma vez, tomar um banho de mar? No entanto foi assim. Avancei cautelosamente, deixando que a água me subisse dos pés aos tornozelos e às coxas. Depois pisei em falso e afundei. Me agitei aterrorizada, engoli água, voltei à tona, ao ar. Percebi que naturalmente movimentava os pés e os braços de modo a me manter na superfície. Então eu sabia nadar. Minha mãe de fato me levara ao mar quando eu era pequena e de fato, ali, enquanto ela fazia o tratamento com areia, eu tinha aprendido a nadar. Pude vê-la num lampejo, mais jovem, menos desfeita, sentada na praia negra sob o sol do meio-dia, com um vestido branco de florzinhas, a perna boa coberta até o joelho pela roupa, a ruim toda enterrada na areia escaldante.

A água do mar e o sol apagaram rapidamente de meu rosto a inflamação das espinhas. Me queimei, fiquei preta. Esperei por cartas de Lila, quando nos despedimos prometemos que nos escreveríamos, mas elas não chegaram. Treinei um pouco de inglês com a família hospedada por Nella. Eles perceberam que eu queria aprender, falavam comigo com crescente simpatia, e eu fiz bons progressos. Nella, sempre alegre, me encorajou, e comecei a servir de intérprete a ela. Não perdia a ocasião de me encher de elogios. E me fazia pratos enormes, cozinhava muito bem. Dizia que eu tinha chegado um trapo e agora, graças a seus cuidados, eu estava linda.

Enfim, os últimos dez dias de julho me deram uma sensação de bem-estar até então desconhecida. Experimentei algo que depois, ao longo de minha vida, se repetiu frequentemente: a alegria do novo. Tudo me empolgava: acordar cedo, preparar o café da manhã, tirar a mesa, passear por Barano, fazer o caminho de subida ou descida até Maronti, ler estendida ao sol, mergulhar, voltar a ler. Não tinha saudades de meu pai, de meus irmãos, de minha mãe, das ruas do bairro, dos jardins. Só me faltava Lila, Lila, que no entanto não respondia às minhas cartas. Temia que lhe acontecessem coisas, boas ou ruins, sem que eu estivesse presente. Era um temor antigo, um temor que eu nunca superara: o medo de que, perdendo partes de sua vida, a minha perdesse intensidade e centralidade. E o fato de ela não me responder acentuava essa preocupação. Por mais que me esforçasse em comunicar-lhe nas cartas o privilégio dos dias em Ischia, meu rio de palavras e seu silêncio me pareciam demonstrar que minha vida era esplêndida, mas pobre de acontecimentos, tanto que me sobrava tempo para escrever-lhe todos os dias; a dela, sombria, mas plena.

Somente em fins de julho Nella me disse que, no lugar dos ingleses, em primeiro de agosto chegaria uma família napolitana. Era o segundo ano que vinham. Gente muito direita, senhores gentilíssimos, requintados: especialmente o marido, um autêntico cavalheiro, que sempre lhe dizia palavras adoráveis. E depois o filho maior, realmente um belo rapaz: alto, magro mas forte, este ano faria dezessete anos. "Acabaram seus dias de solidão", me disse, e eu me envergonhei, fui logo tomada de ansiedade por esse jovem que estava chegando, pelo medo de não conseguirmos trocar nem duas palavras, de não lhe agradar.

Assim que os ingleses partiram, me deixando dois romances para exercitar a leitura e o endereço deles – no caso de, se um dia eu fosse à Inglaterra, ir encontrá-los –, Nella me convocou para ajudá-la a lustrar os quartos, trocar os lençóis e toalhas e fazer as camas. Fiz tudo de boa vontade e, enquanto lavava o piso, ela me gritou da cozinha:

"Como você é inteligente, sabe até ler em inglês. Já não bastam os livros que trouxe?"

E só me fez elogios a distância, em alto e bom som, dizendo como eu era disciplinada, como era sensata, como lia o dia todo e até de noite. Quando a encontrei na cozinha, ela estava com um livro na mão. Disse que tinha sido um presente do senhor que chegaria no dia seguinte, ele mesmo o escrevera. Nella o guardava no criado-mudo, toda noite lia um poema, primeiro em silêncio e depois em voz alta. Agora já sabia todos de cor.

"Olha o que ele me escreveu", disse, e me estendeu o livro.

Era *Provas de sereno*, de Donato Sarratore. A dedicatória dizia: *A Nella, que é um doce, e às suas geleias.*

## 31.

Fui correndo escrever para Lila: páginas e páginas de apreensão, alegria, vontade de fugir, prefiguração apaixonada do momento em que veria Nino Sarratore, em que iria à praia dos Maronti com ele, tomaríamos banho juntos, contemplaríamos a lua e as estrelas, dormiríamos sob o mesmo teto. Não fiz senão pensar nos momentos intensos em que, trazendo o irmão pela mão, um século antes – ah, quanto tempo tinha se passado – ele me declarara seu amor. Éramos duas crianças na época: agora eu me sentia grande, quase velha.

No dia seguinte fui à parada de ônibus para ajudar os hóspedes a levar suas bagagens. Estava em grande agitação, passara a noite em claro. O ônibus chegou, parou, os viajantes desceram. Reconheci Donato Sarratore, reconheci Lidia, a esposa, reconheci Marisa, embora estivesse muito mudada, reconheci o pequeno Pino, que agora era um rapazinho sério, e imaginei que o menino mimado que atormentava a mãe devia ser o mesmo que, na última vez em que eu vira a família Sarratore inteira, ainda estava no carrinho de bebê, sob os projéteis lançados por Melina. Mas não avistei Nino.

Marisa me abraçou com um entusiasmo que eu jamais esperaria: em todos aqueles anos ela nunca, absolutamente nunca, voltara à minha memória, ao passo que ela disse ter pensado frequentemente em mim, com grande saudade. Quando mencionou os tempos do bairro e disse aos pais que eu era a filha de Greco, o contínuo, Lidia, a mãe, fez uma expressão de desdém e logo correu para agarrar o filho pequeno e censurá-lo por não sei o quê, enquanto Donato Sarratore passou a cuidar das bagagens sem sequer uma frase do tipo: como está seu pai?

Fiquei triste. Os Sarratore ocuparam seus quartos, e eu fui à praia com Marisa, que conhecia Maronti e toda Ischia muito bem e já vibrava, queria ir ao Porto, onde havia mais animação, e a Casamicciola, a qualquer lugar, menos permanecer em Barano, que, segundo ela, era um mortuário. Contou que estudava secretariado e tinha um namorado que logo eu conheceria, porque viria encontrá-la, mas escondido. Por fim disse uma coisa que me deu um baque no coração. Sabia tudo de mim, sabia que eu fazia o ginásio, que eu era excelente na escola e que era namorada de Gino, o filho do farmacêutico.

"Quem lhe disse isso?"

"Meu irmão."

Então Nino me reconhecera, então ele sabia quem eu era, então não se tratava de desatenção, mas quem sabe timidez, talvez incômodo, talvez vergonha pela declaração que me fizera na infância.

"Faz muito tempo que terminei com Gino", disse, "seu irmão não está bem informado."

"Aquele só pensa em estudar, já é muito que tenha me falado de você, na maioria das vezes anda com a cabeça nas nuvens."

"Ele não vem?"

"Vem quando papai for embora."

Falou de modo muito crítico sobre Nino. Disse que não tinha sentimentos. Nunca se entusiasmava com nada, não se enfurecia, mas tampouco era gentil. Ficava fechado em si, a única coisa que o interessava eram os estudos. Não gostava de nada, tinha sangue de barata. A única pessoa capaz de perturbá-lo um pouquinho era o pai. Não que brigassem, era um filho respeitoso e obediente. Mas Marisa bem sabia que Nino não o suportava. Já ela adorava o pai. Era o homem mais bondoso e mais inteligente do mundo.

"E seu pai fica muito tempo? Quando ele vai embora?", perguntei, com um interesse talvez excessivo.

"Só três dias. Precisa trabalhar."

"E Nino vem daqui a três dias?"

"Vem. Inventou que precisava ajudar a família de um amigo a fazer a mudança."

"E não é verdade?"

"Ele não tem amigos. De todo modo, não moveria aquela pedra de lá pra cá nem por minha mãe, a única de quem ele gosta um pouco: imagine se iria ajudar um amigo."

Demos um mergulho e nos enxugamos passeando ao longo da orla. Ela me mostrou, rindo, uma coisa que eu ainda não tinha notado. Ao fundo da praia escura havia umas formas brancas, imóveis. Ela me arrastou aos risos pela areia escaldante e a certa altura ficou evidente que eram pessoas. Pessoas vivas e cobertas de lama. Faziam algum tipo de tratamento, não se sabe de quê. Deitamos, rolamos na areia e nos empurramos, brincando de bancar as múmias como aquela gente. Nos divertimos muito, depois fomos dar mais um mergulho.

À noite a família Sarratore jantou na cozinha e convidou Nella e a mim para jantar com eles. Foi uma bela noitada. Lidia em nenhum momento aludiu ao bairro, mas, passado o primeiro impulso de hostilidade, se informou sobre mim. Quando Marisa lhe disse que eu era muito estudiosa e frequentava a mesma escola de Nino, tornou-se extremamente gentil. De todo modo, o mais cordial foi Donato Sarratore. Foi todo elogios para Nella, me cumprimentou pelos bons resultados na escola, foi muito atencioso com Lidia, brincou com Gianni, o filho menor, e quis ele mesmo pôr a mesa, me impedindo de servir os pratos.

Pude observá-lo bem de perto, e me pareceu uma pessoa diferente daquela que eu recordava. Era mais magro, é verdade, deixara o bigode crescer, mas afora a aparência havia algo a mais que eu não conseguia entender, que dependia do comportamento. Talvez tenha me parecido mais paternal que meu pai, de uma gentileza fora do comum.

Essa sensação se acentuou nos dois dias seguintes. Quando íamos à praia, Sarratore não permitia que Lidia ou a gente, as meninas, levássemos nada. Ele carregava o guarda-sol e as bolsas com toalhas e comida para o almoço, tanto na ida, mais fácil, quanto na volta, quando era preciso subir a ladeira. Só passava a carga para nós quando Gianni choramingava e exigia ser levado nos braços. Tinha um corpo enxuto, com poucos pelos. Vestia uma roupa de cor incerta, não de tecido, mas de fina lã. Nadava muito, mas sem se afastar da praia, queria mostrar a mim e a Marisa como era o nado livre. A filha nadava como ele, com as mesmas braçadas pausadíssimas, lentas, e eu logo comecei a imitá-los. Exprimia-se mais em italiano que em dialeto e tendia com certa insistência, especialmente comigo, a compor frases tortuosas e perífrases incomuns. Com ar alegre, convidava Lidia, Marisa e a mim para correr com ele pra cima e pra baixo na orla, para tonificar os músculos, e enquanto isso nos fazia rir com caretas, falsetes e um passo engraçado. Quando entrava na água com a mulher, ficavam boiando um ao lado do outro, falando em voz baixa, muitas vezes rindo. No dia em que foi embora, fiquei triste assim como Marisa, assim como Lidia, assim como Nella. A casa, mesmo tomada por nossas vozes, nos pareceu silenciosa, um velório. O único consolo foi que finalmente Nino chegaria.

## 32.

Tentei sugerir a Marisa que fôssemos buscá-lo no porto, mas ela se recusou, disse que o irmão não merecia aqueles cuidados. Nino chegou à noite. Alto, magérrimo, camisa azul-marinho, calças escuras, sandálias, saco de viagem nos ombros, não demonstrou a mínima emoção ao me encontrar em Ischia, naquela casa, tanto que pensei que a família tivesse um telefone em Nápoles, que Marisa o tivesse avisado de algum jeito. Na mesa se expressou por meio de monossílabos, não apareceu no café da manhã. Acordou tarde, fomos à praia tarde, carregou pouca coisa ou quase nada. Mergulhou imediatamente, com decisão, e nadou para o fundo sem o virtuosismo exibido do pai, com naturalidade. Desapareceu, temi que tivesse se afogado, mas nem Marisa nem Lidia se preocuparam. Reapareceu quase duas horas depois e se pôs a ler, fumando um cigarro atrás do outro. Leu o dia inteiro, sem jamais nos dirigir a palavra e alinhando as guimbas na areia, em fila dupla. Também comecei a ler, recusando o convite de Marisa para passear pela orla. No jantar ele comeu depressa, saiu. Tirei a mesa e lavei os pratos pensando nele. Montei minha cama na cozinha e me pus de novo a ler, esperando que ele voltasse. Li até por volta da uma, depois dormi com a luz acesa e o livro aberto no peito. De manhã acordei com a luz apagada e o livro fechado. Pensei que tivesse sido ele e senti uma onda de amor nas veias como nunca experimentara antes.

No intervalo de poucos dias as coisas melhoraram. Percebi que de vez em quando ele me espiava e depois desviava o olhar para o lado. Perguntei o que estava lendo, disse a ele o que eu lia. Falamos de nossas leituras, entediando Marisa. No início ele pareceu escutar com atenção, depois, exatamente como Lila, disparou a falar e seguiu adiante cada vez mais tomado pelos próprios pensamentos. Como eu desejava que ele se desse conta de minha inteligência, tendia a interrompê-lo, a dizer minha opinião, mas era difícil, parecia contente com minha presença desde que eu ficasse em silêncio para ouvi-lo, e logo me resignei a isso. De resto, dizia coisas que eu me sentia incapaz de pensar, ou de qualquer modo de falar com a mesma segurança, e as dizia num italiano forte, envolvente.

Marisa às vezes nos jogava bolas de areia, noutras, irrompia gritando: "Parem com isso, quem se importa com esse Dostoievski, esses Karamazov". Então Nino parava bruscamente e se afastava pela orla da praia, de cabeça baixa, até se transformar num pontinho. Eu passava algum tempo com Marisa falando de seu namorado, que não poderia vir encontrá-la em segredo, e por isso ela chorava. Entretanto me sentia cada vez melhor, não podia acreditar que a vida pudesse ser assim. Talvez, pensava, as garotas da rua Dei Mille – aquela toda vestida de verde, por exemplo – levassem uma vida como aquela.

A cada três ou quatro dias Donato Sarratore voltava, mas ficava no máximo vinte e quatro horas, e depois ia embora. Dizia que só pensava no 13 de agosto, quando se estabeleceria em Barano por duas semanas inteiras. Assim que o pai chegava, Nino se tornava uma sombra. Comia, desaparecia, reaparecia tarde da noite e não dizia uma palavra. Ouvia o pai com um meio sorriso condescendente, e qualquer coisa que o pai dissesse, ele não concordava, mas tampouco se opunha. As únicas vezes em que dizia algo direto e explícito era quando o pai se referia ao desejado 13 de agosto. Então, dois minutos depois, ele lembrava à mãe – à mãe, não a Donato – que logo após o feriado de agosto precisava voltar a Nápoles porque tinha combinado de se encontrar com alguns colegas de escola – pretendiam reunir-se numa casa de campo em Avellino – e começar a fazer as tarefas das férias. "É mentira", me sussurrava Marisa, "não tem tarefa nenhuma." Mas a mãe o elogiava, e o pai também. Aliás, Donato partia logo para um de seus assuntos favoritos: Nino tinha sorte de estudar; ele só tinha podido estudar até o segundo ano da escola técnica, depois precisara trabalhar; mas, se tivesse tido a oportunidade de estudos que seu filho teve, quem sabe até onde chegaria. E concluía: "Estude, Ninu, vá, dê orgulho ao papai e faça o que eu não consegui fazer".

Aquela conversa incomodava Nino mais que qualquer outra coisa. Só para fugir da situação, às vezes chegava a nos convidar – a mim e a Marisa – para sair com ele. Dizia de cara amarrada aos pais, como se o atormentássemos todo o tempo: "Elas querem um sorvete, querem passear, vou acompanhá-las".

Naquelas ocasiões Marisa corria felicíssima para se arrumar, enquanto eu me lamentava por ter de vestir sempre os mesmos farrapos. Mas tinha a impressão de que ele pouco se importava se eu era bonita ou feia. Assim que saía de casa, disparava a falar, o que incomodava muito Marisa, e ele dizia que era melhor ela ter ficado em casa. Já eu era toda ouvidos para Nino. Eu ficava muito surpresa de que, no agito do porto, entre os jovens e não tão jovens que olhavam para mim e Marisa com segundas intenções, e riam, e tentavam puxar conversa, ele não mostrasse nenhum vestígio daquela predisposição à violência típica de Pasquale, Rino, Antonio e Enzo quando saíam conosco e alguém nos dava uma olhada mais forte. Como guarda ameaçadora de nosso corpo, ele de pouco valia. Talvez porque estivesse tomado pelas coisas que lhe passavam pela cabeça, pela ânsia de me falar sobre elas, deixava que rolasse de tudo à nossa volta.

Foi assim que Marisa fez amizade com uns rapazes de Forio, e eles foram visitá-la em Barano, e ela os levou com a gente para a praia dos Maronti, e passamos a sair todas as noites. Íamos os três ao Porto, mas, chegando ali, ela sumia com os novos amigos (quando Pasquale seria tão liberal com Carmela, ou Antonio com Ada?), e nós passeávamos à beira do mar. Depois nos encontrávamos por volta das dez e voltávamos para casa.

Numa noite, assim que ficamos sós, Nino me disse de repente que quando era menino invejara muito a relação que havia entre

mim e Lila. Nos olhava de longe, sempre juntas, sempre conversando, e gostaria de ter feito amizade com a gente, mas sempre lhe faltara a coragem. Depois sorriu e acrescentou:
"Lembra a declaração que lhe fiz?"
"Lembro."
"Eu gostava tanto de você."
Fiquei em brasa, sussurrei estupidamente:
"Obrigada."
"Pensava que seríamos namorados e que ficaríamos sempre juntos, os três, eu, você e sua amiga."
"Juntos?"
Sorriu de si mesmo criança.
"Eu não entendia nada de namoros."
Depois me perguntou de Lila.
"Ela continuou a estudar?"
"Não."
"E o que está fazendo agora?"
"Ajudando os pais."
"Ela era excelente, era difícil acompanhá-la, me confundia a cabeça."

Disse exatamente assim, *me confundia a cabeça*, e, se num primeiro momento eu tinha ficado um tanto mal porque de fato ele me estava dizendo que sua declaração fora apenas uma tentativa de introduzir-se em minha relação com Lila, agora eu sofria de modo evidente, e senti uma dor bem no meio do peito.

"Ela não é mais a mesma", eu disse, "mudou muito."
E senti o impulso de acrescentar: "Ouviu como os professores falam de mim no colégio?". Ainda bem que consegui me conter. Mas a partir daquela conversa tive dificuldade de contar a Lila o que estava acontecendo comigo e parei de lhe escrever; de todo modo, ela não me respondia mesmo. Em vez disso, me dediquei a cuidar de Nino. Sabia que ele acordava tarde e inventava desculpas de todo

tipo para não tomar o café da manhã com os outros. Esperava por ele, descia com ele para a praia, preparava suas coisas, eu mesma as levava, e tomávamos banho juntos. Porém, quando nadava para o fundo, não me sentia capaz de acompanhá-lo, voltava para a toalha e ficava vigiando com apreensão o rastro que ele deixava, o pontinho escuro de sua cabeça. Sentia ansiedade quando o perdia de vista, e experimentava alegria quando o avistava voltando. Enfim, eu o amava, tinha consciência disso e estava contente de amá-lo.

Enquanto isso o feriado de agosto se aproximava sempre mais. Numa noite lhe disse que não queria ir ao Porto, preferia dar um passeio em Maronti, era lua cheia. Esperei que viesse comigo renunciando a acompanhar a irmã, que insistia em ir ao Porto, onde agora tinha uma espécie de namorado com quem, me confessou, trocava beijos e abraços traindo o namorado de Nápoles. No entanto ele foi com Marisa. Eu, por uma questão de princípio, peguei a estrada pedregosa que levava à praia. A areia estava fria, negro-acinzentada à luz da lua, o mar mal respirava. Não havia alma viva, e comecei a chorar de solidão. O que eu era? Quem eu era? Sentia-me de novo bonita, não tinha mais espinhas, o sol e o mar me tinham emagrecido, e apesar disso a pessoa que eu amava e por quem queria ser amada não demonstrava nenhum interesse. Que sinais eu trazia em mim, que destino? Pensei no bairro como numa voragem da qual era ilusório tentar fugir. Depois ouvi o chiado da areia, me virei, vi a sombra de Nino. Sentou-se a meu lado. Precisava voltar para buscar a irmã dentro de uma hora. Senti que estava nervoso, batia na areia com o calcanhar da perna esquerda. Não falou de livros, de repente começou a falar do pai.

"Vou dedicar minha vida", disse, como se se tratasse de uma missão, "a tentar não me parecer com ele."

"É um homem simpático."

"É o que todos dizem."

"E então?"

Fez um trejeito sarcástico que o deixou feio por alguns segundos.
"Como está Melina?"
Olhei para ele estarrecida. Tive todo o cuidado do mundo de não mencionar o nome de Melina naqueles dias de muitas conversas, e ele agora tocava no assunto.
"Assim assim."
"Ele foi amante dela. Sabia perfeitamente que era uma mulher frágil, mas mesmo assim a conquistou, por pura vaidade. Por vaidade faria mal a qualquer pessoa, e sem se sentir responsável por isso. Como está convencido de agradar a todos, acredita que tudo lhe é perdoado. Vai à missa aos domingos. Trata os filhos com respeito. É cheio de atenções com minha mãe. Mas a trai continuamente. É um hipócrita, me dá nojo."
Não soube o que lhe dizer. No bairro podia haver coisas terríveis, pais e filhos muitas vezes chegavam às vias de fato, como Rino e Fernando, por exemplo. Mas a violência daquelas poucas frases construídas com zelo me fez mal. Nino odiava o pai com todas as suas forças, e é por isso que falava tanto dos irmãos Karamazov. Mas não era este o ponto. O que me perturbou profundamente foi que Donato Sarratore, pelo que eu tinha visto e ouvido de perto, não tinha nada de tão repulsivo, era o pai que toda menina, todo jovem gostaria de ter, e Marisa de fato o adorava. Além disso, se seu pecado era a capacidade de amar, eu não via aí nada de particularmente cruel, até de meu pai minha mãe dizia com raiva que sabe-se lá quantas ele aprontara. O resultado é que aquelas frases pungentes, o tom cortante, me pareceram terríveis. Pensei comigo que nem de minha mãe eu falaria assim. E murmurei:
"Ele e Melina foram envolvidos pela paixão, como Dido e Eneias. E pense em Ascanio, a mãe dele morreu há pouco tempo, o pai deveria estar de luto. São coisas que fazem mal, mas são também muito comoventes."

"Ele jurou fidelidade diante de Deus", exclamou de repente sobressaltado. "Não respeita nem a ela nem a Deus." E saltou agitado, tinha os olhos radiantes, belíssimos. "Nem você me compreende", disse, afastando-se a passos largos.

Cheguei até ele, meu coração batia forte.

"Eu compreendo, sim", murmurei, pegando-lhe o braço com cuidado.

Nunca tínhamos sequer nos tocado, e o contato queimou meus dedos, soltei-o imediatamente. Ele se inclinou e me beijou na boca, um beijo suavíssimo.

"Amanhã vou embora", disse.

"Mas 13 é depois de amanhã."

Não respondeu. Voltamos a Barano falando de livros, depois fomos buscar Marisa no Porto. Sentia sua boca na minha.

## 33.

Chorei a noite toda na cozinha silenciosa. Adormeci quando amanhecia. Nella veio me acordar e me censurou, disse que Nino quis tomar o café da manhã no terraço para não me incomodar. Tinha ido embora.

Me vesti depressa, ela notou que eu sofria. "Vá", me permitiu finalmente, "talvez ainda dê tempo." Corri ao Porto esperando chegar antes que a embarcação partisse, mas a balsa já ia longe.

Passei dias horríveis. Arrumando os quartos, achei um marcador de livro de papelão azul que pertencia a Nino e o guardei entre minhas coisas. À noite, na cozinha, eu o cheirava, beijava, lambia com a ponta da língua e chorava. Ficava comovida com o próprio desespero de minha paixão, e o choro se autoalimentava.

Depois Donato Sarratore chegou e seus quinze dias de férias começaram. Lamentou-se de o filho já ter ido embora, mas estava contente porque fora encontrar os colegas em Avellino para estudar. "É um rapaz realmente sério", me disse, "que nem você. Tenho orgulho dele, e imagino que seu pai também tenha orgulho de você." A presença daquele homem sereno me acalmou. Quis conhecer os novos amigos de Marisa, uma noite os convidou para fazer uma grande fogueira na praia. Ele mesmo se deu ao trabalho de amontoar toda a lenha que conseguiu encontrar e ficou com a gente até tarde. O rapaz com quem Marisa tinha um meio namoro arranhava um violão, e Donato cantou, tinha uma voz linda. Altas horas da noite ele mesmo começou a tocar, e tocava bem, arriscou músicas dançáveis. Alguns começaram a bailar, Marisa foi a primeira.

Eu olhava aquele homem e pensava: ele e o filho não têm nenhum traço em comum. Nino é alto, tem um rosto delicado, a testa coberta por cabelos bem pretos, a boca sempre semicerrada com lábios convidativos; já Donato é de estatura mediana, os traços do rosto são marcados, é muito calvo, tem uma boca contraída, quase sem lábios. Nino mira sempre com olhos severos, que veem além das coisas, das pessoas, e parecem assustados; Donato tem um olhar sempre disponível, que adora a aparência de cada coisa ou pessoa, e só faz sorrir para elas. Nino tem algo que o devora por dentro, assim como Lila, o que é um dom e um sofrimento, não são alegres, não se abandonam, temem o que acontece a seu redor; este homem não, parece apreciar qualquer manifestação da vida, quase como se cada segundo vivido tivesse uma limpidez absoluta.

Desde aquela noite o pai de Nino me pareceu um remédio sólido não só contra a escuridão para a qual seu filho me empurrara ao ir embora depois de um beijo quase imperceptível, mas também – me dei conta disso espantada – contra aquela a que Lila me empurrara ao jamais responder às minhas cartas. Ela e Nino mal se conhecem, pensei, nunca se frequentaram, e no entanto agora me pareciam muito semelhantes: não têm necessidade de nada nem de ninguém, sabem sempre o que está certo e o que não está. E se estiverem errados? O que há de particularmente terrível em Marcello Solara, o que há de particularmente terrível em Donato Sarratore? Eu não entendia. Amava a ambos, e agora ambos me faltavam de modos distintos, mas eu era grata àquele pai odiado que, para mim, para todos nós, jovens, nos dava importância, nos oferecendo alegria e tranquilidade na noite dos Maronti. Subitamente me vi feliz por nenhum dos dois estarem presentes na ilha.

Recomecei a ler, escrevi uma última carta a Lila na qual lhe dizia que, já que nunca me respondera, não lhe escreveria mais. No entanto me liguei à família Sarratore, me senti irmã de Marisa, de Pinuccio e do pequeno Ciro, que agora me adorava e comigo, somente comigo, não bancava o mimado, mas brincava tranquilamente, e juntos procurávamos conchinhas. Lidia, que definitivamente transformara a hostilidade em relação a mim em simpatia e afeto, me elogiava muitas vezes pela precisão que eu punha em cada coisa que fazia: pôr a mesa, fazer as camas, lavar os pratos, entreter o menino, ler, estudar. Numa manhã ela me fez vestir uma saída de praia que estava um pouco justa nela e, como Nella e até Sarratore, chamado de urgência para emitir um parecer, se entusiasmaram com o resultado, acabei ganhando a peça de presente. Em certos momentos parecia até me preferir à filha. Dizia: "É indolente, vaidosa, a eduquei mal, não estuda; já você faz tudo com muito juízo". "Exatamente como Nino", acrescentou uma vez, "só que você é solar, e ele está sempre nervoso." Porém, ao ouvir aquelas críticas, Donato reagiu e começou a elogiar o filho mais velho. "É um menino de ouro", disse, me pedindo confirmação com o olhar, e eu fiz sinal que sim, com grande convicção.

Após seus demorados banhos, Donato se deitava a meu lado para enxugar-se ao sol e lia seu jornal, *Roma*, a única coisa que lia. Espantava-me que alguém que escrevia poesia, que tinha até publicado um volume, não abrisse nunca um livro. Não trouxera nenhum e nunca manifestava curiosidade pelos meus. Às vezes me lia em voz alta algum trecho de artigo, palavras e frases que teriam irritado muito Pasquale e certamente a professora Galiani também. Mas eu permanecia calada, não queria discutir com uma pessoa tão gentil estragando a grande estima que tinha por mim. Uma vez me leu um artigo inteiro, do início ao fim, e a cada duas linhas se virava para Lidia, sorrindo, e Lidia respondia com um sorriso cúmplice. Ao final me perguntou:

"Gostou do texto?"

Era um artigo sobre a velocidade da viagem de trem comparada à das viagens de antigamente, em caleça ou a pé, pelas estradinhas rurais. Estava escrito em frases altissonantes, que ele lia comovido.

"Sim, muitíssimo", respondi.

"Olhe quem o escreveu: o que está vendo aqui?"

Inclinou-se para mim, pôs o jornal sob meus olhos. Li emocionada:

"Donato Sarratore."

Lidia caiu na risada, ele também. Me deixaram na praia tomando conta de Ciro, enquanto tomavam banho da maneira habitual, agarrados um ao outro e falando-se ao ouvido. Eu os olhei e pensei: coitada de Melina – mas sem rancor em relação a Donato. Admitindo-se que Nino tivesse razão e que tenha havido algo entre os dois; admitindo-se, enfim, que Sarratore tivesse de fato traído Lidia, ainda mais que antes – agora que o conhecia bastante – não conseguia senti-lo culpado, tanto mais que nem sua mulher o considerava culpado, embora na época o tenha forçado a ir embora do bairro. Quanto a Melina, eu também a entendia. Tinha experimentado a alegria do amor por aquele homem tão distante da média: um fiscal de trem, mas também um poeta, um jornalista. A mente frágil de Melina não conseguira readaptar-se à normalidade bruta de sua vida sem ele. Eu me comprazia nesses pensamentos. Naqueles dias estava contente com tudo, com meu amor por Nino, com minha tristeza, com o afeto de que me sentia cercada, com minha própria capacidade de ler, pensar e refletir em solidão.

## 34.

Depois, no final de agosto, quando aquele período extraordinário estava para terminar, inesperadamente aconteceram duas coisas importantes, no mesmo dia. Era o 25, lembro exatamente porque era a data do meu aniversário. Me levantei, preparei o café para todos, disse à mesa: "Hoje faço quinze anos", e já enquanto falava me lembrei de que Lila tinha feito quinze anos no dia 11, mas, tomada por tantas emoções, tinha me esquecido disso. Embora o costume de então fosse comemorar sobretudo o onomástico – os aniversários na época eram considerados irrelevantes –, os Sarratore e Nella insistiram em fazer uma festinha à noite. Eu fiquei contente. Eles se aprontaram para descer ao mar e eu estava tirando a mesa quando o carteiro chegou.

Apareci na janela, o carteiro disse que havia uma carta para Greco. Desci correndo, com o coração aos pulos. Excluía que fosse de meus pais. Era uma carta de Lila? De Nino? Era de Lila. Rasguei o envelope. Dentro havia cinco folhas cerradas, as devorei, mas não entendi quase nada do que li. Hoje pode parecer estranho, mas foi exatamente assim: antes mesmo de ser tomada pelo conteúdo, me espantou que a escrita trouxesse a voz de Lila. Não só. Desde as primeiras linhas me veio à mente *A fada azul*, o único texto dela que eu tinha lido afora as redaçõezinhas da escola fundamental, e compreendi o que, na época, me agradara tanto. Havia em *A fada azul* a mesma qualidade que me intrigava agora: Lila sabia falar por meio da escrita; diferentemente de mim quando escrevia, diferentemente de Sarratore em seus artigos e poesias, diferentemente até de muitos escritores que eu tinha lido e lia, ela se expressava com frases de um extremo apuro, sem nenhum erro, mesmo sem ter continuado os estudos, mas – além disso – não deixava nenhum vestígio de inaturalidade, não se sentia o artifício da palavra escrita. Eu lia e, ao mesmo tempo, podia vê-la, escutá-la. Sua voz era um fluxo que me arrebatava e me transportava como quando discutíamos entre nós, e no entanto era inteiramente depurada das escórias de quando se fala, da confusão oral; tinha a ordem viva que eu imaginava devesse caber ao discurso dos que tivessem a sorte de nascer da cabeça de Zeus, e não dos Greco, dos Cerullo. Me envergonhei das páginas infantis que lhe escrevera, dos tons excessivos, das frivolidades, da falsa alegria, da dor fingida. Quem sabe o que Lila tinha pensado de mim. Senti desprezo e rancor pelo professor Gerace, que me iludira ao me dar nove em italiano. Aquela carta teve como primeiro efeito me fazer sentir, aos quinze anos, no dia do meu aniversário, uma impostora. A escola se enganara a meu respeito, e a prova estava ali, na carta de Lila.

Depois, pouco a pouco, os conteúdos também foram chegando. Lila me dava os parabéns pelo aniversário. Não me escrevera antes porque estava contente de me saber passeando sob o sol, em boa convivência com os Sarratore, amando Nino, aproveitando tanto Ischia, a praia dos Maronti, e não queria estragar minhas férias com suas histórias tristes. Mas agora sentira a urgência de romper o silêncio. Logo após minha partida, Marcello Solara, com a permissão de Fernando, passara a vir todas as noites para o jantar. Chegava às oito e meia e se retirava pontualmente às dez e meia. Sempre levava alguma coisa: massas, chocolatinhos, açúcar, café. Ela não tocava em nada, não lhe dava nenhuma confiança, e ele a olhava em silêncio. Após a primeira semana daquela tortura, já que Lila agia como se ele não estivesse ali, decidira surpreendê-la. Apresentara-se de manhã na companhia de um tipo forte, todo suado, que depositara na sala de jantar uma enorme caixa de papelão. Da caixa saíra um objeto que todos conhecíamos, mas que pouquíssimos no bairro tinham em casa: uma televisão, ou seja, um aparelho com uma tela onde se viam imagens, assim como no cinema, mas que não vinham de um projetor, mas do ar, e que dentro tinha um tubo misterioso chamado catódico. Por causa desse tubo, mencionado continuamente pelo homem forte e suado, o aparelho não tinha funcionado durante dias. Depois, de tanto tentar, ele começara a funcionar, e agora meio bairro, inclusive minha mãe, meu pai e meus irmãos, ia à casa dos Cerullo para ver aquele milagre. Rino, não. Estava melhor, a febre passara definitivamente, mas não dirigia mais a palavra a Marcello. Quando ele aparecia, começava a falar mal da televisão e em seguida ia dormir sem tocar na comida, ou saía e vagava até tarde da noite com Pasquale e Antonio. Já Lila dizia adorar a televisão. Gostava especialmente de assisti-la com Melina, que comparecia todas as noites e ficava um longo tempo em silêncio, concentradíssima. Era o único momento de paz. De resto, todas as raivas recaíam sobre ela: a raiva do irmão, porque ela o abandonara a seu destino de servo do pai, enquanto ela se encaminhava para um casamento que a transformaria numa senhora rica; a raiva de Fernando e de Nunzia, porque ela não era gentil com Solara, ao contrário, o tratava aos pontapés; e a raiva de Marcello, que, sem que ela jamais o tivesse aceitado, se sentia cada vez mais noivo, aliás, dono, tendendo a passar da devoção muda a tentativas de beijo, a perguntas suspeitosas sobre aonde ia, quem encontrava, se tinha tido outros namorados, se alguém algum dia a tocara ao menos de leve. Como ela não respondia, ou pior, zombava dele falando-lhe de beijos e abraços em namorados inexistentes, uma noite ele lhe falou no ouvido, sério: "Você debocha de mim, mas se lembra de quando me ameaçou com o trinchete? Bem, se eu souber que você gosta de outro, lembre-se, não vou me limitar a ameaçá-la, acabo com você e pronto". Agora ela não sabia como sair daquela situação e continuava carregando sua arma para qualquer eventualidade. Mas estava aterrorizada. Nas últimas páginas, escreveu que sentia à sua volta todo o mal do bairro. Aliás, desabafou obscuramente: mal e bem estão misturados e se alimentam reciprocamente. Pensando bem, Marcello era realmente um bom partido, mas o bom sabia a ruim, e o ruim, a bom, um amálgama que a sufocava.

Noites atrás havia acontecido algo que de fato a assustara. Marcello tinha ido embora, a televisão estava apagada, a casa estava vazia, Rino tinha saído, os pais estavam indo para a cama. Enfim, ela estava só na cozinha, lavando os pratos e cansada, sem forças, quando a certo ponto houve um estouro vindo das peças de cobre. Virara-se de golpe e percebera que a panela grande de cobre explodira. Assim, sozinha. Estava pendurada no prego onde normalmente ficava, mas no centro tinha uma grande fenda, as bordas estavam erguidas e retorcidas, e a própria panela estava toda deformada, como se não conseguisse mais conservar sua aparência de panela. A mãe viera correndo de camisola e a culpara de tê-la deixado cair e quebrado. Mas uma panela de cobre, mesmo quando cai, não se rompe nem se deforma daquela maneira. "Esse é o tipo de coisa", concluía Lila, "que me assombra. Mais que Marcello, mais que qualquer um. E sinto que preciso achar uma solução, senão, uma coisa atrás da outra, tudo se rompe, tudo, tudo, tudo." Despedia-se de mim, me mandava muitos parabéns e, apesar de querer o contrário, apesar de não ver a hora de me rever, apesar de ter uma necessidade urgente de minha ajuda, desejava que eu continuasse em Ischia com a gentil senhora Nella e que não voltasse nunca mais para o bairro.

**35.**

A carta me perturbou enormemente. O mundo de Lila, como sempre, se sobrepôs ao meu num instante. Tudo o que lhe escrevera entre julho e agosto me pareceu banal, fui tomada pela ânsia de me redimir. Não fui ao mar e logo tentei responder com uma carta séria, que tivesse o mesmo andamento essencial, nítido e também coloquial da sua. Porém, se as outras cartas me saíram com facilidade – enchia páginas e páginas em poucos minutos, sem nunca as corrigir –, essa eu escrevi, reescrevi e tornei a reescrever, mas o ódio de Nino pelo pai e o papel que o caso de Melina tivera na origem daquele sentimento ruim me fizeram mal. A relação com a família Sarratore me pareceu despida de interesse: Donato, que na verdade era um homem notável, em seus textos me soava um pai de família banal; quanto ao que se referia a Marcello, só consegui dar conselhos superficiais. De autêntico, só senti o desapontamento porque agora ela possuía uma tevê em casa, e eu não.

Enfim, não consegui responder a ela, mesmo me privando do mar, do sol, do prazer de estar com Ciro, com Pino, com Lidia, com Marisa, com Sarratore. Ainda bem que Nella, a partir de certo momento, veio me fazer companhia no terraço, trazendo-me um refresco de amêndoas. Ainda bem que, quando voltaram do mar, os Sarratore se queixaram de eu ter ficado em casa e começaram a me paparicar. Lidia quis preparar sozinha uma torta recheada com creme, Nella abriu uma garrafa de vermute, Donato desandou a cantar canções napolitanas, Marisa me deu de presente um pequeno cavalo-marinho de pano que comprara para si na noite anterior, no Porto.

Fiquei mais tranquila, mas não conseguia deixar de pensar em Lila, tão cheia de problemas, enquanto eu estava tão bem, cercada de carinho. Falei de maneira um tanto dramática que tinha recebido uma carta de uma amiga, que essa amiga precisava de mim e, por isso, eu estava pensando em voltar antes do previsto. "Depois de amanhã, no máximo", anunciei, mas sem muita convicção. De fato só disse aquilo para ver como Nella se lamentava, como Lidia dizia que Ciro sofreria muito, como Marisa se desesperava, como Sarratore exclamava desolado: "Mas como vamos fazer sem você?". Coisas que me comoveram e tornaram ainda mais feliz minha festa.

Depois Pino e Ciro começaram a cochilar, e Lidia e Donato foram levá-los para a cama. Marisa me ajudou a lavar os pratos, Nella me disse que, se eu quisesse descansar um pouco mais, ela acordaria mais cedo para preparar o café. Protestei, aquilo era obrigação minha. Todos, um a um, foram se retirando, e eu fiquei sozinha. Fiz minha cama no canto de sempre, analisei a situação para ver se havia baratas, pernilongos. Meu olhar caiu nas panelas de cobre. O texto de Lila era tão sugestivo que olhei as panelas com crescente inquietude. Lembrei que ela sempre se encantara com seu brilho e, quando as lavava, se dedicava a areá-las com grande zelo. Ali, não por acaso, cinco anos atrás ela havia posto o esguicho de sangue jorrado do pescoço de dom Achille quando fora degolado. Ali, agora, concentrara sua sensação de ameaça, a angústia pela escolha difícil que tinha diante de si, fazendo explodir uma delas como um sinal, como se sua forma se decidisse bruscamente a ceder. Eu saberia imaginar aquelas coisas sem ela? Saberia dar vida a um objeto, deixá-lo retorcer-se em uníssono com a minha? Apaguei a luz. Tirei a roupa e entrei na cama com a carta de Lila e o marcador de livro cor pastel de Nino, as duas coisas mais preciosas que eu tinha naquele momento.

Da janela chovia a luz branca da lua. Beijei o marcador como fazia todas as noites, tentei reler na pálida claridade a carta de minha amiga. As panelas brilhavam, a mesa rangia, o teto pesava do alto, o ar noturno e o mar premiam dos lados. Tornei a me sentir humilhada pela capacidade de escrita de Lila, por como ela conseguia plasmar as coisas e eu não, até que meus olhos se nublaram. Claro, eu estava feliz por ela ser tão excepcional mesmo sem a escola, sem os livros da biblioteca, mas aquela felicidade me tornava culpadamente infeliz.

Depois ouvi uns passos. Vi entrar na cozinha a sombra de Sarratore, descalço, com seu pijama azul. Me cobri com os lençóis. Ele foi até a torneira, pegou um copo d'água, bebeu. Ficou em pé alguns segundos diante da pia, pousou o copo, moveu-se em direção à minha cama. Agachou-se a meu lado, com os cotovelos apoiados na borda do lençol.

"Eu sei que você está acordada", disse.

"Estou."

"Não pense em sua amiga, fique."

"Ela está mal, precisa de mim."

"Sou eu que preciso de você", disse, e se inclinou, beijou minha boca sem a suavidade do filho, abrindo-me os lábios com a língua.

Fiquei imóvel.

Ele afastou de leve o lençol, continuando a me beijar com cuidado, com paixão, e procurou meu peito com a mão, o acariciou sob a camisola. Depois me soltou, desceu entre minhas pernas, pressionou com firmeza dois dedos em minha calcinha. Eu não disse, não fiz nada, estava aterrorizada com aquele comportamento, tomada pelo horror que me causava, pelo prazer que apesar de tudo sentia. O bigode dele me espetava o lábio superior, sua língua era áspera. Descolou-se de minha boca devagar, afastou a mão.

"Amanhã à noite, eu e você, vamos dar um belo passeio na praia", disse meio rouco, "te amo muito e sei que você também gosta muito de mim. Não é?"

Fiquei calada. Ele roçou mais uma vez os lábios nos meus, murmurou boa noite, se levantou e saiu da cozinha. Continuei sem me mover, não sei por quanto tempo. Por mais que tentasse afastar a sensação de sua língua, de suas carícias, da pressão de sua mão, eu não conseguia. Nino quis me dar um aviso, sabia que isso aconteceria? Senti um ódio incontrolável por Donato Sarratore e um desgosto por mim, pelo prazer que me ficara no corpo. Por mais que hoje possa parecer inverossímil, desde quando tinha memória de mim até aquela noite eu nunca me dera prazer, não conhecia aquilo, e senti-lo em meu corpo me surpreendeu. Fiquei na mesma posição não sei por quantas horas. Depois, com as primeiras luzes do dia, saí do torpor, recolhi todas as minhas coisas, desmontei a cama, escrevi duas linhas de agradecimento a Nella e fui embora.

A ilha estava quase sem sons, o mar, parado, somente os cheiros eram muito intensos. Com o dinheiro contado que minha mãe me dera mais de um mês antes, peguei a primeira balsa que partiu. Assim que a embarcação se moveu e a ilha, com as cores suaves da primeira manhã, ficou na distância, pensei que finalmente eu tinha algo a contar, uma história à qual Lila não teria nada de tão memorável a contrapor. Mas logo percebi que o asco em relação a Sarratore, e o asco que eu mesma sentia por mim, me impediriam de abrir a boca. De fato esta é a primeira vez que busco palavras para aquele meu inesperado fim de férias.

### 36.

Reencontrei Nápoles imersa numa canícula informe e malcheirosa. Minha mãe, sem me dizer uma palavra sobre como eu estava – sem nenhuma espinha, queimada de sol –, me censurou por eu ter voltado antes do previsto.

"O que você fez", disse, "se comportou mal, a amiga da professora a expulsou?"

A coisa foi diferente com meu pai, que ficou com os olhos brilhando e me encheu de elogios, dentre os quais, repetido mil vezes, se destacava: "Mas olha só, que filha linda que eu tenho". Quanto a meus irmãos, disseram com certo desprezo:

"Você parece uma negra."

Me olhei no espelho e eu mesma me espantei: o sol me tornara de um louro esplêndido, mas o rosto, os braços, as pernas estavam como que pintados de ouro escuro. Enquanto estive imersa nas cores de Ischia, sempre entre rostos bronzeados, minha transformação me parecera adequada ao ambiente; agora, uma vez restituída ao contexto do bairro, onde cada rua e cada rosto continuava de uma palidez doentia, me pareceu excessiva, quase uma anomalia. As pessoas, os edifícios, a avenida cheia de tráfego e de poeira me deram a impressão de uma foto mal impressa, como aquelas dos jornais.

Assim que pude, fui correndo encontrar Lila. Chamei-a do pátio, ela pôs a cara para fora, saiu do portão às carreiras. Me abraçou, me beijou, me cobriu de elogios como nunca tinha feito, tanto que fui sufocada por aquele afeto tão explícito. Era a mesma de sempre, mas, em pouco mais de um mês, tinha mudado ainda mais. Já não parecia uma garota, mas uma mulher, uma mulher de pelo menos dezoito anos, idade que na época me parecia avançada. Suas velhas roupas estavam curtas e apertadas, como se tivesse crescido dentro delas no intervalo de poucos minutos, e aderiam a seu corpo mais do que seria lícito. Estava ainda mais alta, tinha ombros retos, era sinuosa. E o rosto palidíssimo sobre o pescoço fino me pareceu de uma delicada, anômala beleza.

Senti que estava nervosa, olhou ao redor na rua, por cima dos ombros, várias vezes, mas não me deu explicações. Disse apenas: "Venha comigo", e quis que a acompanhasse à charcutaria de Stefano. Pegando-me pelo braço, acrescentou: "É uma coisa que só posso fazer contigo, ainda bem que você voltou: pensei que precisaria esperar até setembro".

Nunca tínhamos feito aquele trajeto rumo aos jardins tão abraçadas uma à outra, tão afinadas, tão felizes de nos reencontrar. Contou-me que as coisas estavam piorando a cada dia. Justamente na noite anterior Marcello chegara com doces e espumante e lhe dera de presente um anel cravejado de brilhantes. Ela o aceitara e o pusera no dedo para evitar problemas diante dos pais, mas, pouco antes de ele ir embora, já na porta, o devolveu com maus modos. Marcello tinha protestado, ameaçou-a como vinha fazendo cada vez com mais frequência, e por fim caiu em prantos. Fernando e Nunzia logo perceberam que algo não ia bem. A mãe estava afeiçoada a Marcello, gostava das coisas boas que ele trazia todas as noites para casa, estava orgulhosa de ser proprietária de uma televisão; e Fernando se sentia como se tivesse parado de se afligir, porque, graças ao parentesco próximo com os Solara, podia olhar para o futuro sem angústias. Portanto, assim que Marcello foi embora, ambos a atormentaram mais que o habitual para saber o que estava acontecendo. Consequência: pela primeira vez Rino, depois de tanto tempo, defendeu-a, dizendo que sua irmã não queria um abestalhado que nem Marcello, que era seu sacrossanto direito recusá-lo e que, se eles insistissem naquilo, ele, ele em pessoa, tocaria fogo em tudo, na casa, na sapataria, em si mesmo, em toda a família. Pai e filho se pegaram, Nunzia se metera no meio, toda a vizinhança acordara. Não só: Rino se jogara na cama agitadíssimo, caíra no sono bruscamente e, uma hora depois, teve outro episódio de sonambulismo. Foi encontrado na cozinha enquanto acendia um fósforo atrás do outro e os passava ao lado do registro do gás, como para ver se havia algum vazamento. Nunzia acordara Lila aterrorizada, dizendo-lhe "Rino realmente quer queimar todos nós vivos", e ela correu para ver e tranquilizou a mãe: Rino estava dormindo e, no sono, ao contrário de quando estava acordado, se preocupava de fato que houvesse algum escapamento de gás. Acompanhou o irmão até a cama e o pôs para dormir.

"Eu não aguento mais", concluiu, "você não sabe o que estou passando, preciso sair desta situação."

Agarrou-se a mim como se eu pudesse carregá-la de energia.

"Você está bem", me disse, "com você tudo vai bem: preciso de sua ajuda."

Respondi que podia contar comigo para qualquer coisa, e ela pareceu aliviada, me apertou o braço, sussurrou:

"Olhe."

Vi de longe uma espécie de mancha vermelha que irradiava luz.

"O que é aquilo?"

"Não está vendo?"

Eu não via bem.

"É o carro novo que Stefano comprou."

O automóvel estava estacionado em frente à charcutaria, que havia sido ampliada, agora tinha duas entradas, estava cheia de gente. As clientes, à espera de serem atendidas, lançavam olhares admirados àquele símbolo de bem-estar e de prestígio: no bairro nunca se vira um carro daquele tipo, todo de vidro e metais, com um teto que se abria. Um carro de gente rica, nada a ver com a Millecento dos Solara.

Girei em torno do veículo enquanto Lila estava à sombra e vigiava a rua, como se esperasse uma violência a qualquer momento. Stefano apareceu na soleira da charcutaria, com o avental todo engordurado, a cabeça grande e a testa alta, o que dava uma ideia de desproporção, mas não desagradável. Atravessou a rua, me cumprimentou com cordialidade e disse:

"Como você está bem, parece uma atriz."

Ele também estava bem: tinha tomado sol assim como eu, talvez fôssemos os únicos de todo o bairro a ter um ar tão saudável. Respondi:

"Como você está preto."

"Tirei uma semana de férias."

"Onde?"

"Em Ischia."

"Eu também estava em Ischia."

"Eu sei, Lina me tinha dito: eu até a procurei, mas nunca a vi por lá."

Apontei o carro.

"É bonito."

Stefano estampou no rosto uma expressão de moderada concordância. Disse indicando Lila, com olhos brincalhões:

"Comprei por causa de sua amiga, mas ela não quer acreditar."

Olhei para Lila, que estava séria, na sombra, com uma expressão tensa. Stefano se dirigiu a ela vagamente irônico: "Lenuccia já voltou, o que você vai fazer agora?".

Lila disse como se a coisa a incomodasse:

"Vamos. Mas se lembre de que você convidou a ela, e não a mim: eu apenas acompanhei vocês."

Ele sorriu e voltou para a loja.

"O que está acontecendo?", perguntei desorientada.

"Não sei", respondeu, e com isso queria dizer que não sabia exatamente em que estava se metendo. Tinha o ar de quando precisava fazer de cabeça um cálculo difícil, mas sem a expressão destemida de sempre, estava visivelmente preocupada, como se estivesse testando um experimento de êxito incerto. "Tudo começou", me disse, "com a chegada desse carro." Primeiro como se estivesse brincando, depois com uma seriedade crescente, Stefano lhe jurara que tinha comprado aquele carro por ela, pelo prazer de abrir-lhe a porta pelo menos uma vez e fazê-la entrar. "Foi feito exclusivamente para você", dissera a ela. E, desde que lhe entregaram o carro, no final de julho, ele lhe pedia continuamente, mas não de maneira impositiva, com gentileza, primeiro que desse uma volta com ele e Alfonso, depois, com ele e Pinuccia, depois até com ele e a mãe. Mas ela sempre recusara a proposta. Finalmente lhe prometera: "Eu vou quando Lenuccia voltar de Ischia". E agora estávamos ali, era pagar para ver o que iria acontecer.

"Mas ele sabe de Marcello?"

"Claro que sabe."

"E então?"

"Continua insistindo."

"Estou com medo, Lila."

"Lembra quantas coisas já fizemos que nos davam medo? Esperei você de propósito."

Stefano voltou sem o avental, cabelos pretos, rosto queimado, olhos pretos e luminosos, camisa branca e calça escura. Abriu a porta do carro, sentou-se ao volante, levantou a capota. Fiz que ia me enfiar no exíguo espaço do banco posterior, mas Lila me impediu, ela foi atrás. Acomodei-me pouco à vontade ao lado de Stefano, que partiu logo em seguida, dirigindo-se para a zona dos prédios novos.

O calor se dissipou com o vento. Me senti bem, entorpecida pela velocidade e ao mesmo tempo pelas tranquilas certezas desprendidas pelo corpo de Carracci. Tive a impressão de que Lila me explicara tudo sem me explicar nada. Havia, sim, aquele carro esportivo novo, flamejante, que tinha sido comprado somente para levá-la a um passeio que tinha apenas começado. Havia, sim, aquele jovem que, mesmo sabendo de Marcello Solara, violava regras viris sem nenhuma ansiedade. Havia, sim, eu, arrastada às pressas para aquela história só para ocultar, com a minha presença, palavras secretas trocadas entre eles, quem sabe até uma amizade. Mas que tipo de amizade? Naquele passeio de carro estava certamente ocorrendo algo de relevante, e no entanto Lila não soubera ou não quisera me fornecer os elementos necessários para entender. O que ela teria em mente? Não podia ignorar que estava preparando um terremoto pior do que quando lançara pedacinhos de papel encharcados de tinta. Entretanto era provável que de fato não estivesse mirando nada específico. Ela era assim, rompia equilíbrios somente para ver de que outro modo poderia recompô-los. E aqui estamos nós, correndo, cabelos ao vento, Stefano guiando com satisfeita perícia, eu sentada a seu lado como se fosse sua namorada. Pensei no modo como me olhara quando me disse que eu parecia uma atriz. Pensei na possibilidade de poder encantá-lo mais do que agora se encantava por minha amiga. Pensei com horror na probabilidade de que Marcello Solara lhe desse um tiro. Sua bela figura, de gestos firmes, perderia toda consistência, assim como o cobre da panela que Lila me descrevera.

O passeio pelos edifícios novos serviu para evitar passar em frente ao bar Solara.

"Eu não me incomodo se Marcello nos vir", disse Stefano sem ênfase, "mas, se isso incomoda você, então tudo bem."

Pegamos o túnel, seguimos rumo à marina. Era a estrada que tínhamos feito eu e Lila muitos anos atrás, quando a chuva nos pegara de surpresa. Mencionei aquele episódio, ela sorriu, Stefano quis que o contássemos. Contamos cada detalhe, nos divertimos e nesse meio tempo chegamos aos Granili, na zona portuária.

"O que acham? É veloz, não é?"

"Corre muito", respondi entusiasmada.

Lila não fez nenhum comentário. Olhava ao redor, às vezes tocava meu ombro para me indicar as casas em ruína, a pobreza maltrapilha nas ruas, como se visse ali a confirmação de alguma coisa e eu devesse compreender num instante. Depois perguntou a Stefano, séria, sem preâmbulos:

"Você é mesmo diferente?"

Ele a procurou no retrovisor.

"De quem?"

"Você sabe."

Não respondeu imediatamente. Depois disse em dialeto: "Quer que lhe diga a verdade?"

"Sim."

"A intenção é essa, mas não sei como isso vai terminar."

Naquele momento tive a confirmação de que Lila deve ter me omitido diversas passagens. Aquele tom alusivo testemunhava que ambos estavam em intimidade, que haviam conversado outras vezes entre si, e não de brincadeira, mas com seriedade. O que eu tinha perdido naquele período de Ischia? Me virei para olhá-la, demorava a replicar, pensei que a resposta de Stefano a deixara nervosa por ser vaga demais. Ela estava inundada de sol, os olhos semicerrados, a camiseta inchada de seio e de vento.

"Aqui a miséria é pior que lá no bairro", disse. E depois, sem nenhum nexo, rindo: "Não ache que me esqueci de quando você quis furar minha língua".

Stefano fez sinal que sim.

"Era outra época."

"Quem nasce covarde será sempre covarde, você era o dobro de mim."

Ele deu um sorrisinho constrangido e acelerou em direção ao porto, sem responder. O passeio durou pouco menos de meia hora, voltamos pelo Rettifilo, pela piazza Garibaldi.

"Seu irmão não está bem", disse Stefano, quando já estávamos nas vizinhanças do bairro. Ele a procurou mais uma vez no retrovisor e quis saber: "Os sapatos que vocês fizeram são os que estão expostos na vitrine?".

"O que é que você sabe dos sapatos?"

"Rino só fala disso."

"E daí?"

"São muito bonitos."

Ela estreitou os olhos, apertou-os quase a ponto de fechá-los.

"Compre", disse com seu tom provocador.

"Estão vendendo por quanto?"

"Fale com meu pai."

Stefano fez uma forte curva em U que me achatou contra a porta, e pegamos a rua da sapataria.

"O que você está fazendo?", perguntou Lila, agora alarmada.

"Você me disse para comprar os sapatos, e estou indo comprá-los."

## 37.

Parou o carro diante da sapataria, veio abrir a porta para mim, estendeu-me uma mão para me ajudar a descer. Não se preocupou com Lila, que se virou sozinha e nos seguiu. Ele e eu paramos em frente à vitrine sob os olhares de Rino e Fernando que, do interior da loja, nos observavam com aborrecida curiosidade.

Quando Lila nos alcançou, Stefano abriu a porta da loja, me deu passagem e entrou antes dela. Foi cordialíssimo com o pai e o filho, perguntou se podia ver os sapatos. Rino correu para pegá-los, e ele os examinou, os elogiou:

"São leves mas também resistentes, e têm um belo traço". Me indagou: "O que você acha, Lenu?".

Respondi embaraçadíssima:

"São muito bonitos."

Virou-se para Fernando:

"Sua filha disse que vocês três trabalharam muito neles e que têm a intenção de fazer outros, inclusive para mulher."

"É verdade", disse Rino, olhando maravilhado para a irmã.

"É verdade", disse Fernando perplexo, "mas não imediatamente."

"E não haveria, quem sabe, um desenho, algo para entender melhor?"

Rino disse à irmã, levemente alterado, porque temia uma recusa:

"Vá buscar os desenhos".

De novo, para sua surpresa, Lila não opôs resistência. Foi ao fundo da loja e voltou estendendo as folhas ao irmão, que as passou a Stefano. Lá estavam todos os modelos que ela projetara quase dois anos antes.

Stefano me mostrou o desenho de um par de sapatos de mulher, com saltos muito altos.

"Você os compraria?"

"Sim."

Voltou a examinar os desenhos. Depois se sentou num banco e tirou o sapato direito.

"Que número é?"

"Quarenta e um, mas que poderia ser um quarenta e dois", mentiu Rino.

Continuando a nos surpreender, Lila ajoelhou-se diante de Stefano e, servindo-se de uma calçadeira, ajudou que seu pé deslizasse para dentro do sapato novo. Depois tirou o outro sapato e repetiu a mesma operação.

Stefano, que até o momento tinha feito o papel do homem prático, sem cerimônia, ficou visivelmente perturbado. Esperou que Lila se levantasse e depois continuou sentado por alguns segundos, como para recobrar o fôlego. Então se pôs de pé e deu alguns passos.

"Estão apertados", disse.

Rino se abateu, decepcionado.

"Podemos colocá-los na máquina e alargá-los", interveio Fernando, mas com um tom incerto.

Stefano me olhou e perguntou:

"Como ficaram em mim?"

"Muito bem."

"Então fico com eles."

Fernando ficou impassível, Rino recobrou o ânimo.

"Olhe, Ste', estes são um modelo exclusivo Cerullo, custam mais."

Stefano sorriu, assumindo um tom afetuoso:

"E se não fossem um modelo exclusivo Cerullo, você acha que eu os compraria? Quando ficam prontos?"

Rino olhou o pai, radiante.

"Vão ficar na máquina por pelo menos três dias", disse Fernando, mas era claro que poderia ter dito dez, vinte, um mês, tanta era a vontade de ganhar tempo diante daquela inesperada novidade.

"Perfeito: pensem num preço amigável e eu volto daqui a três dias para buscá-los."

Tornou a dobrar as folhas com os desenhos e as meteu no bolso sob nossos olhos perplexos. Depois apertou a mão de Fernando, de Rino e se dirigiu para a porta.

"Os desenhos", disse Lila, fria.

"Posso devolvê-los daqui a três dias?", perguntou ele em tom cordial e, sem esperar resposta, abriu a porta. Deixou-me passar primeiro e saiu depois de mim.

Eu já estava sentada no carro, ao lado dele, quando Lila nos alcançou. Estava furiosa:

"Você acha que meu pai é bobo, que meu irmão é bobo?"

"Como assim?"

"Se está pensando em bancar o palhaço comigo e com minha família, está enganado."

"Você está me ofendendo: eu não sou Marcello Solara."

"E quem você é?"

"Um comerciante: os sapatos que você desenhou não existem em lugar nenhum. E não me refiro só a esses que acabei de comprar, me refiro a todos."

"E então?"

"Então me dê um tempo para pensar e nos vemos daqui a três dias."

Lila o fixou como se quisesse ler seus pensamentos, sem se afastar do automóvel. Por fim disse uma frase que eu jamais teria a coragem de pronunciar:

"Olhe que Marcello já tentou me comprar de todas as maneiras, mas a mim ninguém me compra".

Stefano a olhou direto nos olhos por um longo segundo.

"Eu não gasto uma lira se não achar que ela poderá me render cem."

Deu a partida e fomos embora. Agora eu tinha certeza: o passeio de carro tinha sido uma espécie de acordo acertado ao final de vários encontros, de muita conversa. Eu disse baixinho, em italiano:

"Por favor, Stefano, pode me deixar na esquina? Se minha mãe me vir no carro com você, ela me quebra a cara."

## 38.

A vida de Lila mudou de modo decisivo durante aquele mês de setembro. Não foi fácil, mas mudou. Quanto a mim, tinha voltado de Ischia apaixonada por Nino, marcada pela boca e pelas mãos de seu pai, certa de que choraria noite e dia por causa daquela mistura de felicidade e horror que sentia por dentro. Em vez disso, não fiz nem mesmo a tentativa de buscar uma forma para minhas emoções, e tudo se redimensionou em poucas horas. Deixei de lado a voz de Nino, o incômodo dos bigodes de seu pai. A ilha esmaeceu, perdeu-se em algum fundo secreto de minha cabeça. Dei lugar ao que estava acontecendo com Lila.

Nos três dias seguintes ao surpreendente passeio no carro conversível, ela, com a desculpa das compras, foi várias vezes à charcutaria de Stefano, mas sempre pedindo que eu a acompanhasse. Concordei com o coração aos pulos, assustada por uma possível incursão de Marcello, mas também satisfeita com meu papel de confidente pródiga em conselhos, de cúmplice na concepção de tramas, de objeto aparente das atenções de Stefano. Éramos menininhas, ainda que nos imaginássemos perfidamente desinibidas. Bordávamos sobre os fatos – Marcello, Stefano, os sapatos – com a nossa habitual paixão, achando que sempre saberíamos fazer tudo se encaixar. "Vou falar assim a ele", ela conjeturava, e eu sugeria uma pequena variação: "Não, fale assim". Depois ela e Stefano falavam sem parar, num canto atrás do balcão, enquanto Alfonso trocava duas palavras comigo, Pinuccia atendia as clientes irritada e Maria, no caixa, espiava com apreensão o filho mais velho que, nos últimos tempos, dava pouca atenção ao trabalho e alimentava as fofocas das comadres.

Naturalmente improvisávamos. Durante aquelas idas e vindas, tentei entender o que realmente passava pela cabeça de Lila, de modo a estar em sintonia com seus objetivos. A princípio tive a

impressão de que ela pretendia simplesmente obter algum dinheiro para o pai e o irmão vendendo caro a Stefano o único par de sapatos produzido pelos Cerullo, mas logo me pareceu que ela visava sobretudo a desembaraçar-se de Marcello, servindo-se do jovem salsicheiro. Decisiva, nesse sentido, foi a vez em que lhe perguntei:
"Dos dois, qual o que mais lhe agrada?"
Deu de ombros.
"Nunca gostei de Marcello, me dá nojo."
"Você ficaria noiva de Stefano só para expulsar Marcello de sua casa?"
Pensou um instante e respondeu que sim.

A partir daquele momento, o objetivo final de todas as nossas maquinações nos pareceu este: combater por todos os meios a intrusão de Marcello em sua vida. O resto veio movimentar-se em torno disso quase casualmente, e nos limitamos a dar-lhe um andamento, às vezes uma verdadeira orquestração. Ou pelo menos assim pensávamos. Quem agiu, de fato, foi sempre e somente Stefano.

Pontual, três dias depois, ele foi à loja e comprou os sapatos, embora ainda estivessem apertados. Entre muitas incertezas, os dois Cerullo lhe cobraram vinte e cinco mil liras, mas prontos a baixar o preço até dez mil. Ele não titubeou e desembolsou mais vinte mil em troca dos desenhos de Lila, dos quais – disse – ele gostava muito e pretendia emoldurá-los.

"Emoldurar?", indagou Rino.

"Sim."

"E você disse a minha irmã que também compraria os desenhos dela?"

"Disse."

Stefano não parou por ali. Nos dias seguintes, apareceu de novo na sapataria e anunciou a pai e filho que tinha alugado o local adjacente à loja deles. "Por ora está vago", disse, "mas se um dia vocês decidirem ampliar, lembrem-se de que estou à disposição."

Na casa dos Cerullo discutiu-se demoradamente, em voz baixa, sobre o que significaria aquela frase. "Ampliar?" Por fim, visto que ninguém conseguia matar a charada, Lila disse:

"Está propondo a vocês transformar a sapataria em um ateliê para fabricar os calçados Cerullo."

"E o dinheiro?", perguntou cautelosamente Rino.

"Ele providencia."

"Disse isso a você?", alarmou-se Fernando, incrédulo, imediatamente seguido por Nunzia.

"Disse a vocês dois", esclareceu Lila, indicando o pai e o irmão.

"Mas ele sabe que sapatos feitos à mão custam caro?"

"Vocês já deixaram isso bem claro."

"E se não venderem?"

"Vocês perdem o esforço, e ele, o dinheiro."

"Só isso?"

"Só."

Toda a família viveu dias de agitação. Marcello passou para segundo plano. Chegava de noite às oito e meia e o jantar ainda não estava pronto. Muitas vezes se viu sozinho diante da televisão, com Melina e Ada, enquanto os Cerullo confabulavam em outro cômodo.

Naturalmente o mais entusiasta era Rino, que recobrou a energia, a cor, a alegria e, assim como se tornara amigo íntimo dos Solara, agora começou a ficar amigo íntimo de Stefano, de Alfonso, de Pinuccia, até de dona Maria. Quando finalmente Fernando superou toda resistência, Stefano compareceu à loja e, após uma breve conversa, chegou-se a um acordo verbal segundo o qual ele arcaria com todas as despesas, e os dois Cerullo dariam início à produção seja do modelo que Lila e Rino já tinham feito, seja de todos os outros modelos, ficando assentado que o eventual lucro seria dividido meio a meio. Então ele extraiu as folhas de um bolso e os indicou um a um.

"Vocês farão este, este, este", disse, "mas esperamos que não demorem dois anos, como sei que aconteceu com aquele outro par."
"Minha filha é mulher", se justificou Fernando, constrangido, "e Rino ainda não aprendeu bem o ofício."
Stefano balançou a cabeça cordialmente.
"Podem deixar Lila livre. Vocês precisam contratar ajudantes."
"E quem vai pagar?", perguntou Fernando.
"Sempre eu. Escolham dois ou três, livremente, como acharem melhor."
À simples ideia de ter funcionários seus, Fernando se entusiasmou e soltou a língua, causando visível desapontamento ao filho. Contou de quando havia aprendido o ofício com a boa alma de seu pai. Contou de como tinha sido deprimente o trabalho nas máquinas, em Casoria. Contou que seu erro tinha sido se casar com Nunzia, que tinha mãos fracas e nenhuma vontade de labutar, mas, se tivesse casado com Ines, uma paixão da juventude, grande trabalhadora, há tempos teria tido um negócio só dele, melhor que Campanile e Isaia, com um mostruário digno de ser exposto na Mostra d'Oltremare. Contou, por fim, que tinha em mente sapatos lindos, uma perfeição, e que, se Stefano não estivesse fixado com aquelas loucurinhas de Lila, agora poderiam ser postos em execução e quem sabe quantos venderiam. Stefano ouviu com paciência, mas depois reforçou que, por ora, ele estava interessado apenas em ver os desenhos de Lila executados com perfeição. Rino então retomou as folhas desenhadas pela irmã, as examinou minuciosamente e perguntou a Stefano com um leve tom de gozação:
"Quando estiverem emolduradas, onde vai pendurá-las?"
"Aqui dentro."
Rino olhou para o pai, que no entanto voltara a anuviar-se e não disse nada.
"Minha irmã está de acordo com tudo isso?", indagou.
Stefano sorriu:

"E quem ousa fazer alguma coisa se sua irmã não estiver de acordo?"

Levantou-se, apertou vigorosamente a mão de Fernando e se dirigiu para a porta. Rino o acompanhou e, de repente, tomado por uma antiga preocupação, lhe gritou da soleira, enquanto o salsicheiro caminhava para o conversível vermelho:

"A marca dos sapatos continua sendo Cerullo."

Stefano lhe fez um sinal positivo com a mão, sem se virar:

"Foram inventados por uma Cerullo e Cerullo vão se chamar."

### 39.

Naquela mesma noite, antes de ir dar uma volta com Pasquale e Antonio, Rino disse:

"Marcé, viu o carrão que Stefano comprou?"

Entorpecido pela televisão ligada e pela tristeza, Marcello nem sequer respondeu.

Então Rino sacou o pente do bolso, deu uma rápida penteada e declarou, alegre:

"Sabe que ele comprou nossos sapatos por quarenta e cinco mil liras?"

"Está se vendo que tem dinheiro pra jogar fora", respondeu Marcello, e Melina morreu de rir, não se sabe se pela tirada ou pelo que transmitiam na tevê.

A partir daquele momento Rino descobriu o modo de irritar Marcello, noite após noite, e o clima ficou cada vez mais tenso. Além disso, assim que Solara chegava, sempre bem acolhido por Nunzia, Lila sumia, dizia que estava cansada e ia dormir. Numa noite, muito pra baixo, Marcello desabafou a Nunzia.

"Se sua filha vai dormir assim que eu chego, o que é que eu estou fazendo aqui?"

Evidentemente esperava que ela o confortasse, dizendo algo que o encorajasse a continuar na tentativa de conquistar o amor da menina. Mas Nunzia não soube o que responder, e então ele mastigou: "Ela gosta de outro?"

"Não, não."

"Eu sei que ela vai fazer compras com Stefano."

"E onde mais ela iria fazer as compras, meu filho?" Marcello se calou, de olhos baixos.

"Ela foi vista no carro com o salsicheiro."

"Lenuccia também estava: Stefano está atrás da filha do contínuo."

"Não acho Lenuccia uma boa companhia para sua filha. Diga a ela que pare de encontrá-la."

Eu não era uma boa companhia? Lila não devia me ver mais? Quando minha amiga me relatou aquele pedido de Marcello, passei definitivamente para o lado de Stefano e comecei a elogiar-lhe as maneiras discretas, a calma determinação. "É rico", lhe disse por fim. Mas, já no momento em que dizia aquela frase, me dei conta de como a riqueza sonhada quando éramos meninas se transformava ainda mais. Os cofres cheios de moedas de ouro que uma procissão de criados de libré depositariam em nosso castelo quando publicássemos um livro como *Mulherzinhas* – riqueza e fama – estavam definitivamente apagados. Permanecia talvez a ideia do dinheiro como cimento que consolidaria nossa existência e a impediria de se desfazer junto a nossas pessoas queridas. Mas o traço fundamental que agora prevalecia era a concretude, o gesto cotidiano, a negociação. A riqueza da adolescência partia, sim, de uma iluminação fantástica ainda infantil – os desenhos de sapatos nunca vistos –, mas se materializara na insatisfação agressiva de Rino, que queria gastar como se fosse rico, na televisão, nas massas e no anel de Marcello, que pretendia comprar um sentimento, e finalmente, passo a passo, naquele jovem gentil, Stefano, que vendia embutidos, tinha um carro vermelho conversível, gastava quarenta e cinco mil liras como se fosse nada, emoldurava desenhinhos, queria comercializar, além de provolones, sapatos, investia em couro e em mão de obra, parecia convencido de que saberia inaugurar uma nova era de paz e de bem-estar no bairro – era, em suma, uma riqueza que estava nos fatos de todos os dias, e por isso mesmo sem esplendor e sem glória.

"É rico", ouvi que Lila repetia, e começamos a rir. Mas depois acrescentou: "E também simpático, e bom também", e eu logo concordei, aquelas eram qualidades que Marcello não tinha, um motivo a mais para estar a favor de Stefano. Entretanto, aqueles dois adjetivos me confundiram, senti que davam o golpe final no fulgor das fantasias infantis. Nenhum castelo, nenhum cofre – tive a impressão de entender – voltariam a estar no horizonte de Lila, nem no meu, ambas inclinadas a escrever uma história como *Mulherzinhas*. Encarnando-se em Stefano, a riqueza estava tomando as feições de um jovem de avental gorduroso, estava ganhando contornos, cheiros, voz, expressava simpatia e bondade, era um homem que conhecíamos desde sempre, o filho mais velho de dom Achille.

Fiquei agitada.

"De todo modo ele quis furar sua língua."

"Era um menino", ela o desculpou comovida, melosa como nunca a vira, tanto que só naquele momento me dei conta de que ela de fato avançara bem mais do que me dissera em palavras.

Nos dias seguintes tudo foi ficando cada vez mais claro. Vi como ela falava com Stefano, e como ele parecia amoldado por sua voz. Acomodei-me ao pacto que nascia entre eles, não queria ficar de fora. E maquinamos por horas – nós duas, nós três – para agir de maneira que as pessoas, os sentimentos, a disposição das coisas mudassem depressa. No espaço ao lado da sapataria apareceu um operário que derrubou a parede divisória. A sapataria foi reorganizada. Compareceram três aprendizes, rapazes do interior, de Melito, quase mudos. Em um canto continuaram os trabalhos de troca de sola, no resto do espaço Fernando instalou bancadas, prateleiras, seus instrumentos, os moldes de madeira segundo os vários tamanhos, e passou, com repentina, insuspeitada energia – insuspeitada num homem magérrimo e consumido desde sempre por uma rancorosa frustração –, a calcular o que fazer.

Justamente no dia em que o novo trabalho estava para começar, Stefano deu as caras. Trazia um pacote feito com papel de embalagem. Todos ficaram em pé, inclusive Fernando, como se ele tivesse vindo para uma inspeção. Stefano abriu o pacote, e dentro dele havia um bom número de quadrinhos da mesma medida, emoldurados por uma ripa marrom. Eram as folhas do caderno de Lila, sob vidro, como se fossem preciosas relíquias. Pedia permissão a Fernando para pendurá-los nas paredes, Fernando resmungou alguma coisa e Stefano pediu a ajuda de Rino e dos aprendizes para fixar os pregos. Somente quando os quadros estavam pendurados Stefano permitiu que os três ajudantes saíssem para tomar um café, dando-lhes algumas liras. Assim que se viu só com o sapateiro e o filho, anunciou em voz baixa que queria se casar com Lila.

Abateu-se um silêncio insuportável. Rino limitou-se a um risinho de esperteza, e Fernando disse enfim, fracamente:

"Stefano, Lila está noiva de Marcello Solara".

"Sua filha não sabe disso."

"Como assim?"

Rino se intrometeu, exultante:

"Fale a verdade: você e mamãe abriram nossa casa para aquele escroto, mas Lina nunca o quis, nem quer."

Fernando olhou feio para o filho. O salsicheiro disse com gentileza, olhando à sua volta:

"Temos um trabalho já em andamento, não vamos estragar tudo. Eu só lhe peço uma coisa, dom Ferná: deixe sua filha decidir. Se ela preferir Marcello Solara, vou me conformar. Gosto tanto dela que, se ela for feliz com outro, eu me retiro, e entre mim e vocês tudo continua como está. No entanto, se ela me quiser – se quiser a mim –, aí ninguém é santo, e vocês vão ter de dá-la a mim."

"Você está me ameaçando", disse Fernando, mas morno, com um tom de constatação resignada.

"Não, só estou lhe pedindo que faça a felicidade de sua filha."

"Eu sei bem qual é a felicidade dela."

"Sim, mas ela sabe melhor que o senhor."

E nesse ponto Stefano se levantou, abriu a porta e me chamou, a mim, que estava do lado de fora, esperando ao lado de Lila.

"Lenu."

Entramos. Como a gente gostava de se sentir no centro daqueles fatos, nós duas juntas, e conduzi-los rumo a seu êxito. Ainda me lembro da tensão excitada daquele momento. Stefano disse a Lila:

"Estou lhe dizendo diante de seu pai: amo muito você, mais que a minha vida. Quer se casar comigo?"

Lila respondeu séria:

"Sim."

Fernando se debateu um pouco, depois murmurou com a mesma subalternidade que manifestara tempos atrás em relação a dom Achille:

"Estamos fazendo uma grande afronta não só a Marcello, mas a todos os Solara. E quem vai comunicar a decisão, agora, àquele pobre rapaz?"

Lila disse:

"Eu."

## 40.

De fato, duas noites depois, diante de toda a família exceto Rino, que saíra para dar uma volta, antes de se sentarem à mesa, antes de ligarem a televisão, Lila pediu a Marcello:

"Você me leva para tomar um sorvete?"
Marcello não acreditou no que estava ouvindo.
"Um sorvete? Antes do jantar? Eu e você?". E perguntou imediatamente a Nunzia: "A senhora gostaria de vir com a gente?".
Nunzia ligou a televisão e disse:
"Não, obrigada, Marcé. Mas não demorem muito. Só dez minutos, voltem logo."
"Certo", prometeu ele, feliz, "obrigado."
Repetiu obrigado pelo menos quatro vezes. Achava que o momento tão esperado finalmente chegara, Lila estava prestes a lhe dizer sim.

Porém, assim que saíram do prédio, ela o afrontou e escandiu, com a gélida crueldade que lhe saía espontaneamente desde os primeiros anos de vida:
"Nunca lhe disse que gostava de você."
"Eu sei, mas agora gosta?"
"Não."
Marcello, que era um rapagão de vinte e três anos grande e forte, saudável, sanguíneo, se apoiou num poste de luz com o coração partido.
"Não gosta mesmo?"
"Não. Gosto de outro."
"E quem é?"
"Stefano."
"Eu já sabia, mas não podia acreditar."
"Pois deve acreditar, é isso mesmo."
"Vou matar você e ele."
"Quanto a mim, pode tentar já agora."
Marcello se afastou do poste, furioso, mas com uma espécie de estertor mordeu a mão direita cerrada em punho até correr sangue.
"Gosto muito de você, não posso fazer isso."
"Então peça isso a seu irmão, a seu pai, a algum amigo seu, pode ser que eles sejam capazes. Mas deixe claro a todos que pri-

meiro devem matar a mim. Porque, se tocarem em outra pessoa enquanto eu estiver viva, sou eu que mato vocês, e você sabe que sou capaz disso, vou começar por você."

Marcello continuou mordendo o dedo com ferocidade. Depois deu uma espécie de soluço reprimido que lhe sacudiu o peito, virou as costas e foi embora.

Ela lhe gritou por trás:

"Mande alguém buscar a televisão, não precisamos dela."

## 41.

Tudo aconteceu em pouco mais de um mês, e Lila enfim me pareceu feliz. Tinha encontrado uma saída para o projeto dos sapatos, tinha dado uma oportunidade ao irmão e a toda a família, tinha se livrado de Marcello Solara e se tornara a noiva do jovem próspero mais estimado do bairro. O que mais poderia querer? Nada. Lila tinha tudo, e eu, nada. Quando a escola recomeçou, sofri seus dias cinzentos mais que o habitual. Fui reabsorvida pelos estudos e, para evitar que os professores me pegassem despreparada, voltei a queimar as pestanas até as onze da noite e a pôr o despertador para as cinco e meia. Passei a ver Lila cada vez menos.

Em compensação, ficaram mais estreitos os laços com o irmão de Stefano, Alfonso. Mesmo trabalhando sempre na charcutaria, ele tinha conseguido passar brilhantemente nos exames de recuperação, com sete em cada uma das matérias em que tinha sido reprovado: latim, grego e inglês. Gino, que torcera por sua reprovação para que os dois repetissem juntos o quarto ginásio, ficou muito mal. Quando percebeu que nós dois, agora no quinto ano, íamos para a escola juntos e voltávamos todos os dias, ficou ainda mais irritado e cedeu à mesquinharia. Não dirigiu mais a palavra nem a mim, sua ex-namorada, nem a Alfonso, seu ex-parceiro de banco, e isso apesar de estar na sala ao lado da nossa e nos encontrar frequentemente nos corredores e nas ruas do bairro. Mas fez pior: logo fiquei sabendo que contava coisas feias sobre nós. Dizia que eu estava apaixonada por Alfonso e que o bolinava durante as aulas, embora Alfonso não correspondesse, porque, como ele bem sabia depois de ter estado um ano a seu lado, ele não gostava de meninas, preferia os rapazes. Relatei a coisa ao pequeno Carracci, esperando que ele fosse quebrar a cara de Gino, como era obrigatório naqueles casos, mas ele se limitou a dizer num tom de desprezo, em dialeto: "Todos sabem que a bichinha é ele".

Alfonso foi uma descoberta agradável e providencial. Emanava uma impressão de limpeza e boa educação. Apesar de se parecer muito com Stefano nos traços, os mesmos olhos, o mesmo nariz, a mesma boca; apesar de, ao crescer, seu corpo estar se delineando de modo idêntico, com a cabeça grande, as pernas um tanto curtas em relação ao tronco; apesar de, no olhar e nos gestos, manifestar a mesma candura, eu sentia nele uma total ausência daquela determinação que, ao contrário, espreitava em cada célula de Stefano e que a meu ver, no fim das contas, reduzia sua gentileza a uma espécie de esconderijo do qual ela saltaria fora a qualquer momento. Alfonso era um rapaz que transmitia tranquilidade, essa espécie de ser humano, rara no bairro, da qual você sabe que não precisa esperar nada de ruim. Fazíamos o percurso trocando poucas palavras, mas não sentíamos constrangimento. Ele sempre tinha o que eu precisava e, se não tivesse, saía correndo para buscar. Ele me amava sem nenhuma tensão, e eu mesma me afeiçoei a ele serenamente. No primeiro dia de escola acabamos nos sentando no mesmo banco, coisa ousada naquela época, e, mesmo os outros meninos debochando dele por sempre estar atrás de mim e as meninas me perguntando sem parar se éramos namorados, nenhum dos dois se decidiu a mudar de lugar. Ele era uma pessoa confiável. Se percebia que eu precisava de um tempo para mim, me esperava de longe ou se despedia e ia embora. Se notava que eu queria que ficasse a meu lado, não arredava pé, mesmo que tivesse outras coisas a fazer.

Eu me servi dele para escapar de Nino Sarratore. Quando, pela primeira vez depois de Ischia, nos vimos de longe, Nino veio imediatamente a meu encontro com um ar muito amigável, mas o liquidei com duas frases frias. No entanto eu o amava muito, bastava sua figura alta e delgada despontar e eu já ficava vermelha, com o coração aos pulos. No entanto, agora que Lila estava de fato namorando, namorando oficialmente – e com que namorado, um homem de vinte e dois anos, não um menininho: gentil, decidido, corajoso –, estava mais do que na hora que eu também arranjasse um namorado invejável, reequilibrando assim nosso relacionamento. Seria maravilhoso sairmos os quatro, Lila com seu noivo, eu com o meu. Claro, Nino não tinha um conversível vermelho. Claro, era um estudante do segundo ano do liceu, não tinha um centavo no bolso. Mas era vinte centímetros mais alto que eu, enquanto Stefano era alguns centímetros mais baixo que Lila. E podia falar num italiano de livro, se quisesse. Lia e pensava sobre tudo, era sensível às grandes questões da condição humana, enquanto Stefano vivia trancado em sua charcutaria, falava quase exclusivamente em dialeto, não fora além da escola profissionalizante, era a mãe que cuidava do caixa da loja porque fazia contas melhor que ele e, mesmo tendo bom caráter, era sensível acima de tudo à circulação lucrativa do dinheiro. Porém, por mais que a paixão me devorasse, por mais que eu visse com clareza todo o prestígio que alcançaria aos olhos de Lila juntando-me a ele, pela segunda vez que o encontrava e me apaixonava, não me senti pronta a estabelecer uma relação. O motivo me pareceu bem mais consistente do que o dos tempos da infância. Vê-lo me fazia lembrar imediatamente de Donato Sarratore, embora não se parecesse com ele nem um pouco. E o asco, a raiva que me suscitava a lembrança do que seu pai fizera sem que eu tivesse sido capaz de rejeitá-lo se estendiam até ele. Claro, eu o amava. Desejava falar com ele, passear com ele, e às vezes pensava, me atormentando: por que você está agindo assim, o pai não é o filho, o filho não é o pai, faça como Stefano fez com os Peluso. Mas não conseguia. Assim que imaginava um beijo entre nós, sentia a boca de Donato, e uma onda de prazer e náusea confundia pai e filho numa única pessoa.

Para complicar ainda mais a situação, houve um episódio que me alarmou. Agora Alfonso e eu tínhamos o hábito de voltar para casa a pé. Íamos até a praça Nazionale e depois alcançávamos a avenida Meridionale. Era uma longa caminhada, mas falávamos de trabalhos, de professores, dos nossos colegas, e era agradável. Até que uma vez, pouco depois dos mangues, no início do estradão, me virei e tive a impressão de ter visto na plataforma da ferrovia, em uniforme de fiscal, Donato Sarratore. Estremeci de raiva e de horror, desviando imediatamente o olhar. Quando tornei a olhar, não estava lá.

Verdadeira ou falsa que fosse essa aparição, ficou-me impresso o barulho do coração no peito, como um disparo, e não sei por que me voltou à memória o trecho da carta de Lila sobre o barulho que a panela de cobre fizera ao explodir. Aquele mesmo barulho voltou já no dia seguinte, idêntico, só de ver Nino à distância. Então, assustada, me refugiei no afeto por Alfonso e, tanto na entrada quanto na saída, me mantive sempre perto dele. Assim que aparecia a figura esguia do rapaz que eu amava, me voltava para o filho menor de dom Achille como se tivesse coisas urgentes a lhe dizer, e nos afastávamos conversando.

Em suma, foi um período confuso, eu queria poder me agarrar a Nino, mas em vez disso estava o tempo todo grudada em Alfonso. Aliás, temendo que se aborrecesse e me trocasse por outras companhias, sempre me comportei de modo muito gentil com ele, às vezes até lhe falava com voz aflautada. Porém, tão logo me dava conta de que podia encorajá-lo a uma queda por mim, mudava de tom. E se me entendesse mal e me declarasse seu amor? – isso me preocupava. Seria constrangedor, eu teria que rejeitá-lo: Lila, de minha idade, estava noiva de um homem feito como Stefano, e teria sido no mínimo humilhante me juntar a um rapazinho, o irmão menor do noivo dela. Entretanto minha cabeça desenhava rabiscos incontroláveis, e eu delirava. Certa vez em que voltava com Alfonso pela avenida Meridionale e o sentia a meu lado como um escudeiro a me escoltar entre os mil perigos da cidade, achei bonito que os dois Carracci, Stefano e ele, de algum modo assumissem a função de proteger, ainda que de modo diverso, a Lila e a mim do mal mais negro do mundo, aquele mesmo mal que tínhamos experimentado pela primeira vez justamente subindo as escadas que levavam à casa deles, quando fomos recuperar as bonecas que seu pai nos havia roubado.

## 42.

Eu gostava de descobrir nexos daquele tipo, especialmente se diziam respeito a Lila. Traçava como com um esquadro linhas entre momentos e fatos distantes entre si, estabelecia convergências e divergências. Naquele período isso se tornou um exercício cotidiano: tanto eu passara bem em Ischia quanto Lila passara mal na desolação do bairro; tanto eu tinha sofrido ao deixar a ilha quanto ela se sentira cada vez mais feliz. Era como se, por uma magia malévola, a alegria ou a dor de uma implicasse a dor ou a alegria da outra. Tive a suspeita de que até o aspecto físico participava dessa gangorra. Em Ischia eu me sentira bonita, e essa impressão não diminuíra após o retorno a Nápoles, ao contrário, durante a assídua maquinação ao lado de Lila para ajudá-la a livrar-se de Marcello houve até momentos em que voltei a me achar mais bonita que ela, e em alguns olhares de Stefano percebi a possibilidade de agradá-lo. Mas agora Lila tinha retomado a dianteira, a satisfação lhe multiplicara a beleza, ao passo que eu, envolvida nos trabalhos da escola, consumida na paixão frustrada por Nino, estava mais uma vez ficando feia. A cor saudável desbotava, as espinhas voltavam. E, numa manhã, surgiu de repente o espectro dos óculos.

O professor Gerace me interrogou sobre algo que tinha escrito na lousa e percebeu que eu não enxergava quase nada. Ele disse que eu precisava ir logo a um oculista, quis escrever a recomendação em meu caderno, solicitou para o dia seguinte a assinatura de um dos meus pais. Voltei para casa e mostrei o caderno, estava cheia de sentimentos de culpa pela despesa que as lentes causariam. Meu pai fechou a cara, minha mãe gritou: "Você está sempre em cima dos livros, acabou estragando a vista". Fiquei muito mal. Então eu tinha sido punida pela ousadia de querer estudar? Mas e Lila? Não tinha lido bem mais que eu? Então por que motivo a visão dela era perfeita enquanto eu enxergava cada vez menos? Por que eu precisaria usar lentes pelo resto da vida e ela não?

A necessidade de óculos acentuou em mim a ânsia de encontrar um traçado que, para o bem e para o mal, mantivesse unidos o meu destino e o de minha amiga: eu, cega, ela, um falcão; eu, com a pupila opaca, ela, com aqueles olhos estreitos que desde sempre lançavam flechas e viam longe; eu, agarrada a seu braço em meio às sombras, ela, a me conduzir com um olhar rigoroso. Por fim, graças a seus contatos na prefeitura, meu pai conseguiu dinheiro. Fui ao oftalmologista, que me diagnosticou uma forte miopia, e os óculos se materializaram. Quando me vi no espelho, minha imagem excessivamente nítida foi um duro golpe: impurezas da pele, cara larga, boca grande, nariz grosso e olhos aprisionados na moldura da armação, que parecia ter sido projetada com raiva por um designer sob sobrancelhas já por si muito espessas. Me senti definitivamente desfigurada e decidi usá-los somente em casa ou, no máximo, se precisasse copiar alguma coisa do quadro-negro. Mas uma manhã, na saída da escola, esqueci-os no banco. Voltei à sala correndo, mas o pior já tinha acontecido. Na agitação que contagiava a todos nós quando soava o último toque da campainha, os óculos tinham caído no chão: agora estava com uma haste quebrada e uma lente partida. Comecei a chorar.

Não tive coragem de voltar para casa, me refugiei com Lila em busca de ajuda. Contei o que tinha acontecido, ela me pediu para ver os óculos, os examinou. Disse que os deixasse com ela. Expressou-se com uma determinação diferente da que tinha em geral, mostrou-se mais calma, como se já não fosse necessário bater-se até o extremo por cada mínima coisa. Imaginei alguma intervenção milagrosa de Rino com seus instrumentos de sapateiro e voltei para casa esperando que meus pais não notassem que eu estava sem lentes.

Dias depois, num fim de tarde, ouvi alguém me chamando do pátio. Lá estava Lila, com meus óculos no nariz, e à primeira vista o que mais me chamou a atenção não foi seu aspecto de novo, mas que a deixavam mais bonita. Desci às pressas, pensando: por que nela, que não precisa, os óculos ficam bem, e em mim, que não posso prescindir deles, estragam meu rosto? Assim que apareci no portão, ela tirou os óculos rindo, batendo as pálpebras. Disse: "me fazem mal aos olhos", e os colocou ela mesma em meu nariz, exclamando: "Como você fica bem com eles, deve usá-los sempre". Tinha dado os óculos a Stefano, que os levara a uma óptica do centro. Murmurei constrangida que eu nunca poderia retribuir aquela gentileza, e ela replicou irônica, talvez com uma ponta de perfídia:

"Retribuir em que sentido?"

"Dar o dinheiro."

Então sorriu e disse, orgulhosa:

"Não precisa, agora faço o que bem entender com o dinheiro".

## 43.

O dinheiro reforçou ainda mais a impressão de que aquilo que me faltava ela possuía de sobra, e vice-versa, num jogo contínuo de trocas e reviravoltas que, ora com alegria, ora com sofrimento, nos tornavam indispensáveis uma à outra.

Ela tem Stefano, me perguntei após o episódio dos óculos, basta estalar os dedos e num segundo conserta minhas lentes: e eu tenho o quê? Respondi que eu tinha a escola, privilégio que ela havia perdido para sempre. Essa é a minha riqueza, tentei me convencer. E de fato naquele ano os professores, todos eles, voltaram a me elogiar. Os boletins foram cada vez mais brilhantes, e até o curso teológico por correspondência foi muito bem, recebi como prêmio uma Bíblia de capa preta.

Exibi meus sucessos como se fossem o bracelete de prata de minha mãe, mas não sabia o que fazer com aquela competência. Na sala não havia ninguém com quem eu pudesse discutir as coisas que lia, as ideias que me vinham à mente. Alfonso era um rapaz esforçado, depois da derrapada no ano anterior ele retomara o rumo e agora estava acima da média em todas as matérias. Porém, quando tentava refletir com ele sobre os *Noivos*, ou sobre os maravilhosos romances que eu continuava pegando emprestado na biblioteca do professor Ferraro, ou até sobre o Espírito Santo, ele se limitava a ouvir e, por timidez ou por incipiência, não falava nada que me estimulasse outros pensamentos. Além disso, enquanto nas sabatinas ele usava um bom italiano, no *tête-à-tête* não saía nunca do dialeto, e em dialeto era difícil raciocinar sobre a corrupção da justiça terrena, como bem se via durante o almoço na casa de dom Rodrigo, ou sobre as relações entre Deus, o Espírito Santo e Jesus que, mesmo sendo uma única pessoa, quando se decompunham em três, a meu ver deviam necessariamente ordenar-se segundo uma hierarquia, e aí quem vinha primeiro, quem por último?

Logo me ocorreu o que certa vez me dissera Pasquale: ainda que fosse um liceu clássico, minha escola não devia ser das melhores. Concluí que ele tinha razão. Raramente eu via minhas colegas de escola bem vestidas como as garotas da rua Dei Mille. E jamais acontecia de virem buscá-las, na saída do colégio, jovens trajados elegantemente, com automóveis mais luxuosos que os de Marcello ou de Stefano. Os méritos intelectuais também eram escassos. O único rapaz que tinha em torno de si uma fama semelhante à minha era Nino, mas agora, depois da frieza com que o tratei, ele se esgueirava de cabeça baixa, sem nem sequer me olhar. O que fazer, então?

Eu tinha necessidade de me expressar, a cabeça estava a mil. Então recorria a Lila, especialmente nas férias da escola. Nos encontrávamos, conversávamos. Eu lhe falava detalhadamente das aulas, dos professores. Ela me ouvia com atenção, e eu esperava que ela ficasse curiosa e voltasse à fase em que, em segredo ou abertamente, corria logo atrás dos livros que lhe permitiriam me acompanhar. Mas isso nunca aconteceu, era como se uma parte dela segurasse firmemente a outra parte na coleira. Em vez disso, desenvolveu em pouco tempo uma tendência a intervir de chofre, em geral de modo irônico. Uma vez, só para dar um exemplo, falei a ela sobre meu curso de teologia e mencionei, para impressioná-la com questões que me obcecavam, que não sabia o que pensar do Espírito Santo, sua função não estava clara para mim. "O que é", especulei em voz alta, "uma entidade subordinada, a serviço tanto de Deus quanto de Jesus, tipo um mensageiro? Ou uma emanação das duas primeiras pessoas, como um fluido miraculoso? Mas, no primeiro caso, como é possível que uma entidade que serve de mensageiro depois se torne uma coisa só com Deus e seu filho? Não seria como dizer que meu pai, contínuo na prefeitura, é uma coisa só com o prefeito, com o comandante Lauro? Já se analisarmos o segundo caso, bem, um fluido, o suor, a voz são parte da pessoa da qual emanam: então qual o sentido de considerar o Espírito Santo separado de Deus e de Jesus? Ou é o Espírito Santo a pessoa mais importante e as outras duas são um modo de ser dele, ou não entendo qual é sua função". Lila, lembro bem, estava se preparando para sair com Stefano: iam a um cinema do centro com Pinuccia, Rino e Alfonso. Eu a observava enquanto ela vestia uma saia nova, um casaco novo, e agora era mesmo outra pessoa, até os tornozelos tinham deixado de ser dois palitos. Entretanto, vi que seus olhos se estreitavam como quando tentava capturar algo fugidio. Disse em dialeto: "Você ainda perde tempo com essas coisas, Lenu? Nós estamos voando sobre uma bola de fogo. A parte que resfriou flutua sobre a lava. Sobre esta parte construímos prédios, pontes e estradas. De vez em quando a lava sai do Vesúvio ou então provoca um terremoto que destrói tudo. Há micróbios por todo lado que nos fazem adoecer e morrer. Há as guerras. Há uma miséria ao redor que nos torna todos ruins. A cada segundo pode acontecer alguma coisa que lhe fará sofrer de uma maneira que nunca haverá lágrimas suficientes. E você faz o quê? Um curso de teologia em que se esforça para entender o que é o Espírito Santo? Deixa pra lá, foi o Diabo que inventou o mundo, não o Pai, o Filho e o Espírito Santo. Quer ver o fio de pérolas que Stefano me deu?". Falou assim, *grosso modo*, me confundindo. E não só naquela circunstância, mas sempre com maior frequência, até que aquele tom se estabilizou, tornou-se seu modo de me fazer frente. Se eu dizia algo sobre a Santíssima Trindade, ela com poucas frases apressadas, mas quase sempre benevolentes, eliminava qualquer conversa possível e passava a me mostrar os presentes de Stefano, o anel de noivado, o colar, um vestido novo, um chapeuzinho, enquanto as coisas que me entusiasmavam, com as quais eu me enfeitava diante dos professores, tanto que eles me consideravam excelente, se esvaziavam num canto, desprovidas de sentido. Eu deixava pra lá as ideias, os livros. Passava a admirar todos aqueles mimos em contraste com a mesma casa pobre de Fernando, o sapateiro; provava as roupas e os objetos de valor; quase imediatamente constatava que, em mim, nunca ficariam tão bons quanto nela; e batia em retirada.

**44.**

No papel de noiva, Lila foi muito invejada e causou não pouco descontentamento. De resto, se seu modo de ser já irritava quando era uma menina raquítica, imagine agora que era uma mulher de sorte. Ela mesma me contou sobre uma crescente hostilidade da mãe de Stefano e principalmente de Pinuccia. As duas mulheres tinham pensamentos maldosos, nitidamente estampados na cara. Quem a filha do sapateiro pensava que era? Que poção maléfica tinha dado a Stefano? Como é que bastava ela abrir a boca, e ele imediatamente abria a carteira? Vai querer dar uma de dona em nossa casa?

Se Maria se limitava a um aborrecimento silencioso, Pinuccia não se continha e explodia, voltando-se contra o irmão:

"Por que você compra tudo para ela e para mim não só nunca me deu nada, mas, ao contrário, nas raras vezes em que eu comprava alguma coisa para mim, sempre me criticou dizendo que eu fazia gastos inúteis?"

Stefano exibia seu meio sorriso tranquilo e não replicava. Mas não demorou muito, coerente com sua linha de mediação, passou a dar presentes também à irmã. Foi assim que começou uma disputa entre as duas jovens, que iam ao cabeleireiro juntas e compravam vestidos idênticos. Mas isso só fez exasperar Pinuccia ainda mais. Ela não era feia, tinha alguns anos a mais que nós, talvez fosse até mais bem-feita, mas o efeito que qualquer roupa ou objeto faziam em Lila não era sequer comparável ao efeito que faziam nela. A primeira a se dar conta disso foi a mãe. Quando Maria via Lila e Pinuccia prontas para sair, com penteados parecidos, com roupas parecidas, sempre achava um jeito de divagar e chegar por vias tortas, com ares falsamente benévolos, a criticar a futura nora por qualquer coisa que fizera dias antes, como deixar a luz da cozinha acesa ou a torneira aberta depois de ter tomado um copo d'água. Depois se virava para o outro lado como se tivesse muita coisa a fazer e resmungava enfezada:

"Voltem cedo."

Nós, meninas do bairro, logo tivemos problemas parecidos. Nos dias de festa, Carmela, que insistia em ser chamada de Carmen, Ada e Gigliola começaram a se enfeitar – sem o admitir, sem dizer entre si – numa competição com Lila. Sobretudo Gigliola, que trabalhava na confeitaria e que, embora estivesse não oficialmente com Michele Solara, comprava e se fazia comprar de propósito coisas vistosas, a fim de exibi-las nos passeios a pé ou de carro. Mas não havia disputa, Lila parecia inalcançável, uma figurinha deslumbrante a contraluz.

A princípio tentamos contê-la, impor-lhe os velhos hábitos. Atraímos Stefano ao nosso velho grupo, o paparicamos, e ele pareceu contente, tanto que num sábado, talvez movido por uma simpatia em relação a Antonio e Ada, disse a Lila: "Veja se Lenuccia e os filhos de Melina vêm amanhã à noite jantar alguma coisa com a gente". Aquele "a gente" queria dizer eles dois com Pinuccia e Rino, que agora fazia questão de passar o tempo livre com o futuro cunhado. Aceitamos, mas foi uma noite complicada. Temendo destoar, Ada pegou emprestado um vestido de Gigliola. Stefano e Rino escolheram não uma pizzaria, mas um restaurante em Santa Lucia. Como nem eu, nem Antonio, nem Ada nunca tínhamos ido a um restaurante, coisa de grã-fino, fomos vencidos pela ansiedade: como se vestir, quanto custaria? Enquanto os quatro saíram com a Giardinetta, nós chegamos à praça do Plebiscito de ônibus e fizemos o resto do percurso a pé. Quando chegamos ao restaurante, eles pediram com desenvoltura muitos pratos, e nós, quase nada, com medo de que a conta ficasse muito alta para nossas possibilidades. Ficamos quase sempre calados, porque Stefano e Rino falaram sobretudo de dinheiro e nem pensaram em envolver pelo menos Antonio em conversas de outro tipo. Ada, inconformada com a situação de marginalidade, passou a noite toda tentando atrair a atenção de Stefano com afetações excessivas, que incomodaram o irmão. Ao final, quando chegou a hora de pagar a conta, descobrimos que o salsicheiro já tinha acertado tudo, e, se Rino não se importou nem um pouco com isso, Antonio voltou furioso para casa, porque, mesmo tendo a mesma idade de Stefano e Rino, mesmo trabalhando como eles, se sentira tratado como um mendigo. Mas o fato mais significativo foi que eu e Ada, com sentimentos diversos, nos demos conta de que, num local público, fora da relação amigável e íntima, não sabíamos o que dizer a Lila, nem como tratá-la. Estava tão bem maquiada, tão bem vestida, que parecia adequada à Giardinetta, ao conversível, ao restaurante de Santa Lucia, mas já fisicamente inadaptada a pegar o metrô com a gente, a andar de ônibus, a passear a pé, a comer uma pizza na avenida Garibaldi, a ir ao cinema da paróquia, a dançar na casa de Gigliola.

Naquela noite ficou evidente que Lila estava mudando de status. Ao longo dos dias, dos meses, se tornou uma senhorinha que imitava as modelos das revistas de moda, as garotas da tevê, as jovens que tinha visto passeando na rua Chiaia. Quando aparecia, emanava um brilho que parecia uma bofetada violenta na cara miserável do bairro. O corpo cujos vestígios de menina ainda persistiam quando costuramos juntas a trama que a levaria ao noivado com Stefano foi rapidamente lançado a territórios escuros. Já à luz do sol se mostrou uma jovem mulher que, quando aos domingos saía de braço dado com o noivo, parecia aplicar uma cláusula de seu acordo de casal. Com seus presentes, Stefano parecia querer mostrar ao bairro que, se Lila era bonita, podia ser cada vez mais; e ela parecia ter descoberto o prazer de haurir na fonte inesgotável de sua beleza e sentir e exibir que nenhum perfil bem desenhado podia contê-la de uma maneira definitiva, tanto que um novo penteado, um novo traje, uma nova maquiagem nos olhos ou na boca eram apenas limites superados a cada vez, que dissolviam os precedentes. Stefano parecia buscar nela o símbolo mais evidente do futuro de prosperidade e poder ao qual tendia; e ela dava a impressão de usar o sinete que ele lhe impunha para garantir a segurança de si, do irmão, dos pais e dos outros parentes em relação a tudo o que enfrentara e desafiara confusamente desde criança.

Ainda não sabíamos nada daquilo que em segredo, na intimidade, depois da horrível experiência do Ano-Novo, ela chamava de desmarginação. Mas eu conhecia a história da panela que explodira, aquilo sempre esteve à espreita em algum canto de minha cabeça, moendo e remoendo. E me lembro de que em casa, numa noite, reli de caso pensado a carta que ela me mandara de Ischia. Como era sedutor aquele seu modo de contar sobre si, e como tudo já parecia tão distante. Precisei aceitar que a Lila que me escrevera aquelas palavras tinha desaparecido. Na carta ainda havia a menina que escrevera *A fada azul*, que aprendera latim e grego sozinha, que devorara meia biblioteca do professor Ferraro, até a que tinha desenhado os sapatos agora emoldurados na loja de calçados. Porém, na vida cotidiana, já não a via, não a sentia mais. A Cerullo nervosa e agressiva tinha como se imolado. E mesmo continuando a morar, eu e ela, no mesmo bairro, mesmo tendo tido a mesma infância, mesmo vivendo ambas nossos dezesseis anos, tínhamos subitamente ido parar em dois mundos diversos. Enquanto os meses corriam, eu estava me transformando numa garota desleixada, despenteada, de óculos, debruçada sobre livros esfarrapados que desprendiam o mau cheiro dos volumes comprados com grande sacrifício nos sebos ou conseguidos pela professora Oliviero. Ela passeava de braço dado com Stefano, penteada como uma diva, trajando roupas que a faziam parecer uma atriz ou uma princesa.

Eu a olhava da janela, sentia que sua forma anterior se rompera e tornava a pensar naquela linda passagem da carta, o cobre explodido e retorcido. Era uma imagem que agora eu usava continuamente, toda vez que notava uma fratura dentro dela ou dentro de mim. Eu sabia – talvez soubesse – que nenhuma forma jamais poderia conter Lila e que, mais cedo ou mais tarde, ela arrebentaria tudo outra vez.

**45.**

Depois da noitada ruim no restaurante de Santa Lucia, não houve outras ocasiões como aquela, e não porque os dois noivos não voltassem a nos convidar, mas porque nós mesmos nos furtamos ora com uma desculpa, ora com outra. No entanto, quando os trabalhos da escola não me tiravam toda a energia, eu me deixava levar a um baile caseiro ou a uma pizza, com todo o grupo de antigamente. Mas preferia sair só quando tinha certeza de que Antonio também iria, o qual há algum tempo se dedicava a mim de modo integral, com uma paquera discreta, cheia de atenções. Claro, a pele do rosto era lustrosa e cheia de pontinhos pretos, os dentes aqui e ali se mostravam azulados, as mãos eram rudes, dedos robustos com os quais certa vez havia soltado sem esforço os parafusos do pneu furado de um velhíssimo carro que Pasquale conseguira. Mas tinha cabelos encaracolados muito pretos, que davam vontade de acariciar e, mesmo sendo muito tímido, nas raras vezes em que abria a boca dizia coisas espirituosas. De resto, era o único que notava minha existência. Enzo aparecia raramente, levava uma vida da qual sabíamos pouco ou quase nada, mas, quando comparecia, se dedicava sem nunca exagerar, com seu jeito retirado, lento, a

Carmela. Quanto a Pasquale, parecia ter perdido o interesse pelas meninas depois da recusa de Lila. Não dava muita bola nem a Ada, que com ele era toda caras e bocas, apesar de repetir sem parar que não aguentava mais ver sempre nossas caras feias. Naturalmente, naquelas noitadas, mais cedo ou mais tarde se acabava falando de Lila, embora aparentemente ninguém tivesse vontade de mencioná-la: os rapazes estavam todos meio desiludidos, e cada um deles queria estar na pele de Stefano. Mas o mais infeliz era Pasquale: se não sentisse um antigo ódio pelos Solara, provavelmente teria se unido publicamente a Marcello contra a família Cerullo. Seus sofrimentos de amor o escavavam por dentro, e só o fato de avistar Lila e Stefano juntos lhe tirava a alegria de viver. Entretanto era, por natureza, um rapaz de bons sentimentos e pensamentos, de modo que estava atentíssimo em manter as próprias reações sob controle e a comportar-se de modo justo. Quando soubera que Marcello e Michele tinham desancado Rino numa noite e, mesmo sem lhe tocar um dedo, o cobriram de insultos, Pasquale apoiou sem meios-termos as razões de Rino. Quando se soube que Silvio Solara, o pai de Michele e Marcello, fora pessoalmente à sapataria recém-reformada de Fernando e o acusara pacatamente de não ter sabido educar a filha e então, olhando ao redor, observara que ele podia até fabricar todos os calçados que quisesse, mas depois onde os venderia, nunca acharia uma loja que os comprasse, sem contar que com toda aquela cola que havia ali, com todos aqueles cordões e piche e moldes de madeira e solas e palmilhas bastava um triz para que tudo pegasse fogo, Pasquale prometera que, em caso de incêndio na sapataria Cerullo, ele mesmo iria com alguns colegas de confiança incendiar o bar-confeitaria Solara. Mas era crítico quanto a Lila. Falava que ela deveria ter fugido de casa em vez de aceitar que Marcello fosse ali cortejá-la todas as noites. Falava que deveria ter arrebentado a tevê com um martelo, e não ficar diante dela com quem se sabia que a comprara só para tê-la.

Falava, por fim, que era uma garota muito inteligente para estar de fato apaixonada por um banana hipócrita como Stefano. Naquelas ocasiões eu era a única que não ficava calada, desaprovando explicitamente as críticas de Pasquale. Rebatia com coisas do tipo: não é nada fácil fugir de casa; não é nada fácil ir contra a vontade das pessoas que você ama; nada é fácil, tanto é que você critica a ela em vez de atacar seu amigo Rino – foi ele quem a meteu naquela cilada com Marcello, e se Lila não tivesse achado um meio de se livrar de Marcello teria que se casar com ele. E concluía fazendo o elogio de Stefano, dizendo que dentre todos os rapazes que conheciam Lila desde pequena e que gostavam dela ele tinha sido o único a ter a coragem de defendê-la e ajudá-la. Fazia-se então um pesado silêncio, e eu me sentia muito orgulhosa de ter rechaçado qualquer crítica a minha amiga com um tom e uma linguagem que, de resto, deixara todos intimidados.

Mas uma noite terminou em briga feia. Estávamos todos, inclusive Enzo, comendo uma pizza no Rettifilo, num lugar onde a *margherita* e uma cerveja custavam cinquenta liras. Daquela vez foram as meninas que começaram: Ada, acho, falou que Lila, segundo ela, era ridícula de andar por aí sempre cheirando a salão de beleza e com vestidos como os da princesa Soraya, apesar de pôr veneno de barata na porta da casa, e uns mais, outros menos, todos rimos. Depois, uma coisa puxa outra, Carmela chegou a dizer claramente que, em sua opinião, Lila estava com Stefano por dinheiro, para arranjar a vida do irmão e do resto da família. Eu ia começar minha defesa de praxe quando Pasquale me interrompeu e disse:

"A questão não é essa. A questão é que Lina sabe de onde esse dinheiro vem."

"Não me venha de novo com essa história de dom Achille e o mercado negro e o tráfico e a agiotagem e toda essa porcaria de antes e depois da guerra", eu disse.

"É isso mesmo, e se sua amiga agora estivesse aqui me daria razão."

"Stefano é só um comerciante que sabe vender."

"Então o dinheiro que ele pôs na sapataria dos Cerullo veio da charcutaria?"

"E por que não?"

"O dinheiro veio é do ouro das mães de família que dom Achille tinha escondido dentro do colchão. Lina banca a madame com o sangue de toda a gente pobre do bairro. E está sendo mantida, ela e toda a família, antes mesmo de se casar."

Eu estava para responder quando Enzo se intrometeu com seu distanciamento habitual:

"Desculpe, Pascá, mas o que significa 'está sendo mantida'?"

Assim que ouvi a pergunta entendi que a coisa azedaria. Pasquale ficou vermelho, se atrapalhou:

"Ser mantida significa ser mantida. Desculpe, mas quem é que paga quando Lina vai ao cabeleireiro, ou quando compra aqueles vestidos e bolsas? Quem é que pôs dinheiro na sapataria para o sapateiro brincar de fabricar calçados?"

"Ou seja, você está dizendo que Lina não está apaixonada, não está noiva, não vai se casar com Stefano, mas simplesmente se vendeu?"

Ficamos calados. Antonio balbuciou:

"Não é isso, Enzo: Pasquale não quis dizer isso; você sabe que ele gosta de Lina, assim como todos nós."

Enzo lhe fez sinal para se calar.

"Fique na sua, Antó, deixe Pasquale responder."

Pasquale disse enfezado:

"Sim, ela se vendeu. E não está nem aí para o fedor da grana que gasta todo dia."

Nessa altura tentei de novo dizer minha opinião, mas Enzo me tocou o braço:

"Desculpe, Lenu, quero saber como é que Pasquale chama uma mulher que se vende."

Então Pasquale teve um ímpeto de violência que todos percebemos em seus olhos e desabafou o que há meses tinha em mente dizer e gritar a todo o bairro:

"Puta, eu chamo de puta. Lina se comportou e está se comportando como uma puta."

Enzo se levantou e disse quase em voz baixa:

"Venha pra fora."

Antonio deu um pulo, segurou pelo braço Pasquale, que já queria se levantar, e disse:

"Não vamos exagerar, Enzo. Pasquale não está fazendo nenhuma acusação, só está fazendo uma crítica que qualquer um de nós poderia fazer."

Enzo então respondeu, dessa vez em voz alta:

"Eu não". E se dirigiu para a saída, escandindo: "Espero vocês dois lá fora".

Impedimos Pasquale e Antonio de segui-lo, e não aconteceu nada: se limitaram a ficar de cara amarrada por uns dias, e depois tudo voltou ao normal.

**46.**

Relatei essa briga para dar uma ideia de como foi aquele ano e do clima que cercou as escolhas de Lila, especialmente entre os rapazes que secreta ou explicitamente a tinham amado, a tinham desejado, e com toda a probabilidade ainda a amavam e desejavam. Quanto a mim, é difícil definir o emaranhado de sentimentos que me enredava. Em todas as ocasiões eu defendia Lila e gostava desse papel, gostava de me ouvir falando com a autoridade de quem faz estudos avançados. Mas também sabia que poderia contar de bom grado, quem sabe até com uns exageros, como Lila estava de fato seguindo cada movimento de Stefano, e eu ao lado dela, concatenando passo a passo como se aquilo fosse um problema de matemática, até chegar ao resultado: arranjar-se, arranjar o irmão, tentar levar a cabo o projeto da fábrica de calçados e até conseguir dinheiro para consertar meus óculos quebrados.

Eu passava em frente à velha loja de Fernando e experimentava um sentimento de vitória por interposta pessoa. Lila evidentemente conseguira. A sapataria, que nunca tivera um letreiro, agora expunha em cima da velha porta uma espécie de tabuleta com a inscrição: Cerullo. Fernando, Rino e os três aprendizes trabalhavam colando, orlando, martelando e esmerilhando da manhã até tarde da noite, inclinados em suas mesas. Sabia-se que pai e filho brigavam muito. Sabia-se que Fernando defendia não ser possível fabricar os sapatos, especialmente os de mulher, de acordo com os desenhos de Lila, que eram apenas uma fantasia de menina. Sabia-se que Rino defendia o contrário e pedia a Lila que interviesse nessa situação. Sabia-se que Lila dizia não ter mais nada a ver com aquilo, e que então Rino ia até Stefano e o arrastava para a oficina a fim de que ele mesmo desse ordens precisas ao pai. Sabia-se que Stefano ia até lá e olhava demoradamente os desenhos de Lila pendurados nas paredes, sorria para si e dizia pacatamente que queria os sapatos exatamente como estavam nos quadrinhos, que ele emoldurara e pusera ali para isso. Sabia-se, enfim, que tudo ia devagar e os ajudantes primeiro recebiam as instruções de Fernando, depois Rino as alterava, aí as coisas paravam e então tudo recomeçava de novo, Fernando se dava conta das mudanças e tornava a mudar e vinha Stefano e as coisas voltavam à estaca zero, em meio a gritos e objetos quebrados.

Eu dava uma olhada e saía de fininho. Mas os quadrinhos na parede não me saíam da cabeça. Pensava: "Esses desenhos, para Lila, foram uma fantasia, não têm a ver com dinheiro, não faz sentido vendê-los. Toda essa trabalheira é o resultado final de sua imaginação, enaltecido por Stefano somente por amor. Sorte dela que é tão amada, e que ama. Sorte dela que é adorada pelo que é e pelo que sabe inventar. Agora que deu ao irmão o que o irmão queria, agora que o livrou dos perigos, vai certamente inventar outras coisas. Por isso não quero perdê-la de vista. Alguma coisa vai acontecer".

Mas não aconteceu nada. Lila se estabilizou no papel de noiva de Stefano. E também nas conversas que tínhamos, quando eu tinha um tempo livre, ela me pareceu sempre satisfeita com o que era, como se além não visse mais nada, não *quisesse* ver mais nada senão o casamento, uma casa, filhos.

Fiquei mal. Ela parecia pacificada, sem as asperezas de sempre. Só percebi tempos depois, quando soube por Gigliola Spagnuolo que circulavam coisas infames a seu respeito.

Gigliola me disse com rancor, em dialeto:

"Agora sua amiga banca a princesa. Mas Stefano sabe que, quando Marcello frequentava sua casa, ela lhe fazia um boquete todas as noites?"

Eu ignorava o que era um boquete. Conhecia a palavra desde menina, mas seu som remetia apenas a uma espécie de ultraje, a algo muito humilhante.

"Não é verdade."

"Marcello diz que sim."

"É um mentiroso."

"Ah, é? E diz mentiras até ao irmão?"

"Foi Michele quem lhe disse isso?"

"Foi."

Torci para que aqueles boatos não chegassem a Stefano. Toda vez que voltava da escola eu me dizia: talvez eu deva avisar a Lila antes que aconteça algo ruim. Mas temia que ela se enfurecesse e que, pelo modo como crescera, por sua maneira de ser, fosse diretamente até Marcello Solara com o trinchete. De todo modo acabei me decidindo: era melhor contar o que eu sabia, assim pelo menos ela já ficava a par de tudo. Não só: poderia se preparar para enfrentar a situação. Descobri que estava mais informada do que eu sobre o que era um boquete. Eu me dei conta disso quando ela usou uma fórmula mais clara para me dizer que ela jamais faria aquela coisa com homem nenhum, de tanto nojo que lhe dava, muito menos com Marcello Solara. Depois me contou que o boato já tinha chegado aos ouvidos de Stefano, e que ele lhe perguntara que tipo de relação ela mantivera com Marcello no período em que ele frequentou sua casa. Ela respondera com raiva: "Nenhum, você está louco?". E Stefano se apressou em dizer que acreditava nela, que nunca tivera dúvidas, que só lhe fizera aquela pergunta para que ela soubesse que Marcello contava safadezas a seu respeito. Mas enquanto isso assumira uma expressão absorta, de quem, sem querer, percorre cenas de chacina que se formam na mente. Lila percebera isso e ambos discutiram longamente. Confessou que também ela sentia fome de sangue nas mãos. Mas para quê? Depois de muito conversar, decidiram de comum acordo que ficariam um degrau acima dos Solara e da lógica do bairro.

"Um degrau acima?", perguntei surpresa.

"Sim, ignorá-los: Marcello, o irmão dele, o pai, o avô, todos. Agir como se não existissem."

Assim Stefano continuou com seu trabalho sem se preocupar em defender a honra da futura esposa, Lila continuou com sua vida de noiva sem recorrer ao trinchete ou a qualquer outra coisa, e os Solara continuaram difundindo obscenidades. Eu me despedi estupefata. O que estava acontecendo? Não conseguia entender. O comportamento dos Solara me parecia mais claro, mais coerente com o mundo que conhecíamos desde a infância. Mas o que ela e Stefano tinham em mente, onde pensavam viver? Eles se comportavam de um modo que eu não via nem nos poemas que estudava na escola, nem nos romances que lia. Estava perplexa. Não reagiam às ofensas nem às injúrias realmente insuportáveis que os Solara estavam espalhando contra eles. Exibiam gentileza e cortesia diante de todos, como se fossem John e Jacqueline Kennedy em visita a um bairro de miseráveis. Quando saíam juntos a passeio, ele envolvendo-lhe os ombros com o braço, parecia que nenhuma das velhas regras estava valendo para eles: riam, brincavam, se abraçavam e se beijavam na boca. Eu os via disparando no conversível, sozinhos, inclusive à noite, sempre vestidos como atores de cinema, e pensava: estão indo sabe-se lá onde, sem acompanhantes, e não às escondidas, mas com a concordância dos pais, com a concordância de Rino, cuidando da própria vida sem dar peso ao que as pessoas dizem. Era Lila quem estava levando Stefano a adotar aquele comportamento, que fazia deles o casal mais admirado e mais falado do bairro? Era essa a última novidade que ela inventara? Queria sair do bairro permanecendo no bairro? Queria arrastá-lo para fora de si, arrancar-lhe a antiga pele e impor-lhe uma nova, adequada à que ela aos poucos ia inventando?

47.

Tudo voltou bruscamente aos trilhos de sempre quando os boatos sobre Lila chegaram aos ouvidos de Pasquale. Aconteceu num domingo, enquanto eu, Carmela, Enzo, Pasquale e Antonio estávamos passeando ao longo da estrada. Antonio disse:

"Me disseram que Marcello Solara anda contando a todo mundo que Lina ficou com ele."

Enzo não piscou o olho, mas Pasquale logo se acendeu:

"Ficou como?"

Antonio ficou constrangido com nossa presença, minha e de Carmela, e disse:

"Você entendeu."

Eles então se afastaram, conversando entre si. Vi e ouvi que Pasquale estava cada vez mais furioso, que Enzo ficava fisicamente cada vez mais compacto, como se não tivesse mais braços, pernas, pescoço e fosse um bloco de matéria dura. Por que, eu me perguntava, como é que eles se importam tanto? Lila não é irmã deles, nem sequer uma prima. E mesmo assim se sentem no dever de indignar-se, os três, mais que Stefano, muito mais que Stefano, como se eles é que fossem os verdadeiros noivos. E o que mais me pareceu ridículo foi Pasquale. Justo ele, que pouco tempo atrás dissera todas aquelas coisas, a certa altura gritou, e nós ouvimos perfeitamente com nossos ouvidos: "Eu quebro a cara daquele merda, está fazendo ela passar por uma puta. Mas, se Stefano permite uma coisa dessas, este aqui que está falando não vai permitir". Depois houve um silêncio, eles se juntaram a nós e batemos perna devagar, eu conversando com Antonio, Carmela entre o irmão e Enzo. Depois de um tempo, nos acompanharam até nossas casas. Vi-os se afastando, Enzo, que era o mais baixo, no centro, Antonio e Pasquale dos lados.

No dia seguinte e nos dias sucessivos falou-se muito da Millecento dos Solara. Tinha sido destruída. Não só: os dois irmãos tinham sido brutalmente espancados, mas não se sabia dizer por quem. Juravam que foram agredidos numa ruela escura, por pelo menos umas dez pessoas, gente vinda de fora. Mas eu e Carmela sabíamos perfeitamente que os agressores eram apenas três, e ficamos muito preocupadas. Esperamos as inevitáveis retaliações um dia, dois, três. Mas evidentemente a coisa tinha sido bem feita. Pasquale continuou trabalhando de pedreiro, Antonio, de mecânico, Enzo, a circular com a carroça. Já os Solara por um tempo só andaram a pé, machucados, um tanto perplexos, sempre na companhia de quatro ou cinco amigos. Admito que vê-los naquelas condições me deu uma certa alegria. Tive orgulho de meus amigos. Assim como Carmen e Ada, critiquei Stefano e Rino por terem feito de conta que não tinha acontecido nada. Depois o tempo passou, Marcello e Michele compraram uma Giulietta verde e voltaram a se comportar como se fossem os donos do bairro. Vivinhos da silva, mais prepotentes do que nunca. Sinal de que Lila talvez tivesse razão: gente daquela laia era preciso combater conquistando uma vida superior, uma vida que eles não podiam sequer imaginar. Enquanto eu fazia as provas do quinto ginasial, ela me anunciou que na primavera, a poucos meses de completar dezessete anos, se casaria.

## 48.

A notícia me desconcertou. Quando Lila me falou de seu casamento, estávamos em junho, a poucas horas do exame oral. Era algo previsível, claro, mas agora que tinham marcado uma data, 12 de março, senti como se tivesse trombado numa porta por distração. Tive pensamentos mesquinhos. Contei os meses: oito. Talvez oito meses fossem tempo suficiente para que o ressentimento pérfido de Pinuccia, a hostilidade de Maria e os boatos de Marcello Solara – que continuavam circulando de boca em boca pelo bairro como a Fama na *Eneida* – minassem Stefano, levando-o a romper o noivado. Tive vergonha de mim, mas não consegui mais traçar um desenho coerente na dispersão de nossos destinos. A concretude daquela data tornou concreto o cruzamento que separaria nossas vidas uma da outra. E, o que é pior, não duvidei de que sua sorte seria melhor que a minha. Senti mais forte do que nunca a insignificância da via dos estudos, vi com clareza que a escolhera anos antes só para parecer invejável a Lila. E no entanto, agora, ela não atribuía mais nenhum valor aos livros. Deixei de me preparar para a prova, não dormi de noite. Pensei em minha miserável experiência amorosa: tinha beijado uma vez Gino, mal tinha tocado os lábios de Nino, tinha sofrido as bolinações fugazes e torpes de seu pai – e só. Já Lila, a partir de março, aos dezesseis anos, teria um marido e em um ano, aos dezessete, um filho, e depois outro, e mais outro, e mais outro. Me senti uma sombra e chorei desesperada. No dia seguinte fui sem nenhuma vontade fazer os exames. Mas ocorreu uma coisa que me fez ficar melhor. O professor Gerace e a professora Galiani, que participavam da banca, fizeram enormes elogios a meu trabalho de italiano. Gerace, em particular, disse que a exposição melhorara ainda mais. Quis ler uma passagem ao resto da banca. E somente ao ouvi-lo me dei conta do que tinha tentado fazer naqueles meses sempre que tinha de escrever: me libertar dos tons artificiosos, das frases muito rígidas; experimentar uma escrita fluida e envolvente como a de Lila na carta de Ischia. Quando escutei minhas palavras na voz do professor, enquanto a professora Galiani ouvia e concordava em silêncio, me dei conta de ter conseguido. Naturalmente não era a maneira de escrever de Lila, era a minha. E era justamente a minha. E isso pareceu a meus professores algo realmente fora do comum.

Passei ao primeiro ano do liceu com dez em tudo, mas em casa ninguém se espantou ou fez festa para mim. Vi que estavam satisfeitos, é verdade, e fiquei contente com isso, mas não deram nenhum peso ao evento. Minha mãe, aliás, achou meu sucesso na escola mais que normal, e meu pai me disse que eu procurasse logo a professora Oliviero para que ela tivesse tempo de arranjar os livros do próximo ano. Enquanto eu ia saindo, minha mãe gritou: "E se ela quiser mandá-la de novo a Ischia, diga que não estou bem e que preciso de sua ajuda em casa".

A professora me elogiou, mas sem entusiasmo, em parte porque também ela já dava por certa minha competência, um pouco porque não estava bem de saúde, a doença que tinha na boca lhe causava muitos incômodos. Em nenhum momento mencionou minha necessidade de repouso, a prima Nella, Ischia. Em vez disso, para minha surpresa, começou a falar de Lila. Ela a encontrara na rua, de longe. Estava com o noivo, disse, o salsicheiro. Depois acrescentou uma frase que vou guardar para sempre: "A beleza que desde pequena Cerullo tinha na cabeça não encontrou saída, Greco, e foi parar toda no rosto, nos peitos, nas coxas, na bunda, lugares por onde passa depressa e é como se nunca tivesse existido".

Nunca a tinha ouvido dizer um palavrão, desde que a conhecia. Naquela ocasião disse "bunda" e depois grunhiu: "Desculpe". Mas não foi aquilo que me espantou. Foi o remorso, como se a professora estivesse reconhecendo que algo de Lila se perdera justamente porque ela, como professora, não a tinha protegido e desenvolvido bem. Eu me senti sua aluna mais bem-sucedida e fui embora aliviada.

O único que comemorou meu sucesso sem meios-termos foi Alfonso, que também tinha sido aprovado, passando com sete em todas as matérias. Senti que a admiração dele era genuína, e isso me deixou feliz. Diante dos murais, tomado de entusiasmo, na presença dos colegas e dos pais, como se estivesse esquecido de que eu era uma garota e não devia me tocar, ele me apertou forte e me deu um beijo na bochecha, um beijo estalado. Depois se atrapalhou, me soltou imediatamente, pediu desculpas, mas mesmo assim não se conteve e gritou: "Dez em tudo, não é possível, dez em tudo". Voltando para casa, falamos muito do casamento de seu irmão com Lila. Como eu me sentia particularmente à vontade com ele, perguntei pela primeira vez o que ele pensava da futura cunhada. Ele fez uma pausa antes de me responder. Então disse:

"Você se lembra da disputa que a escola nos fez fazer?"

"E quem se esqueceria disso?"

"Eu estava certo de que ganharia, todos vocês tinham medo de meu pai."

"Lina também: de fato, no início ela tentou não derrotar você."

"É verdade, mas depois decidiu vencer e me humilhou. Voltei pra casa chorando."

"É feio perder."

"Não é por isso: achei insuportável que todos tivessem horror de meu pai, eu em primeiro lugar, e aquela menina não."

"Você se apaixonou por ela?"

"Está de brincadeira? Ela sempre me intimidou."

"Em que sentido?"

"No sentido de que meu irmão tem muita coragem de se casar com ela."

"Como assim?"

"O que estou dizendo é que você é melhor e, se fosse eu que pudesse escolher, me casaria com você."

Isso também me deu prazer. Caímos na gargalhada e nos despedimos ainda rindo. Ele estava condenado a passar o verão na charcutaria, e eu, mais por decisão de minha mãe que de meu pai, teria de achar um trabalho durante o verão. Prometemos nos encontrar, ir ao menos uma vez ao mar, juntos. Mas não aconteceu.

Nos dias seguintes circulei apática pelo bairro. Perguntei a dom Paolo, o farmacêutico da estrada, se ele precisava de uma auxiliar. Nada feito. Perguntei ao jornaleiro: tampouco ele precisava de mim. Passei na dona da papelaria, que se pôs a rir: ela precisava, sim, mas não agora; eu deveria voltar no outono, quando as aulas recomeçariam. Eu já estava indo embora quando ela me chamou de volta. Disse:

"Você é uma moça muito séria, Lenu, e em você eu confio: será que poderia levar minhas meninas para uma temporada na praia?"

Saí da loja realmente feliz. A dona da papelaria ficou de me pagar – e pagar bem – se eu levasse suas três filhas para a praia por todo o mês de julho e os primeiros dez dias de agosto. Mar, sol e dinheiro. Eu devia ir todo dia a um lugar que ficava entre Mergellina e Posillipo, sobre o qual eu não sabia nada, e que tinha um nome estrangeiro, Sea Garden. Fui para casa excitada, como se minha vida estivesse passando por uma reviravolta decisiva. Eu ganharia dinheiro para meus pais, tomaria banho de mar, ficaria bonita e queimada de sol como no verão passado. Como tudo é suave, pensei, quando o dia está bonito e todas as coisas boas parecem estar esperando só por você.

Dei poucos passos e aquela impressão de horas felizes se consolidou. Antonio veio vindo até mim, de macacão, sujo de graxa.

Fiquei contente, qualquer um que eu tivesse encontrado naquele momento de alegria seria bem acolhido. Ele me tinha visto passar e correra atrás de mim. Falei logo da dona da papelaria, ele devia estar lendo em meu rosto que aquele era um momento feliz. Por meses eu tinha penado, me sentindo sozinha e feia. Mesmo estando convencida de amar Nino Sarratore, eu o evitara sempre e nem tinha ido ver se ele tinha passado de ano e com que notas. Lila estava prestes a dar um salto definitivo para além de minha vida, eu não conseguiria mais acompanhá-la. Mas agora eu me sentia bem e queria me sentir ainda melhor. Quando Antonio, intuindo que eu estava bem predisposta, me perguntou se eu queria namorar com ele, lhe respondi imediatamente que sim, ainda que amasse outro, ainda que não sentisse por ele senão uma certa simpatia. Tê-lo como namorado, ele, mais velho, da mesma idade de Stefano, trabalhador, me pareceu algo não muito diferente de ser aprovada com dez em tudo, de ter a missão de levar, remunerada, as filhas da dona da papelaria para o Sea Garden.

### 49.

Começou meu trabalho, meu namoro. A dona da papelaria fez uma espécie de subscrição para mim, e eu toda manhã atravessava a cidade com as três meninas nos ônibus lotados e as levava àquele lugar coloridíssimo, guarda-sóis, mar azul, plataformas de cimento, estudantes, mulheres bem de vida com muito tempo livre, mulheres vistosas com caras vorazes. Tratava com gentileza os salva-vidas que tentavam puxar conversa. Cuidava das meninas, tomava longos banhos com elas exibindo o maiô que, um ano antes, Nella costurara para mim. Depois as alimentava, brincava com elas e as deixava beber água à vontade de uma fonte de pedra, mas atenta para que não escorregassem e quebrassem os dentes no chafariz.

Retornava ao bairro no fim de tarde. Devolvia as meninas à dona da papelaria e ia correndo ao encontro secreto com Antonio, queimada de sol e salgada de mar. Íamos até os pântanos por vias secundárias, eu tinha medo de ser vista por minha mãe e talvez mais ainda pela professora Oliviero. Meus primeiros beijos de verdade foram com ele. Logo permiti que me tocasse os seios e entre as coxas. Eu mesma uma noite apertei seu pau dentro da calça, duro, grande, e quando ele o tirou para fora eu o segurei com prazer em minha mão enquanto nos beijávamos. Aceitei aquelas coisas com duas questões em mente, muito nítidas. A primeira era: Lila fazia as mesmas coisas com Stefano? A segunda era: o prazer que sinto com esse rapaz é o mesmo que experimentei na noite em que Donato Sarratore me tocou? Em ambos os casos Antonio acabava sendo apenas um fantasma útil para evocar, de um lado, os amores entre Lila e Stefano, de outro, a emoção forte, difícil de assimilar, que o pai de Nino me proporcionara. Mas nunca me senti em culpa. Ele se mostrava tão agradecido, me manifestava uma dependência tão absoluta naqueles nossos poucos contatos no pântano, que logo me convenci de que era ele que estava em débito comigo, que o prazer que eu lhe dava era muito superior ao que me era dado por ele.

Às vezes, aos domingos, ele ia comigo e com as meninas ao Sea Garden. Gastava um monte de dinheiro com falsa desenvoltura, apesar de ganhar muito pouco, e além disso detestava tomar sol. Mas o fazia por mim, só para estar a meu lado, sem nenhum ressarcimento imediato, já que durante todo o dia não podíamos nos beijar ou nos tocar. De resto, entretinha as meninas com palhaçadas e mergulhos de atleta. Enquanto ele brincava com elas, eu me deitava ao sol com um livro e me dissolvia nas páginas como uma medusa.

Numa daquelas ocasiões, ergui o olhar por um instante e vi uma jovem alta, magra, elegante, com um lindo duas peças vermelho. Era Lila. Agora habituada a ter sempre os olhares masculinos sobre si, movia-se como se naquele lugar cheio de gente não houvesse ninguém, nem mesmo o jovem salva-vidas que a acompanhava até o guarda-sol. Não me viu, e eu não soube se devia chamá-la. Usava óculos de sol e ostentava uma bolsa de tecido coloridíssimo. Eu ainda não lhe dissera nada sobre meu trabalho, nem sobre Antonio: é provável que temesse seu julgamento sobre ambos. Vamos esperar que ela me chame, pensei, e voltei a me concentrar no livro, mas já sem conseguir ler. Logo em seguida tornei a olhar em sua direção. O salva-vidas tinha aberto a cadeira de praia para ela, que se sentara ao sol. Enquanto isso veio chegando Stefano, branquíssimo, com roupa de banho azul, a carteira na mão, com o isqueiro e os cigarros. Beijou Lila na boca como os príncipes fazem com as belas adormecidas e se sentou noutra cadeira.

Mais uma vez tentei retomar a leitura. Há tempos estava habituada a me autodisciplinar, e dessa vez, por alguns minutos, consegui de fato tornar a mergulhar no sentido das palavras, lembro que o romance era *Oblomov*. Quando voltei a erguer o olhar, Stefano ainda estava sentado, olhando o mar, mas Lila tinha sumido. Procurei-a com os olhos e vi que ela estava falando com Antonio, enquanto Antonio apontava para mim. Acenei com gestos alegres, e ela retribuiu da mesma forma, virando-se imediatamente para chamar Stefano.

Fomos dar um mergulho os três juntos, enquanto Antonio tomava conta das meninas. Foi um dia aparentemente alegre. A certo ponto, Stefano nos levou ao bar e pediu um monte de coisas: sanduíches, bebidas, sorvetes, e as meninas logo abandonaram An-

tonio e concentraram toda a atenção nele. Quando os dois rapazes começaram a falar de não sei qual problema no conversível, uma conversa em que Antonio brilhou, levei as meninas embora para que não os perturbassem. Lila veio atrás de mim.
"Quanto a dona da papelaria está lhe pagando?"
Eu respondi.
"É pouco."
"Segundo minha mãe, é até demais."
"Você deve se valorizar, Lenu."
"Vou me valorizar quando levar seus filhos para a praia."
"E eu vou lhe dar uma caixa de moedas de ouro, eu sei quanto vale passar o tempo em sua companhia."
Eu a olhei para entender se estava zombando. Não estava, mas brincou logo depois, quando apontou para Antonio:
"Ele conhece seu valor?"
"Estamos namorando há vinte dias."
"Você o ama?"
"Não."
"E então?"
Provoquei-a com o olhar:
"Você ama Stefano?"
Respondeu séria:
"Muitíssimo."
"Mais que seus pais, mais que Rino?"
"Mais que todos, mas não mais que você."
"Você está zombando de mim."
Mas ao mesmo tempo pensei: ainda que esteja zombando, é muito bom conversarmos assim, ao sol, sentadas no cimento quente, com os pés na água; paciência se não me perguntou que livro estou lendo; paciência se não se interessou em saber como foram minhas provas do quinto ginásio; talvez nem tudo esteja acabado; mesmo depois de casada, alguma coisa entre nós durará. Disse a ela:

"Venho aqui todos os dias. Por que não vem também?"
Entusiasmou-se com a ideia, falou sobre isso com Stefano, que logo concordou. Foi um belo dia em que todos nós, milagrosamente, nos sentimos à vontade. Depois o sol começou a baixar, era hora de levar as meninas para casa. Stefano foi até o caixa e descobriu que Antonio já tinha pagado tudo. Lamentou muitíssimo, agradeceu calorosamente. Na rua, assim que Stefano e Lila partiram no conversível, não deixei de censurá-lo. Melina e Ada lavavam as escadas dos prédios, e ele ganhava uma ninharia na oficina.

"Por que você pagou?", quase gritei em dialeto, com raiva.

"Porque eu e você somos mais belos e mais nobres", respondeu.

## 50.

Comecei a gostar de Antonio quase sem me dar conta. Nossos jogos sexuais se tornaram um tanto mais ousados, mais prazerosos. Pensei que, se Lila viesse de novo ao Sea Garden, eu perguntaria como era entre ela e Stefano quando eles se afastavam de carro sozinhos. Faziam as mesmas coisas que eu e Antonio ou mais ainda, por exemplo, as coisas que os dois Solara espalhavam por aí? Não tinha ninguém com quem me comparar a não ser ela. Mas não tive ocasião de tentar fazer-lhe essas perguntas, ela não veio mais ao Sea Garden.

Antes do feriado de agosto meu trabalho terminou, e terminou também a alegria do sol e do mar. A dona da papelaria ficou contentíssima com a maneira como cuidei das meninas, e embora elas, apesar de minhas recomendações, terem contado à mãe que às vezes um rapaz amigo meu também ia à praia e todos dávamos belos mergulhos, em vez de me censurar, me abraçou e disse: "Ainda bem, relaxe um pouco, por favor, você é muito séria para sua idade". E acrescentou, maledicente: "Imagine quantas Lina Cerullo apronta".

À noite, no pântano, falei a Antonio:
"Sempre foi assim, desde quando éramos pequenas: todos acham que ela é a malvada, e eu, a boazinha."
Ele me beijou e murmurou, irônico:
"Por quê? Não é assim?"
Aquela resposta me enterneceu e me impediu de dizer que devíamos nos deixar. Era uma decisão que me parecia urgente, afeto não era amor, e eu amava Nino, sabia que o amaria assim para sempre. Tinha em mente uma conversa serena, queria lhe dizer: foi um período lindo, você me ajudou muito num momento em que eu estava triste, mas agora a escola vai recomeçar e neste ano vou cursar o primeiro ano de liceu, tenho matérias novas, é um período difícil, preciso estudar muito; me desculpe, mas devemos terminar. Sentia que era necessário fazer isso, e toda tarde eu ia ao nosso encontro nos pântanos com minha fala pronta. Mas ele era tão afetuoso, tão apaixonado, que me faltava a coragem e então eu adiava. Veio o Ferragosto, o feriado passou, chegou o fim do mês. Eu me dizia: não se pode beijar, bolinar uma pessoa, se deixar bolinar e ter por ela só um pouco de afeto – Lila ama Stefano muitíssimo, eu, Antonio, não.

O tempo passou e não consegui mais achar o momento certo para lhe dizer essas coisas. Estava preocupado. Com o calor, Melina em geral piorava, mas na segunda metade de agosto a piora foi muito visível. Ela voltara a pensar em Sarratore, que ela chamava de Donato. Dizia que o tinha visto, dizia que tinha vindo buscá-la, os filhos não sabiam o que fazer para acalmá-la. Quanto a mim, temi que Sarratore realmente tivesse aparecido no bairro, e não atrás de Melina, mas de mim. À noite eu acordava sobressaltada, com a impressão de que ele tivesse entrado pela janela e estivesse no quarto. Depois me acalmei, pensei: deve estar de férias em Barano, nos Maronti, e não aqui, com todo este calor, as moscas, a poeira.

Mas numa manhã em que eu estava indo fazer as compras ouvi alguém me chamar. Me virei e à primeira vista não o reconheci. Depois foquei o bigode preto, os traços agradáveis dourados de sol, a boca de lábios finos. Segui em frente, ele veio atrás de mim. Disse que o fizera sofrer ao não me encontrar na casa de Nella, em Barano, naquele verão. Disse que só pensava em mim, que sem mim não poderia viver. Disse que, para dar uma forma ao nosso amor, tinha escrito muitos poemas e que queria lê-los para mim. Disse que queria me ver, falar comigo sem pressa, que se eu me negasse ele se mataria. Então parei e sibilei que me deixasse em paz, que eu estava noiva, que não queria vê-lo nunca mais. Ele se desesperou. Murmurou que me esperaria para sempre, que todo dia, ao meio-dia, estaria no ingresso do túnel da estrada. Sacudi a cabeça energicamente: nunca apareceria por lá. Inclinou-se para me beijar, pulei para trás com um movimento de repulsa, ele deu um sorriso desapontado. Murmurou: "Você é inteligente, é sensível, vou lhe trazer os poemas de que mais gosto", e foi embora.

Eu estava assustadíssima, não sabia o que fazer. Decidi recorrer a Antonio. Naquela mesma noite, no pântano, lhe disse que sua mãe tinha razão, Donato Sarratore estava rondando o bairro. Ele me parara na rua. Pedia que eu dissesse a Melina que a esperaria sempre, todos os dias, na entrada do túnel, ao meio-dia. Antonio ficou soturno, murmurou: "O que eu devo fazer?". Disse que eu mesma o acompanharia ao encontro e que juntos teríamos uma conversa clara com Sarratore sobre o estado de saúde de sua mãe.

Naquela noite não dormi nada, de tanta preocupação. No dia seguinte fomos ao túnel. Antonio estava taciturno, caminhava sem pressa, sentia que carregava um peso que o deixava lento. Uma parte dele estava furiosa, a outra estremecia. Pensei com raiva: foi capaz de enfrentar os Solara por causa de Ada, de Lila, mas agora está intimidado só porque a seus olhos Donato Sarratore é uma pessoa importante, de prestígio. Senti-lo assim me deixou mais determinada, tive vontade de sacudi-lo, de gritar: você não escreveu nenhum livro, mas é muito melhor do que aquele homem. Mas me limitei a lhe dar o braço.

Quando Sarratore nos avistou de longe, tentou sumir depressa no escuro do túnel. Eu o chamei:

"Senhor Sarratore."

Virou-se de má vontade.

Então lhe disse tratando-o por senhor, algo naquela época incomum em nosso meio:

"Não sei se o senhor se lembra de Antonio, o filho mais velho de dona Melina."

Sarratore impostou uma voz aguda, muito afetuosa:

"Claro que me lembro, oi, Antonio."

"Eu e ele somos namorados."

"Ah, muito bem."

"E conversamos muito, agora ele vai explicar."

Antonio entendeu que chegara seu momento e disse palidíssimo, tenso, penando para falar em italiano:

"Estou muito feliz de encontrá-lo, senhor Sarratore, eu não esqueço. Serei sempre grato ao senhor pelo que fez por nós depois da morte de meu pai. Agradeço sobretudo por me ter colocado na oficina do senhor Gorresio, devo ao senhor se aprendi um ofício."

"Fale de sua mãe", exortei-o, nervosa.

Ele se irritou, me fez sinal para ficar calada. Continuou:

"Mas o senhor não mora mais no bairro e não tem clareza da situação. Só de ouvir seu nome, minha mãe perde a cabeça. E, se puser os olhos no senhor, se o vir uma só vez, vai parar no manicômio."

Sarratore se agitou:

"Antonio, meu filho, jamais tive qualquer intenção de fazer mal a sua mãe. Você justamente se lembra de quanto me desdobrei por vocês. E, de fato, sempre quis apenas ajudar a ela e a todos vocês."

"Então, se o senhor quiser continuar ajudando, não a procure, não lhe mande livros, não apareça no bairro."

"Isso você não pode me pedir, não pode me impedir de rever os lugares que me são mais queridos", disse Sarratore com uma voz calorosa, artificialmente comovida.

Aquele tom me indignou. Eu já o conhecia, ele falara assim frequentemente em Barano, na praia dos Maronti. Era uma voz pastosa, aliciante, a voz que ele imaginava própria de um homem de autoridade, que escrevia versos e artigos no *Roma*. Estive a ponto de intervir, mas Antonio, me surpreendendo, se antecipou a mim. Curvou os ombros, enterrou a cabeça e alongou uma mão até o tórax de Donato Sarratore, empurrando-o com seus dedos poderosos. Disse em dialeto:

"Eu não vou impedir. Mas prometo que, se o senhor tirar de minha mãe o pouco de juízo que ela ainda tem, nunca mais vai ter vontade de rever estes lugares de merda."

Sarratore ficou palidíssimo.

"Sim", disse depressa, "entendi, obrigado."

Deu meia-volta e rumou direto para a estação.

Dei o braço a Antonio, orgulhosa de sua reação, mas percebi que ele estava tremendo. Talvez pela primeira vez pensei no que tinha sido para ele, desde menino, a morte do pai, e depois o trabalho, a responsabilidade que recaiu sobre ele, o colapso de sua mãe. Levei-o embora cheia de afeto e me dei mais um prazo: só vou deixá-lo depois do casamento de Lila, me disse.

## 51.

Por muito tempo o bairro recordou aquele casamento. Seus preparativos se entrelaçaram com o lento, elaborado, polêmico nascimento dos calçados Cerullo, e pareciam duas empresas que, por um motivo ou outro, estavam fadadas a não se realizar.

De resto, o casamento interferia consideravelmente na sapataria. Fernando e Rino se esfalfavam não só nos sapatos novos, que por ora não rendiam nada, mas também em mil outros trabalhos imediatamente rentáveis, já que necessitavam com urgência de alguma entrada. Precisavam juntar bastante dinheiro para assegurar a Lila algum enxoval e o coquetel, que fizeram questão absoluta de assumir para não parecer que eram uns miseráveis. A consequência é que a tensão na casa Cerullo foi altíssima durante meses: Nunzia bordava lençóis noite e dia, e Fernando fazia cenas frequentes, lamentando a época feliz em que ele, na biboca em que era rei, colava, costurava e martelava tranquilo, com as tachinhas entre os lábios.

Os únicos que pareciam serenos eram os noivos. Houve apenas dois breves momentos de atrito entre eles. O primeiro estava relacionado com a futura casa. Stefano queria comprar um apartamentinho no bairro novo, já Lila preferia morar em um apartamento nos velhos edifícios. Discutiram. A casa no bairro velho era maior, porém escura e sem vista, como de resto todas as casas daquela zona. O apartamento no bairro novo era menor, mas tinha uma banheira enorme, como nas propagandas de Palmolive, bidê e fachada para o Vesúvio. Foi inútil objetar que, se o Vesúvio era uma silhueta vaga e distante que se apagava no céu nublado, a menos de duzentos metros corriam nítidos os trilhos da ferrovia. Stefano estava seduzido pelo novo, pelos apartamentos de piso lustroso, com paredes branquíssimas, e Lila teve de ceder. O que mais contava é que, antes de completar dezessete anos, seria dona de sua casa, com água quente saindo das torneiras, e não alugada, mas própria.

O segundo motivo de atrito foi a viagem de lua de mel. Stefano propôs ir a Veneza, e Lila, revelando uma tendência que depois marcaria toda sua vida, insistiu em não se afastar muito de Nápoles. Sugeriu uma temporada em Ischia, em Capri, quem sabe na costa amalfitana – lugares em que nunca tinha estado. O futuro marido concordou quase de imediato.

Quanto ao resto, houve tensões mínimas, sobretudo reflexos de problemas internos das respectivas famílias. Por exemplo, se

Stefano visitava a sapataria Cerullo, quando mais tarde encontrava Lila, sempre acabava deixando escapar palavras duras sobre Fernando e Rino, e ela tomava as dores da família e partia em sua defesa. Ele balançava a cabeça pouco convencido, começava a achar a história dos sapatos um investimento excessivo de dinheiro e, no final do verão, quando houve fortes tensões entre ele e os dois Cerullo, impôs um limite severo ao faz e desfaz do pai, do filho e dos ajudantes. Disse que até novembro queria ver os primeiros resultados: pelo menos os modelos de inverno, para homem e mulher, prontos para serem expostos na vitrine antes do Natal. Depois, bastante nervoso, deixou escapar com Lila que Rino era mais rápido em pedir dinheiro que em trabalhar. Ela defendeu o irmão, ele replicou, ela subiu nas tamancas, ele recuou imediatamente. Foi buscar o par de sapatos que tinha originado todo aquele projeto, sapatos comprados e nunca usados, conservados como testemunho preciosíssimo de sua história, e os apalpou, os cheirou, se comoveu falando de como sentia, via e sempre vira neles suas mãozinhas de quase menina, que tinham trabalhado ao lado das manzorras do irmão. Estava no terraço da velha casa, aquela de onde tinham soltado os fogos de artifício em disputa com os Solara. Pegou-lhe os dedos e os beijou um a um, dizendo que nunca mais permitiria que voltassem a se estragar.

A própria Lila me contou aquele gesto de amor, muito feliz. Foi quando me levou para ver a casa nova. Que esplendor: pisos de grandes revestimentos brilhantes, a banheira para imersão na espuma, móveis projetados para a sala de jantar e o quarto de casal, geladeira e até telefone. Anotei o número, emocionada. Tínhamos nascido e crescido em casas pequenas, sem um quarto para nós, sem um local para estudar. Eu ainda vivia assim, ela, em breve, não mais. Fomos até a sacada que dava para a ferrovia e o Vesúvio, perguntei discretamente:

"Você e Stefano vêm aqui sozinhos?"

"Às vezes, sim."
"E o que vocês fazem?"
Ela me olhou como se não entendesse.
"Em que sentido?"
Me envergonhei.
"Vocês se beijam?"
"Às vezes."
"E depois?"
"Depois nada, ainda não estamos casados."
Fiquei confusa. Será possível? Tanta liberdade e nada? Tanta fofoca no bairro, as obscenidades dos Solara, e eles só uns beijos?
"Mas ele não lhe pede?"
"Por quê? Antonio lhe pede?"
"Pede."
"Ele, não. Também acha que antes devemos nos casar."

Ela me pareceu muito surpresa com minhas perguntas, assim como fiquei surpresa com as respostas dela. Então ela não concedia nada a Stefano, mesmo saindo sozinhos de carro, mesmo se já estavam para se casar, mesmo com uma casa já decorada, a cama com os colchões ainda embalados? Já eu, que certamente não me casaria, há tempos tinha ido muito além de um beijo. Quando ela me indagou, com genuína curiosidade, se eu dava a Antonio o que ele me pedia, fiquei com vergonha de dizer a verdade. Respondi que não, e ela pareceu satisfeita.

## 52.

Diminuí os encontros no pântano, até porque a escola já iria recomeçar. Estava certa de que Lila, justamente por causa das aulas, das tarefas, me deixaria fora dos preparativos do casamento, pois já se habituara aos meus sumiços durante o ano letivo. Mas não foi assim. As tensões com Pinuccia tinham aumentado muito durante o verão. Não se tratava mais de vestidos ou chapéus ou echarpes ou de joias. A certa altura Pinuccia disse ao irmão, na presença de Lila e de modo claro, que ou sua noiva começaria a trabalhar na charcutaria, se não logo, pelo menos após a viagem de núpcias – trabalhar como toda a família fizera desde sempre, como até Alfonso sempre fazia quando a escola permitia –, ou ela deixaria de trabalhar. E dessa vez a mãe a defendeu de maneira explícita.

Lila não titubeou, disse que começaria imediatamente, até no dia seguinte, e em qualquer função que a família Carracci quisesse. Aquela resposta, como aliás todas as respostas de Lila, mesmo buscando a conciliação, trazia implícito algo de magnânimo, de desdenhoso, o que fez Pinuccia se enfurecer ainda mais. Ficou muito claro que a filha do sapateiro já era sentida pelas duas mulheres como uma bruxa que viera bancar a patroa, para jogar dinheiro fora sem mover uma palha, para subjugar o macho da casa com suas artimanhas, obrigando-o a fazer enormes injustiças contra seu próprio sangue, vale dizer, contra a irmã carnal e até contra a mãe.

Stefano, como de hábito, não retrucou imediatamente. Esperou a irmã desabafar e então, como se o problema de Lila e sua função no pequeno negócio familiar não tivesse sido sequer mencionado, disse pacatamente que Pinuccia, em vez de trabalhar na charcutaria, faria bem em ajudar a noiva nos preparativos do casamento.

"Não precisa mais de mim?", reagiu a irmã.

"Não: a partir de amanhã vou contratar Ada em seu lugar, a filha de Melina."

"Foi ela quem sugeriu?", gritou a moça indicando Lila.

"Não é da sua conta."

"Ouviu, mãe? Ouviu o que ele disse? Acha que é o chefe absoluto aqui dentro."

Houve um lapso insuportável de silêncio até que Maria se levantou da banqueta atrás do caixa e disse ao filho:

"Então ache outra pessoa para ficar aqui também, porque estou cansada e não quero mais me esgotar".

Naquele momento Stefano cedeu a uma pequena rendição. Disse devagar:

"Vamos nos acalmar, não sou dono de nada, as coisas referentes à loja não dizem respeito somente a mim, mas a todos nós. É preciso tomar uma decisão. Pinu, você precisa trabalhar? Não. Mamãe, você precisa ficar o dia todo sentada ali atrás? Não. Sendo assim, vamos dar trabalho a quem necessita. Vou contratar Ada para o balcão e, para o caixa, penso depois. Senão, quem vai cuidar do casamento?"

Não sei bem se por trás da decisão de tirar Pinuccia e a mãe do dia a dia da loja, se por trás da contratação de Ada, estava de fato Lila (mas Ada logo se convenceu disso, e mais ainda Antonio, que começou a falar de nossa amiga como de uma fada madrinha). Mas com certeza o fato de a cunhada e a mãe terem agora um monte de tempo livre para cuidar do casamento não a ajudou. As duas mulheres complicaram ainda mais sua vida, e por qualquer ninharia surgiam conflitos: os convidados, a decoração da igreja, o fotógrafo, a orquestrinha, o salão de festa, o menu, o bolo, as lembrancinhas, as alianças, até a lua de mel, já que Pinuccia e Maria achavam mixuruca ir a Sorrento, Positano, Ischia e Capri. Assim, de uma hora para outra, fui convocada a participar, aparentemente para ajudar Lila a escolher isso ou aquilo, na prática, para apoiá-la numa batalha difícil.

Eu estava começando o primeiro ano de liceu, tinha muitas matérias novas, difíceis. Minha habitual e teimosa diligência já estava me aniquilando, estudava com dedicação excessiva. Mas uma vez, voltando do colégio, encontrei minha amiga e ela me disse à queima-roupa:

"Por favor, Lenu, você vem amanhã me dar um conselho?"

Eu nem sabia de que ela estava falando. Tinha sido sabatinada em química e não me saíra bem, o que me deixava abatida.

"Um conselho sobre quê?"
"Sobre o vestido de casamento. Por favor, não me diga que não, porque se você não vier vou acabar matando minha cunhada e minha sogra."

Fui. Juntei-me a ela, a Pinuccia e a Maria com grande mal-estar. A loja ficava no Rettifilo, e me lembro de que tinha enfiado alguns livros na bolsa na esperança de achar uma maneira de estudar. Foi impossível. Das quatro da tarde às sete da noite examinamos figurinos, apalpamos tecidos, Lila provou vestidos de noiva expostos nos manequins da loja. Qualquer coisa que vestisse, sua beleza valorizava o vestido, o vestido valorizava sua beleza. Nela ficavam bem a rígida organza, o cetim suave, o tule translúcido. Ficavam bem o corpete de renda, as mangas bufantes. Ficavam bem tanto a saia larga quanto a estreita, a cauda muito longa e a curta, o véu esvoaçante e o contido, a coroinha de *strass*, de pérolas ou de flor de laranjeira. Na maioria das vezes, obediente, ela analisava figurinos ou provava vestidos que ficavam bem nos manequins. Mas às vezes, quando não aguentava mais a atitude irritante de suas futuras parentes, se insurgia a Lila de antigamente, que me fixava diretamente nos olhos e dizia irônica, alarmando sogra e cunhada: "E se escolhermos uma bela renda verde ou uma organza vermelha ou um belo tule preto ou, melhor ainda, amarelo?". Eu precisava dar uma risadinha para mostrar que a noiva estava brincando, e depois voltávamos a ponderar com seriedade ácida os tecidos e modelos. A modista só fazia repetir, entusiasta: "Por favor, qualquer coisa que escolham, tragam-me as fotos do casamento que eu quero expô-las aqui na vitrine, assim poderei dizer: quem vestiu essa garota fui eu".

Mas o problema era escolher. Toda vez que Lila se mostrava propensa a um modelo, a um tecido, Pinuccia e Maria se alinhavam a favor de outro modelo, de outro tecido. Eu me mantive sempre calada, meio entorpecida por aquelas discussões e também pelo cheiro dos tecidos novos. Depois Lila me perguntou carrancuda:

"O que você acha, Lenu?".
Fez-se silêncio. Percebi imediatamente, com certo espanto, que as duas mulheres esperavam por aquele momento e o temiam. Pus em ação uma técnica que aprendera na escola e que consistia nisto: todas as vezes que eu não sabia responder a uma questão, exagerava nas premissas com a voz segura de quem sabe claramente aonde quer chegar. Antes de tudo disse – em italiano – que apreciava muito os modelos escolhidos por Pinuccia e a mãe. Não apresentei propriamente elogios, mas argumentos que demonstravam quanto eles eram adequados às formas de Lila. No momento em que, como na aula com os professores, senti que contava com a admiração e a simpatia de mãe e filha, escolhi um dos figurinos ao acaso, realmente ao acaso, mas atenta a não pegar um dos escolhidos por Lila, e passei a demonstrar que continham, em síntese, tanto as qualidades dos modelos defendidos pelas duas mulheres, quanto as qualidades dos modelos defendidos por minha amiga. A modista, Pinuccia e a mãe imediatamente concordaram comigo. Lila se limitou a me olhar com os olhos apertados. Depois recuperou a expressão habitual e se disse também de acordo.

Na saída da loja, tanto Maria quanto Pinuccia estavam de ótimo humor. Dirigiam-se a Lila quase com afeto e, comentando a compra do vestido, me citavam continuamente com frases do tipo "como disse Lenuccia" ou então "Lenuccia justamente disse que". Lila deu um jeito de ficar um pouco atrás, em meio à multidão noturna do Rettifilo. Então me perguntou:
"É isso que você aprende no colégio?"
"O quê?"
"Usar as palavras para enganar as pessoas."
Me senti ferida e murmurei:
"Você não gosta do modelo que escolhemos?"
"Gosto muitíssimo."
"E então?"

"Então me faça o favor de vir sempre com a gente toda vez que eu pedir."

Fiquei irritada e respondi:

"Você quer me usar para enganá-las?"

Ela percebeu que eu estava ofendida e apertou forte minha mão: "Não quis lhe dizer uma coisa ruim. Queria apenas dizer que você é ótima em atrair o amor das pessoas. A diferença entre mim e você, desde sempre, é que de mim as pessoas têm medo, de você, não."

"Talvez porque você seja cruel", eu disse cada vez mais irritada.

"Pode ser", respondeu, e percebi que a magoara assim como ela me havia magoado. Então, arrependida, acrescentei logo para remediar:

"Antonio até morreria por você: pediu que lhe agradecesse pelo trabalho que conseguiu para a irmã."

"Foi Stefano quem deu o trabalho a Ada", replicou. "Eu sou cruel."

53.

Desde aquele momento fui chamada frequentemente a participar das escolhas mais acirradas, e às vezes – como descobri – a pedido não de Lila, mas de Pinuccia e da mãe. De fato fui eu que escolhi as lembrancinhas. De fato escolhi o restaurante na rua Orazio. De fato escolhi o fotógrafo, convencendo-as a acrescentar ao serviço fotográfico um filminho em super-oito. Em cada circunstância me dei conta de que, ao passo que eu me entusiasmava por tudo, como se cada uma daquelas questões fosse um treinamento para quando viesse a vez de eu me casar, Lila dava pouquíssima atenção às etapas de seu casamento. Fiquei espantada com isso, mas era precisamente assim. O que realmente a preocupava era estabelecer de uma vez por todas que, em sua futura vida de esposa e de mãe, em sua casa, a cunhada e a sogra não meteriam o bico. Mas não se tratava do costumeiro conflito entre sogra, nora e cunhada. Tive a impressão – pelo modo como me usava, como manipulava Stefano – que se debatia para achar, dentro da gaiola em que se fechara, uma maneira de ser toda sua, mas que ainda lhe era obscura.

Obviamente eu perdia tardes inteiras dirimindo suas questões, estudava pouco e em duas ocasiões nem fui à escola. A consequência é que o boletim do primeiro trimestre não foi particularmente brilhante. Minha nova professora de latim e grego, a estimadíssima Galiani, me levava na palma da mão, mas em filosofia, química e matemática consegui apenas alcançar a média. Além disso, certa manhã me meti num grande apuro. Como o professor de religião fazia contínuas filípicas contra os comunistas, contra seu ateísmo, me senti impelida a reagir, não sei bem se movida por meu afeto a Pasquale, que desde sempre se declarara comunista, ou simplesmente porque percebi que todo o mal que o padre falava dos comunistas dizia respeito diretamente a mim, que era o xodó da comunista por excelência, a professora Galiani. O fato é que levantei a mão e disse – eu, que fizera com sucesso um curso de teologia por correspondência – que a condição humana era tão evidentemente exposta à fúria cega do acaso que confiar em um Deus, em Jesus, no Espírito Santo – este último uma entidade de todo supérflua, estava ali somente para compor uma trindade, notoriamente mais nobre que o simples binômio pai-filho – era o mesmo que colecionar figurinhas enquanto a cidade queima no fogo do inferno. Alfonso logo percebeu que eu estava me excedendo e timidamente me puxou pelo uniforme, mas não lhe dei bola e continuei até o final, até aquela comparação conclusiva. Pela primeira vez fui expulsa da sala e recebi uma nota de repúdio no registro de classe.

Assim que me vi no corredor, primeiro me senti desorientada – o que tinha acontecido, por que me comportara de modo tão imprudente, de onde me viera a convicção absoluta de que as coisas que eu estava dizendo eram justas e deviam ser ditas? –, depois lembrei que tivera aquelas mesmas conversas com Lila e me dei conta de que me metera naquela cilada só porque, apesar de tudo, continuava atribuindo a ela autoridade suficiente para me dar a força de desafiar meu professor de religião. Lila não abria mais um livro, não estudava mais, estava prestes a se tornar esposa de um salsicheiro, provavelmente terminaria no caixa da loja em lugar da mãe de Stefano – e eu? Tinha buscado nela a energia para inventar uma imagem que definia a religião como uma coleção de figurinhas, enquanto a cidade queima no fogo do inferno? Então não era verdade que a escola era uma riqueza pessoal minha, já distante de sua órbita de influência? Derramei lágrimas em silêncio diante da porta da sala.

Mas as coisas mudaram inesperadamente. Ao fundo do corredor apareceu Nino Sarratore. Depois do novo encontro com seu pai, com maior razão eu me comportava como se ele não existisse, mas vê-lo naquele momento difícil me reanimou, e enxuguei as lágrimas depressa. De todo modo ele deve ter notado que algo não estava bem e veio em minha direção. Estava maior, tinha o pomo de adão muito saliente, os traços marcados por uma barba azulada, um olhar mais firme. Impossível evitá-lo. Não podia entrar de novo na sala, não podia me afastar rumo aos banheiros, ambas as atitudes complicariam ainda mais minha situação, caso o professor de religião aparecesse. Fiquei ali e, quando ele parou em minha frente e me perguntou por que eu estava do lado de fora, o que tinha acontecido, eu contei tudo. Ele franziu o cenho e disse: "Volto logo". Foi e voltou em poucos minutos, acompanhado da professora Galiani.

Galiani me cobriu de elogios. "Mas agora", disse, como se estivesse dando uma aula a mim e a Nino, "depois do ataque preciso, é tempo de mediar." Bateu na porta de minha sala, fechou-a atrás de si e, cinco minutos depois, reabriu-a com a expressão alegre. Eu podia entrar, contanto que me desculpasse com o professor por meu tom demasiado agressivo. Então me desculpei, oscilando entre a ansiedade por prováveis retaliações e o orgulho pelo apoio que recebera de Nino e de Galiani.

Não disse nada sobre o assunto a meus pais, mas contei tudo a Antonio, que orgulhosamente narrou o caso a Pasquale, que por sua vez topou certa manhã com Lila e, vencido pela emoção, já que ainda a amava, sem saber o que lhe dizer, se agarrou a minha história como a um salva-vidas e a relatou tudo a ela. Assim, num piscar de olhos, me tornei a heroína seja dos meus amigos de sempre, seja do disperso mas aguerridíssimo grupo de professores e estudantes que se batiam contra as pregações do professor de religião. Entretanto, como eu percebera que minhas desculpas ao padre não tinham sido suficientes, me esforcei para recuperar meu crédito com ele e com os professores que partilhavam suas opiniões. Sem esforço soube separar minhas palavras de mim: com todos os professores que se mostraram hostis fui muito respeitosa, solícita, diligente, colaborativa, tanto que logo voltaram a me considerar uma jovenzinha a quem podiam perdoar certas afirmações bizarras. Assim descobri que eu sabia fazer como a Galiani: expor com firmeza minhas opiniões e simultaneamente fazer mediações, conquistando o apreço de todos com um comportamento irrepreensível. Passados poucos dias, tive a impressão de ter voltado, ao lado de Nino Sarratore – que estava no terceiro ano do liceu e naquele ano faria o exame de maturidade –, ao topo da lista de alunos mais promissores de nosso desfalcado liceu.

Mas a coisa não terminou ali. Algumas semanas depois Nino me pediu sem preâmbulos, com seu ar impertinente, que escrevesse o mais rápido possível meia página de caderno relatando minha polêmica com o padre.

"E para quê?"

Ele me disse que colaborava com uma revistinha chamada *Nápoles Albergue dos Pobres*. Tinha contado o episódio na redação e lhe disseram que, se eu fizesse um relato a tempo, podiam tentar inseri-lo no próximo número. Mostrou-me a revista. Era um fascículo de umas cinquenta páginas, de um cinza sujo. Ele aparecia no índice, nome e sobrenome, com um artigo intitulado "As cifras da miséria". Veio a minha mente o pai dele, a satisfação, a vaidade com que tinha lido para mim o artigo impresso no *Roma*.

"Você também escreve poesia?", perguntei.

Negou com ênfase tão contrariada que lhe prometi imediatamente:

"Tudo bem, vou tentar".

Voltei para casa agitadíssima. Já sentia a cabeça fervilhando das frases que escreveria e, na rua, conversei com Alfonso detalhadamente sobre o assunto. Ele ficou ansioso por mim, me implorou que não escrevesse nada.

"Vão assinar com seu nome?"

"Sim."

"Lenu, o padre vai ficar furioso de novo e vai reprová-la; e ainda vai influenciar a de química e o de matemática."

Ele me passou sua ansiedade, e eu perdi a confiança. Porém, assim que nos deixamos, a ideia de logo poder mostrar a revista, meu artiguinho, meu nome impresso a Lila, a meus pais, à professora Oliviero, ao professor Ferraro tornou a prevalecer. Depois eu remediaria. Tinha sido muito excitante receber os aplausos dos que eu considerava os melhores (Galiani, Nino), alinhando-me contra os que me pareciam os piores (o padre, a professora de química, o de matemática), mas enquanto isso me comportaria com os adversários de modo a não perder sua simpatia e estima. Ou seja, me esforçaria para que a coisa se repetisse após a saída do artigo.

Passei a tarde escrevendo e reescrevendo. Encontrei frases sintéticas e densas. Tentei conferir à minha posição o máximo de dignidade teórica recorrendo a palavras difíceis. Escrevi: "Se Deus está presente em toda a parte, que necessidade teria de propagar-se por meio do Espírito Santo?'". Mas a meia página logo se esgotava, só com a premissa. E o resto? Recomeçava. E, como tinha sido treinada desde a escola fundamental a tentar e tentar com teimosia, ao final cheguei a um resultado apreciável e passei a estudar as lições do dia seguinte.

Mas em meia hora as dúvidas voltaram, e senti a necessidade de confirmações. A quem eu poderia mostrar meu texto para ter uma opinião? A minha mãe? Aos meus irmãos? A Antonio? Não, obviamente: a única era Lila. Mas recorrer a ela significava continuar lhe atribuindo uma autoridade, quando de fato, agora, era eu que sabia mais que ela. Assim, de início resisti à ideia. Temi que liquidasse minha meia página com uma frasezinha depreciadora. Temi ainda mais que aquela frasezinha ficasse de algum modo remoendo em minha cabeça, impelindo-me a pensamentos excessivos, os quais eu acabaria transcrevendo em minha meia página, arruinando-lhe o equilíbrio. Apesar de tudo, cedi e corri até ela, esperando encontrá-la. Estava na casa dos pais. Falei sobre a proposta de Nino e lhe passei o caderno.

Olhou a página sem vontade, como se a escrita lhe ferisse os olhos. Então me perguntou, exatamente como Alfonso:

"Vão pôr seu nome?"

Fiz sinal que sim.

"Elena Greco?"

"Sim."

Me estendeu o caderno:

"Não sou capaz de lhe dizer se é bom ou não."

"Por favor."

"Não, não sou capaz."

Precisei insistir. Acrescentei, mesmo sabendo que não era verdade, que se ela não gostasse do texto, ou se simplesmente se recusasse a lê-lo, não o daria a Nino para publicá-lo.

Enfim ela leu. Pareceu-me contrair-se inteira, como se lhe tivesse arremessado um peso. E tive a impressão de que estava fazendo um esforço imenso para libertar do fundo de si a velha Lila, aquela que lia, escrevia, desenhava, projetava com a prontidão e a naturalidade de uma reação instintiva. Quando afinal conseguiu, tudo pareceu prazerosamente leve.

"Posso rasurar?"
"Pode."
Cancelou muitas palavras e uma frase inteira.
"Posso deslocar uma coisa?"
"Pode."
Circulou um período e o deslocou com uma linha ondulada em cima da folha.
"Posso transcrever tudo em outra folha?"
"Pode deixar que eu faço isso."
"Não, deixe que eu faço."
Ficou um tempo copiando. Quando me devolveu o caderno, disse:
"Você é boa mesmo, por isso lhe dão sempre dez."
Senti que não havia ironia, que era um elogio verdadeiro. Depois acrescentou com repentina dureza:
"Não quero ler mais nada do que você escreve."
"Por quê?"
Pensou um pouco.
"Porque me faz mal", e bateu no centro da cabeça com os dedos, morrendo de rir.

## 54.

Voltei feliz para casa. Tranquei-me no banheiro para não perturbar o resto da família e estudei até umas três da madrugada, quando finalmente fui dormir. Levantei às seis e meia para recopiar o texto. Mas antes o li na bela grafia redonda de Lila, uma grafia que se manteve a mesma desde a escola fundamental, já muito diferente da minha, que se reduzira e simplificara. Na página havia exatamente o que eu tinha escrito, mas mais límpido, mais imediato. As rasuras, os deslocamentos, os pequenos acréscimos e, de algum modo, sua própria caligrafia me deram a impressão de que eu tivesse escapado de mim e agora corresse cem passos mais adiante, com uma energia e ao mesmo tempo uma harmonia que a pessoa que ficara para trás não sabia que tinha.

Decidi deixar o texto na grafia de Lila. Entreguei-o a Nino daquele modo, para preservar o traço visível da presença dela dentro de minhas palavras. Ele leu piscando várias vezes os longos cílios. Ao final, disse com uma inesperada e repentina tristeza:

"Galiani tem razão."

"Em quê?"

"Você escreve melhor que eu."

E, embora eu protestasse embaraçada, ele repetiu a frase uma segunda vez, depois virou as costas sem se despedir e foi embora. Não me disse nem mesmo quando a revista sairia ou como poderia consegui-la, nem tive a coragem de perguntar a ele. Foi um comportamento que me aborreceu. Tanto mais que, enquanto se afastava, por poucos segundos reconheci o jeito de andar do pai.

Terminou assim nosso novo encontro. Erramos em tudo mais uma vez. Durante dias Nino continuou se comportando como se escrever melhor que ele fosse uma culpa a ser expiada. Eu me irritei. Quando de repente voltou a me conferir corpo, vida, presença, e me perguntou se podíamos fazer juntos um trecho do caminho, lhe respondi fria que eu já tinha um compromisso, meu namorado viria me buscar.

Por um tempo deve ter achado que o namorado era Alfonso, mas a dúvida se dissipou quando uma vez, na saída, sua irmã Marisa apareceu, pois precisava lhe falar não sei o quê. Não nos víamos desde os tempos de Ischia. Correu para me abraçar, fez muita festa, me disse que ficara triste por eu não ter voltado a Barano naquele verão. Como eu estava acompanhada de Alfonso, o apresentei a ela. Como o irmão já tinha ido embora, ela insistiu em nos acompanhar por um trecho do caminho. Primeiro nos contou, com aquele modo vivaz de sempre, todas suas dores de amor. Depois, quando se deu conta de que eu e Alfonso não éramos namorados, parou de falar comigo e começou a conversar com ele daquele seu jeito cativante. Ao voltar para casa, na certa contou ao irmão que entre mim e Alfonso não havia nada, porque já no dia seguinte ele prontamente voltou a me cercar. Mas agora eu me irritava só de olhar para ele. Seria presunçoso como o pai, apesar de detestá-lo? Achava que os outros deviam necessariamente desejá-lo, amá-lo? Era tão cheio de si a ponto de não tolerar outras virtudes que não as próprias?

Pedi a Antonio que viesse me buscar no colégio. Ele me obedeceu logo, desconcertado e ao mesmo tempo agradecido por aquele pedido. O que mais o surpreendeu deve ter sido que ali em público, diante de todos, eu peguei a mão dele e enlacei meus dedos nos seus. Sempre me recusara a passear daquele modo, tanto no bairro quanto fora dele, porque ainda me achava uma menina e me dava a impressão de estar passeando com meu pai. Mas daquela vez o fiz. Sabia que Nino nos olhava e quis que entendesse quem eu era. Escrevia melhor do que ele, publicaria na revista em que ele publicava, era boa na escola tanto ou mais que ele, tinha um homem – e por isso nunca correria atrás dele feito uma cadelinha fiel.

## 55.

Também pedi a Antonio que me acompanhasse no casamento de Lila, que nunca me deixasse sozinha, que conversasse e, se fosse o caso, dançasse sempre comigo. Temia muito aquele dia, era como se fosse um corte definitivo, e queria alguém a meu lado para me sustentar.

Aquele pedido deve ter complicado ainda mais sua vida. Lila tinha enviado os convites a todos. Nas casas do bairro, as mães e as avós já trabalhavam há tempos costurando vestidos, procurando chapeuzinhos e bolsinhas, buscando nas lojas os presentes de casamento, sei lá, um serviço de copos, de pratos, de talheres. Não era tanto por Lila que faziam aquele esforço: era por Stefano, que era muito bondoso e nos permitia pagar as compras no fim do mês. Mas um casamento era acima de tudo uma circunstância em que ninguém podia fazer feio, especialmente as garotas sem namorado, que naquela ocasião tinham a possibilidade de encontrar um e se arranjar, casando-se por sua vez dali a uns anos.

Justamente por esse último motivo eu quis que Antonio me acompanhasse. Não tinha nenhuma intenção de oficializar a coisa – tínhamos o cuidado de preservar nossa relação absolutamente secreta –, mas tendia a manter sob controle a ansiedade de me mostrar atraente. Queria, naquela ocasião, me sentir digna, tranquila, com meus óculos, meu vestido pobre costurado por minha mãe, os sapatos velhos, e no entanto pensar: tenho tudo o que uma jovem de dezesseis anos deve ter, não me falta nada nem ninguém.

Mas Antonio não tomou aquilo do mesmo modo. Amava-me, considerava-me a maior sorte que lhe acontecera na vida. Perguntava-se várias vezes, em voz alta, com um fio de angústia esticado sob a aparência divertida, como é que eu tinha escolhido logo ele, que era um bronco e não sabia falar uma frase inteira. Na verdade não via a hora de se apresentar na casa de meus pais para oficializar nossa relação. Consequentemente, com aquele meu pedido deve ter pensado que finalmente eu estava me decidindo a tirá-lo da clandestinidade, e se endividou para fazer um terno no alfaiate, sem contar que já lhe pesavam o presente de casamento, as roupas de Ada e dos outros irmãos, uma aparência apresentável para Melina.

Não me dei conta de nada. Segui adiante entre a escola, as consultas urgentes sempre que a situação entre Lila, a cunhada e a

sogra se complicava, a agradável ansiedade pelo artigozinho que podia ver publicado a qualquer momento. Estava secretamente convencida de que eu só existiria de fato a partir do momento em que minha assinatura aparecesse impressa, Elena Greco, e vivia esperando aquele dia sem dar muita atenção a Antonio, que teimara em completar seu traje para o casamento com um par de sapatos Cerullo. De vez em quando me perguntava: "Você sabe em que ponto estão?". E eu respondia: "Pergunte a Rino, Lina não sabe de nada".
 E era verdade. Em novembro os Cerullo convocaram Stefano sem se preocupar minimamente em antes mostrar os sapatos a Lila, que no entanto ainda morava na casa deles. Mas Stefano se apresentou de propósito acompanhado da noiva e de Pinuccia, os três parecendo saídos da tela da tevê. Lila me disse que, quando viu materializados os sapatos que ela desenhara anos antes, sentiu uma emoção fortíssima, como se uma fada tivesse surgido e realizado um desejo seu. Os sapatos eram justamente como os imaginara naquela época. Pinuccia também ficou de queixo caído. Quis provar um modelo de que gostava e fez muitos cumprimentos a Rino, dando a entender que o considerava o verdadeiro artífice daquelas obras-primas de leveza e robustez, de harmonia dissonante. O único que se mostrou insatisfeito foi Stefano. Interrompeu os elogios rasgados que Lila fazia ao irmão, ao pai e aos ajudantes, silenciou a voz melosa de Pinuccia, que se congratulava com Rino erguendo um tornozelo para lhe mostrar o pé extraordinariamente calçado, e modelo atrás de modelo criticou as modificações feitas nos desenhos originais. Implicou sobretudo na comparação entre o sapato masculino tal como tinha sido feito por Rino e Lila, às escondidas de Fernando, e o mesmo sapato tal como o tinham fabricado pai e filho. "O que é esta franja? O que são estas costuras? E esta fivelinha dourada?", perguntou irritado. E, conquanto Fernando explicasse as modificações por motivo de solidez, ou para camuflar algum defeito de projeto, Stefano se mostrou irredutível. Disse que

tinha investido muito dinheiro não para obter sapatos quaisquer, mas sapatos precisamente idênticos aos de Lila.

Houve muita tensão. Lila brandamente tomou partido do pai, disse ao noivo que não se importasse: seus desenhos eram fantasias de menina, e as modificações, aliás nem tão relevantes, eram certamente necessárias. Mas Rino apoiou Stefano, e a discussão prosseguiu por muito tempo. Só se interrompeu quando Fernando, consumido de cansaço, sentou-se num canto e, olhando os quadrinhos pendurados na parede, disse:

"Se quiserem os sapatos para o Natal, fiquem com estes. Se quiserem idênticos aos que minha filha desenhou, deem para outro fazer."

Então Stefano cedeu, e Rino também.

No Natal os sapatos foram expostos na vitrine, uma vitrine com um cometa feito de chumaços de algodão. Passei para vê-los: eram objetos elegantes, acuradamente acabados; só de olhá-los davam uma impressão de opulência que contrastava com a vitrine pobre, com a paisagem desolada de fora, com o interior da sapataria, cheio de tiras de pele, couros, bancos, sovelas, moldes de madeira e caixas de sapato empilhadas até o teto, à espera de clientes. Mesmo com as modificações introduzidas por Fernando, eram os calçados de nossos sonhos infantis, não pensados para a realidade do bairro.

De fato, no Natal, não se vendeu um par sequer. Só Antonio se apresentou, pediu um número 44 a Rino, experimentou. Depois me disse o prazer que sentiu ao se ver tão bem calçado, se imaginando comigo no casamento, trajando a roupa nova, aqueles sapatos nos pés. Mas não deu em nada. Quando perguntou o preço e Rino lhe respondeu, ficou boquiaberto: "Tá maluco?". E quando Rino lhe disse: "Posso fazer a prestações mensais para você", ele respondeu rindo: "Então prefiro comprar uma lambreta".

## 56.

Tomada pelo casamento, a princípio Lila não percebeu que o irmão, até aquele momento alegre e divertido, apesar de extenuado pelo cansaço, estava voltando a ficar sombrio, a dormir mal, a enfurecer--se por nada. "É como uma criança", disse quase a justificá-lo para Pinuccia por certos rompantes, "muda de humor segundo seus caprichos são atendidos imediatamente ou não, não sabe esperar." Assim como Fernando, ela não sentiu minimamente a falta de vendas dos sapatos no Natal como um fiasco. A fabricação dos calçados não tinha seguido nenhum plano específico: nascidos da vontade de Stefano de ver concretizado o estro puríssimo de Lila, havia sapatos pesados, leves, que cobriam quase todas as estações. E isso não era ruim. Nas caixas brancas empilhadas na sapataria Cerullo havia uma razoável variedade. Bastava esperar o inverno, a primavera, o outono, e os sapatos venderiam.

Mas Rino ficou cada vez mais agitado. Depois do Natal, por iniciativa própria, foi até o dono da poeirenta loja de calçados no fundo da estrada e, mesmo sabendo que o homem estava de pés e mãos atados aos Solara, lhe propôs expor alguns sapatos Cerullo em sua vitrine, sem compromisso, só para ver como iam. O homem respondeu educadamente que não, que aquele produto não era adequado a sua clientela. Rino levou a mal e ambos trocaram palavras pesadas, como depois se soube em todo o bairro. Fernando ficou furioso com o filho, Rino se rebelou, e Lila voltou a sentir o irmão como um elemento de desordem, uma manifestação das forças destrutivas que a tinham assustado. Quando saíam os quatro, Lila notava apreensiva que o irmão agia de modo que ela e Pinuccia andassem uns cinco passos à frente, enquanto atrás ele discutia com Stefano. Em geral o salsicheiro o escutava sem dar sinal de aborrecimento. Só uma vez Lila o ouviu dizer:

"Desculpe, Rino, mas você acha que eu coloquei tanto dinheiro assim na sapataria, a fundo perdido, só por amor à sua irmã? Fizemos os sapatos, eles são bonitos, agora temos de vendê-los. O problema é que precisamos achar o lugar certo."

Aquele "só por amor à sua irmã" não lhe agradou. Mas deixou passar, porque de fato aquelas palavras surtiram um bom efeito em Rino, que se apaziguou e começou a bancar o estrategista das vendas, principalmente com Pinuccia. Dizia que era preciso pensar grande. Por que tantas iniciativas boas tinham falido? Por que a oficina de Gorresio precisara renunciar aos ciclomotores? Por que o armarinho só durara seis meses? Por que eram empreendimentos de curto fôlego? Os sapatos Cerullo, ao contrário, partiriam rapidamente do mercado do bairro e se firmariam em praças mais ricas.

Enquanto isso a data do casamento se aproximava. Lila corria para provar o vestido de noiva, dava os últimos retoques na futura casa e dava combate a Pinuccia e Maria, que, entre outras coisas, mal toleravam as intromissões de Nunzia. À medida que o dia 12 de março se aproximava, as tensões iam aumentando. Mas não foi dali que chegaram golpes capazes de abrir rachaduras. Foram dois acontecimentos em especial, um após o outro, que feriram Lila profundamente.

Numa tarde gélida de fevereiro ela me perguntou, de uma hora pra outra, se eu poderia acompanhá-la até a professora Oliviero. Nunca havia manifestado nenhum interesse por ela, nenhum afeto, nenhuma gratidão. Agora, no entanto, sentia a necessidade de levar-lhe pessoalmente o convite. Como no passado eu nunca tinha mencionado o tom hostil que a professora demonstrara várias vezes a seu respeito, não me pareceu o caso de lhe contar o fato agora, mesmo porque recentemente Oliviero me parecera menos agressiva, mais tendente à melancolia, e talvez a acolhesse bem.

Lila se vestiu com extremo esmero. Fomos a pé até o edifício onde a professora morava, a dois passos da paróquia. Enquanto subíamos, me dei conta de que ela estava muito ansiosa. Eu estava habituada

àquele percurso, àquelas escadas, mas ela não, e não disse uma palavra. Girei a chave da campainha, escutei o passo arrastado de Oliviero.
"Quem é?"
"Greco."
Abriu. Trazia nos ombros um xale violeta e metade do rosto envolvido numa echarpe. Lila imediatamente sorriu para ela e disse:
"Mestra, se lembra de mim?"
Oliviero a fixou como fazia na escola quando Lila a incomodava, depois se dirigiu a mim falando com certa dificuldade, como se tivesse a boca cheia:
"Quem é? Não a conheço."
Lila se atrapalhou e disse depressa, em italiano:
"Sou Cerullo. Vim lhe trazer o convite, vou me casar. E ficaria muito contente se a senhora viesse a meu matrimônio."
A professora se dirigiu a mim e disse:
"Cerullo eu conheço, esta aqui não sei quem é."
E bateu a porta em nossa cara.

Ficamos paradas no patamar da escada por alguns segundos, depois lhe rocei a mão para confortá-la. Ela se retraiu, meteu o convite por baixo da porta e desceu as escadas. Na rua falou sem parar de todas as amolações burocráticas na prefeitura e na paróquia, e de como meu pai se revelara útil.

A outra ferida, talvez bem mais profunda, partira inesperadamente de Stefano e da história dos sapatos. Há tempos tinha sido acertado que o padrinho de casamento seria um parente de Maria que emigrara para Florença depois da guerra e ali abrira um pequeno comércio de antiguidades de várias procedências, sobretudo objetos de metal. Esse parente tinha se casado com uma florentina, e ele mesmo adotara o sotaque local. Por causa de sua pronúncia, gozava de certo prestígio na família, razão pela qual tinha sido o padrinho de crisma de Stefano. Entretanto, sem mais nem por quê, o futuro esposo mudou de ideia.

A princípio Lila me falou sobre isso como de um sinal de nervosismo de última hora. Para ela, que o padrinho fosse esse ou aquele era de todo indiferente, o essencial era decidir-se. Mas por uns dias Stefano só lhe deu respostas vagas, confusas, não era possível saber quem substituiria o casal florentino. Depois, a menos de uma semana do casamento, a verdade veio à tona. Stefano lhe comunicou como fato consumado, sem nenhuma justificativa, que o padrinho de casamento seria Silvio Solara, o pai de Marcello e Michele.

Lila, que até aquele momento nem sequer levara em consideração a possibilidade de que um parente mesmo distante de Marcello Solara estivesse presente em *seu* casamento, voltou a ser por alguns dias a garotinha que eu conhecia bem. Cobriu Stefano de insultos os mais vulgares, disse que não queria vê-lo nunca mais. Fechou-se na casa dos pais, deixou de providenciar qualquer coisa, não foi à última prova do vestido de noiva, não fez nada de nada que tivesse a ver com o casamento iminente.

Começou a procissão dos parentes. Primeiro veio sua mãe, Nunzia, que lhe falou dolorosamente sobre o bem da família. Depois veio Fernando, grosseiro, e lhe disse que não bancasse a menina: para qualquer um que quisesse ter um futuro no bairro, ter Silvio Solara por padrinho era obrigatório. Por fim veio Rino, que lhe explicou a situação com um tom muito agressivo e o ar de homem de negócios que só se preocupa com o lucro: Solara pai era como um banco e, acima de tudo, era o canal para colocar nas lojas os sapatos da marca Cerullo. "O que você quer fazer?", gritou-lhe com os olhos injetados e rajados de sangue, "quer arruinar a mim e a toda a família, todo o esforço que fizemos até agora?". Até Pinuccia apareceu logo em seguida, dizendo com um tom meio fingido que ela também teria tido muito prazer em ter como padrinho de casamento o comerciante de metais de Florença, mas era preciso ter cabeça, não se podia jogar pelos ares um casamento e destruir um amor por uma questão de tão pouca importância.

Passou um dia e uma noite. Nunzia ficou muda num canto, sem se mover, sem fazer nada em casa, sem sequer ir dormir. Então escapuliu escondida da filha e veio me chamar para que eu falasse com Lila e lhe desse um bom conselho. Fiquei lisonjeada, pensei um bom tempo em que estratégia adotar. Estava em jogo um casamento, uma coisa prática, articuladíssima, sobrecarregada de afetos e de interesses. Aquilo me assustou. Eu, que já sabia ser capaz de atacar publicamente o Espírito Santo, desafiando a autoridade do professor de religião, excluía que, se me visse no lugar de Lila, teria tido a coragem de mandar tudo pelos ares. Mas ela sim, ela seria capaz disso, ainda que o casamento estivesse a um passo da celebração. O que fazer? Sentia que me bastaria um nada para empurrá-la por aquela estrada, e que fazer isso me daria um grande prazer. Lá no fundo era o que eu realmente queria: reconduzi-la à Lila pálida, o rabo de cavalo, os olhos apertados de rapina, roupas baratas no corpo. Nada daquela pose, daquele jeito de Jacqueline Kennedy de bairro.

Mas, por desgraça dela e minha, me pareceu uma ação mesquinha. Pensando em fazer-lhe o bem, não quis restituí-la à esqualidez da casa Cerullo e assim me fixei numa única ideia, e não soube fazer outra coisa senão dizê-la e repeti-la com gentileza persuasiva: Lila, Silvio Solara não é Marcello nem Michele; é um erro fazer confusões, você sabe isso melhor do que eu, você mesma o disse em outras ocasiões. Não foi ele que puxou Ada para dentro do carro, não foi ele que atirou em nós na noite de Ano-Novo, não foi ele que se instalou à força em sua casa, não foi ele que disse aquelas coisas horríveis sobre você; Silvio vai ser o padrinho de casamento e vai dar uma mão a Rino e a Stefano no comércio dos sapatos, só isso; não terá nenhum peso em sua vida futura. Embaralhei as cartas que àquela altura já conhecia bastante bem. Falei do antes e do depois, da velha geração e da nossa, de como nós éramos diferentes, de como ela e Stefano eram diferentes. E esse último argumento abriu

uma brecha, seduziu-a, insisti nele com muita paixão. Ela ficou me ouvindo em silêncio, evidentemente queria ser ajudada, apaziguar-se, e pouco a pouco se apaziguou. Mas li em seus olhos que aquele movimento de Stefano lhe revelara algo a respeito dele que ainda não conseguia enxergar com clareza, e justamente por isso estava mais assustada ainda que com as ansiedades de Rino. Disse-me:
"Talvez não seja verdade que gosta de mim."
"Como que não gosta de você? Ele faz tudo o que você quer."
"Só quando não ponho em risco de verdade o dinheiro dele", disse, com um tom de desprezo que nunca havia usado para Stefano Carracci.

De todo modo voltou a circular. Não se fez ver na charcutaria, não foi à casa nova, enfim, não foi ela quem buscou a reconciliação. Esperou que Stefano lhe dissesse: "Obrigado, eu te amo muito, você sabe que há coisas que somos obrigados a fazer". Só então deixou que ele se aproximasse por trás e lhe beijasse a nuca. Mas depois se virou de repente e, olhando-o direto nos olhos, disse:
"Em meu casamento Marcello Solara não pode absolutamente pôr os pés."
"E como vou fazer?"
"Não sei, mas você precisa jurar isso para mim."
Ele bufou e disse, rindo:
"Está bem, Lila, eu juro."


57.

Chegou o dia 12 de março, um dia ameno, já de primavera. Lila quis que eu fosse cedo à sua velha casa, que a ajudasse a se lavar, se pentear, se vestir. Mandou a mãe embora, e ficamos sozinhas. Sentou-se na beira da cama de calcinha e sutiã. Ao lado estava o vestido de noiva, que parecia o corpo de uma morta; na frente, sobre o pavimento em hexágonos, estava a bacia de cobre cheia de água fumegante. Me perguntou à queima-roupa:

"Você acha que estou cometendo um erro?"

"Em quê?"

"Em me casar."

"Você ainda está pensando na história do padrinho de casamento?"

"Não, estou pensando na professora. Por que não quis me deixar entrar?"

"Porque é uma velha rabugenta."

Ficou um tempo calada, mirando a água que brilhava na bacia, e então disse:

"Qualquer coisa que aconteça, continue estudando."

"Mais dois anos: depois pego o diploma e terminou."

"Não, não termine nunca: eu lhe dou o dinheiro, você precisa estudar sempre."

Dei um risinho nervoso e disse:

"Obrigada, mas a certa altura a escola termina."

"Não para você: você é minha amiga genial, precisa se tornar a melhor de todos, homens e mulheres."

Levantou-se, tirou a calcinha e o sutiã, disse:

"Vamos, me ajude, ou vou me atrasar."

Jamais a tinha visto nua, me envergonhei. Hoje posso dizer que foi a vergonha de pousar com prazer o olhar sobre seu corpo, de ser a testemunha participante de sua beleza de dezesseis anos poucas horas antes de que Stefano a tocasse, a penetrasse, a deformasse, talvez, engravidando-a. Naquele momento foi apenas uma tumultuosa sensação de inconveniente necessário, uma situação em que não se pode virar o rosto para o outro lado, não se pode afastar a mão sem dar a reconhecer o próprio desconcerto, sem o declarar justo ao se retrair, sem portanto entrar em conflito com a imperturbada inocência de quem nos está perturbando, sem exprimir precisamente com a recusa a violenta emoção que nos abala, de modo que você se obriga a continuar ali, a deixar o olhar sobre os ombros de menino, sobre os seios de mamilos crispados, sobre os quadris estreitos e as nádegas rijas, sobre o sexo escuríssimo, sobre as pernas compridas, sobre os joelhos tenros, sobre os tornozelos arredondados, sobre os pés elegantes; e você finge como se não fosse nada, quando na verdade tudo está em ato, presente, ali no quarto pobre e um tanto escuro, a mobília miserável ao redor, sobre um piso irregular e manchado de água, e o coração se agita, e suas veias se inflamam.

Lavei-a com gestos lentos e acurados, de início deixando-a agachada no recipiente, depois lhe pedindo que ficasse de pé, e ainda tenho nos ouvidos o rumor da água que escorre, e me ficou a impressão de que o cobre da bacia tinha uma consistência semelhante à da carne de Lila, que era lisa, sólida, calma. Tive sentimentos e pensamentos confusos: abraçá-la, chorar com ela, beijá-la, puxar-lhe os cabelos, rir, fingir competências sexuais e instruí-la com voz doutoral, repeli-la com palavras bem no momento da maior intimidade. Mas no final restou apenas o pensamento hostil de que eu a estava purificando da cabeça aos pés, de manhã cedo, só para que Stefano a emporcalhasse durante a noite. Imaginei-a nua, como estava agora, envolvida pelo marido, na cama da casa nova, enquanto o trem chocalhava sob suas janelas e a carne violenta dele lhe entrava por dentro com um golpe preciso, como uma rolha de cortiça empurrada com a palma no gargalo de uma garrafa de vinho. E subitamente me pareceu que o único remédio contra a dor que eu estava sentindo, que sentiria, era achar um canto bem afastado para que Antonio fizesse em mim, naquela mesma hora, o mesmo e idêntico ato.

Ajudei-a a se enxugar, a se vestir, a pôr o vestido de noiva que eu – eu, pensei com um misto de orgulho e sofrimento – tinha escolhido para ela. O tecido se tornou vivo, sobre sua candura correu o calor de Lila, o vermelho da boca, os olhos pretíssimos e duros. Por fim calçou os sapatos que ela mesma desenhara. Pressionada por Rino, que, se não os tivesse calçado, sentiria como uma espécie de traição, escolhera um par de saltos baixos, para evitar parecer muito mais alta que Stefano. Olhou-se no espelho erguendo um pouco o vestido.

"São feios", disse.

"Não é verdade."

Riu com nervosismo.

"São sim, olhe: os sonhos da cabeça foram parar debaixo dos pés."

Virou-se com uma expressão repentina de pavor:

"O que vai acontecer comigo, Lenu?"

58.

Na cozinha, esperando-nos com impaciência, prontos há um bom tempo, estavam Fernando e Nunzia. Nunca os tinha visto tão arrumados. Naquela época os pais dela, os meus, todos os pais me pareciam velhos. Eu não fazia grande distinção entre eles e os avós maternos, os paternos, criaturas que a meus olhos tinham todas uma espécie de vida fria, uma existência sem nada em comum com a minha, com a de Lila, de Stefano, de Antonio, de Pasquale. As pessoas realmente devoradas pelo calor dos sentimentos, pela ânsia dos pensamentos, éramos nós. Somente agora, enquanto escrevo, me dou conta pela primeira vez de que, naquela época, Fernando não devia ter mais de quarenta e cinco anos, Nunzia era seguramente alguns anos mais nova, e juntos, naquela manhã, ele de camisa branca e terno escuro, o rosto de Randolph Scott, e ela toda de azul, com um chapeuzinho azul e o véu azul, estavam muito bonitos. A mesma coisa valia para meus pais, sobre cuja idade posso ser mais precisa: meu pai tinha trinta e nove anos, minha mãe, trinta e cinco. Olhei-os demoradamente naquele dia, na igreja. Senti com irritação que, naquele dia, meu sucesso nos estudos não os consolava nem um pouco, ao contrário, sentiam – especialmente minha mãe – que se tratava de uma inútil perda de tempo. Quando Lila, esplêndida no nimbo de candura ofuscante de seu vestido e do véu vaporoso, avançou pela igreja do Sagrado Coração de braço dado com o sapateiro e se dirigiu até Stefano, lindo, no altar cheio de flores – bendito o florista que o adornara com abundância –, minha mãe, embora seu olho bailarino parecesse perdido noutra parte, me olhou para que eu sentisse o peso de estar ali, de óculos, distante do centro, enquanto minha amiga malvada conquistara um marido de posses, uma atividade econômica para a família, uma casa toda sua, da qual era nada menos que a proprietária, com uma banheira, geladeira, televisão e telefone.

A cerimônia foi longa, o pároco a fez durar uma eternidade. Na entrada da igreja os parentes e amigos do noivo se puseram todos juntos de um lado, os parentes e amigos da noiva, do outro. Durante todo o tempo o fotógrafo fez um número infinito de fotos – flashes, refletores –, enquanto seu jovem ajudante filmava os momentos mais decisivos.

Antonio esteve devotamente sentado a meu lado durante todo o tempo, com seu traje novo de alfaiataria, deixando a Ada – aborrecidíssima porque, como balconista na charcutaria do noivo, aspirava a um lugar bem melhor – a missão de acomodar-se no fundo da igreja, ao lado de Melina, e vigiá-la em companhia dos outros irmãos. Uma ou duas vezes me sussurrou algo no ouvido, mas não lhe respondi. Devia limitar-se a permanecer a meu lado sem demonstrar especial intimidade, para evitar fofocas. Corri o olhar pela igreja lotada, as pessoas se entediavam e, assim como eu, olhavam continuamente ao redor. Havia um intenso perfume de flores, um cheiro de roupa nova. Gigliola estava linda, e linda também estava Carmela Peluso. Os rapazes também não ficavam atrás. Enzo e principalmente Pasquale pareciam querer demonstrar que ali, sobre o altar, ao lado de Lila, teriam sido capazes de figurar ainda melhor que Stefano. Quanto a Rino, enquanto o pedreiro e o verdureiro estavam no fundo da igreja como sentinelas a garantir o bom êxito da cerimônia, ele, o irmão da noiva, rompendo a ordem dos alinhamentos familiares, foi se postar ao lado de Pinuccia, na área dos parentes do noivo, também ele perfeito no traje novo, sapatos Cerullo nos pés, reluzentes como os cabelos com brilhantina. Que pompa. Era evidente que todos os que tinham recebido o convite não quiseram faltar ao casamento, e mais, se apresentaram vestidos com muita elegância, e isso significava, pelo que eu sabia, pelo que todos sabiam, que de fato não poucos – talvez Antonio em primeiro lugar, que estava sentado a meu lado – precisaram pedir dinheiro emprestado. Então olhei Silvio Solara, grande, em trajes escuros, de pé ao lado do noivo, muito ouro cintilante nos pulsos. Olhei sua esposa, Manuela, vestida de rosa, carregada de joias, postada ao lado da noiva. O dinheiro de toda aquela ostentação vinha dali. Morto dom Achille, eram aquele homem vestido de roxo, olhos azuis, grandes entradas, e aquela mulher magra, de nariz longo e lábios finos, que emprestavam dinheiro a todo o bairro (ou melhor, era Manuela que administrava os aspectos práticos daquela atividade: famoso e temido era o registro de capa vermelha em que ela anotava cifras e prazos). O casamento de Lila era de fato um negócio não só para o florista, não só para o fotógrafo, mas sobretudo para aquele casal, que entre outras coisas também tinha fornecido os pratos da recepção, do antepasto ao bolo.

Lila, como percebi, não olhou para eles em nenhum momento. Não se voltou nem para Stefano, manteve os olhos fixos no padre. Pensei que, vistos assim, de costas, não formavam um belo casal. Lila era mais alta, ele, mais baixo. Lila expandia à sua volta uma energia que ninguém podia ignorar, ele parecia um homenzinho apagado. Lila parecia extremamente concentrada, como se estivesse empenhada em entender até o fundo o que realmente significava aquele ritual, ele, ao contrário, de vez em quando se virava para a mãe, ou trocava risinhos com Silvio Solara, ou coçava de leve a cabeça. A certa altura fui tomada de ansiedade. Pensei: e se Stefano de fato não fosse o que parecia? Mas não fui até o fundo daquele pensamento por dois motivos. Antes de tudo, os dois noivos disseram sim um ao outro de modo límpido e claro em meio à comoção geral, trocaram as alianças, se beijaram, e eu tive de me convencer de que Lila estava realmente casada. Depois aconteceu que, de repente, não liguei mais para os noivos. Percebi que tinha avistado todos, exceto Alfonso, e o procurei com o olhar entre os parentes do noivo, entre os da noiva. Encontrei-o no fundo da igreja, quase escondido atrás de uma coluna. Fiz-lhe um sinal, ele respondeu, veio em minha direção. Mas atrás dele apareceu em grande pompa Marisa Sarratore. E logo depois, desengonçado, mãos no bolso, desgrenhado, com o paletó e a calça amarrotados que usava no colégio, Nino.

## 59.

Em seguida se formou um confuso aglomerado em torno dos noivos, que saíam da igreja acompanhados dos sons vibrantes do órgão e dos flashes do fotógrafo. Lila e Stefano pararam no átrio entre beijos, abraços, o caos dos automóveis e o nervosismo dos parentes que eram deixados à espera, enquanto outros, nem sequer consanguíneos – mas quem sabe mais importantes, mais amados, mais ricamente vestidos, as senhoras de chapéus especialmente extravagantes? –, eram logo carregados pelos carros e levados ao restaurante da rua Orazio.

Como Alfonso estava bem arrumado. Nunca o tinha visto de roupa escura, camisa branca, gravata. Sem suas desleixadas roupas da escola, sem o avental de salsicheiro, me pareceu não só mais velho que seus dezesseis anos, mas de repente – pensei – fisicamente diverso do irmão Stefano. Agora estava mais alto, mais esguio, e parecia belo como um bailarino espanhol que eu tinha visto na televisão, olhos grandes, lábios carnudos, nenhum traço ainda de barba. Marisa evidentemente grudara nele, a relação crescera, devem ter se visto sem que ninguém soubesse de nada. Mesmo tão apegado a mim, Alfonso fora vencido pelos cabelos encaracolados de Marisa e por sua fala irresistível, que o eximia – ele, tão tímido – de preencher os vazios da conversação? Estariam noivos? Eu duvidava, ele me teria dito. Mas evidentemente as coisas estavam bem encaminhadas, tanto que a convidara ao casamento do irmão. E ela, com certeza para obter o consentimento dos pais, trouxera Nino à força.

E ali estava ele, no átrio, o jovem Sarratore, totalmente fora de lugar com sua roupa descuidada, muito alto, muito magro, cabelos muito compridos e despenteados, as mãos muito enterradas nos bolsos da calça, o ar de quem não sabe onde se situar, os olhos fixos nos noivos, como todos, mas sem nenhum interesse, só para descansá-los em algum lugar. Aquela presença inesperada contribuiu bastante para a desordem emocional do dia. Tínhamos nos cumprimentado na igreja, apenas um sussurro, oi, oi. Depois Nino seguiu atrás da irmã e de Alfonso, e eu fui firmemente enlaçada no braço por Antonio; e, apesar de logo ter me soltado, mesmo assim acabei na companhia de Ada, Melina, Pasquale, Carmela e Enzo. Agora, no meio da multidão, enquanto os noivos entravam num grande automóvel branco com o fotógrafo e o ajudante para fazer fotos no parque da Rimembranza, me veio a ânsia de que a mãe de Antonio reconhecesse Nino, que lesse em seu rosto algum traço de Donato. Mas foi uma preocupação infundada. A mãe de Lila, Nunzia, a conduziu consigo, alheada, junto a Ada e os irmãos mais novos, para um carro que a levou embora.

De fato ninguém reconheceu Nino, nem mesmo Gigliola, nem Carmela, nem Enzo. Nem se deram conta de Marisa, embora ela ainda tivesse os traços da menina que tinha sido. No momento, os dois Sarratore passaram inteiramente despercebidos. Enquanto isso, Antonio já me conduzia para o velho carro de Pasquale, e conosco subiram Carmela e Enzo, e já estávamos para partir, e eu não soube dizer senão: "Onde estão meus pais? Tomara que alguém cuide deles". Enzo respondeu que os tinha visto em não sei que carro, ou seja, não havia mais nada a fazer, partimos, e a Nino, ainda parado no átrio com ar atônito, com Alfonso e Marisa que falavam entre si, tive tempo apenas de lhe lançar um olhar, e depois o perdi.

Fiquei nervosa. Antonio sussurrou em meu ouvido, sensível às minhas mudanças de humor:

"O que foi?"

"Nada."

"Você se chateou com alguma coisa?"

"Não."

Carmela riu:

"Ela se chateou porque Lina agora está casada e ela também queria se casar."

"Por quê? Você também não quer se casar?", perguntou Enzo.

"Eu, se fosse por mim, me casaria até amanhã."

"E com quem?"

"Eu sei com quem."

"Calada", disse Pasquale, "que com você ninguém fica."

Fomos até a marina, Pasquale guiava feito um louco. Antonio ajustara o automóvel tão bem que ele o tratava como um carro de corrida. Voava fazendo um grande barulho, ignorando os solavancos causados pelas ruas irregulares. Encostava com velocidade nos carros que iam à frente, parava a poucos centímetros do choque, esterçava bruscamente e os ultrapassava. Nós, garotas, lançávamos gritos de terror ou fazíamos recomendações indignadas, que o faziam rir e acelerar ainda mais. Antonio e Enzo não piscavam o olho, no máximo faziam comentários pesados sobre os motoristas lentos, abaixavam a janela e, enquanto Pasquale os ultrapassava, gritavam insultos. Foi durante aquele percurso rumo à rua Orazio que comecei a me sentir claramente uma estranha, infeliz por meu próprio estranhamento. Eu tinha crescido com aqueles rapazes, considerava seu comportamento normal, a língua violenta deles era a minha. Mas seguia cotidianamente, já há seis anos, um percurso que eles ignoravam por completo, e que eu, ao contrário, trilhava de modo tão brilhante que chegava a ser a melhor. Com eles eu não podia usar nada daquilo que aprendia diariamente, tinha que me conter, de alguma maneira me autodegradar. O que eu era na escola, ali era obrigada a colocá-lo entre parêntesis ou a usá-lo à traição, para intimidá-los. Me perguntei o que estava fazendo naquele carro. Ali estavam meus amigos, certo, ali estava meu namorado, estávamos indo à festa de casamento de Lila. Mas justamente aquela festa ratificava que Lila, a única pessoa que eu sentia ainda necessária malgrado nossas vidas divergentes, não nos pertencia mais, e, com sua retirada, toda mediação entre mim e aqueles jovens, aquele carro correndo por aquelas ruas, se exaurira. Por que então eu não estava com Alfonso, com quem compartilhava tanto a origem quanto a fuga? Por que acima de tudo eu não tinha parado para dizer a Nino fique, venha à recepção, me diga quando sai a revista com meu artigo, vamos conversar entre nós, vamos cavar uma toca que nos mantenha fora desse jeito de guiar de Pasquale, de sua vulgaridade, das entonações violentas de Carmela, de Enzo e também – sim, também – de Antonio?

## 60.

Fomos os primeiros jovens a entrar no salão de festa. Cresceu em mim um forte mau humor. Silvio e Manuela Solara já estavam em sua mesa com o comerciante de metais, sua esposa florentina e a mãe de Stefano. Os pais de Lila também ocupavam uma longa mesa com outros parentes, meus pais, Melina e Ada, que demonstrava irritação e recebeu Antonio com gestos raivosos. A orquestrinha estava se posicionando, os músicos afinavam os instrumentos, o cantor testava o microfone. Circulamos embaraçados. Não sabíamos onde nos sentar, nenhum de nós ousava perguntar aos garçons, Antonio estava colado em mim, se esforçando para me divertir.

Minha mãe me chamou, fiz de conta que não ouvi. Chamou mais uma vez, e eu nada. Então se levantou e veio até mim com seu passo claudicante. Queria que eu fosse me sentar a seu lado. Recusei. Sibilou:

"Por que o filho de Melina está sempre atrás de você?"

"Ninguém está atrás de mim, mãe."

"Você acha que eu sou boba?"

"Não."

"Venha se sentar perto de mim."

"Não."

"Já lhe disse para vir. Não estamos bancando seus estudos para você se arruinar com um operário filho de uma mãe louca."

Obedeci, ela estava furiosa. Começaram a chegar outros jovens, todos amigos de Stefano. Entre eles vi Gigliola, que me chamou com um sinal. Minha mãe me segurou. Pasquale, Carmela, Enzo e Antonio finalmente se sentaram com o grupo de Gigliola. Ada, que conseguira se livrar da mãe deixando-a com Nunzia, veio me falar no ouvido e disse: "Venha". Tentei me levantar, mas minha mãe me agarrou um braço com raiva. Ada fez um ar de desagrado e foi se sentar ao lado do irmão, que de vez em quando me olhava, e eu lhe mandava um sinal, erguendo os olhos para o teto e indicando que estava presa.

A orquestra começou a tocar. O cantor, de seus quarenta anos, quase calvo, com traços muito delicados, cantarolou algo para ensaiar. Outros convidados chegaram, o salão ficou lotado. Ninguém escondia a fome, mas obviamente era preciso esperar os noivos. Tentei me levantar de novo, e minha mãe sibilou: "Fique perto de mim". *Perto dela*. Pensei em quanto era contraditória sem perceber, com suas raivas, com aqueles gestos imperiosos. Não queria que eu estudasse, mas, como agora eu estava estudando, me achava melhor que os rapazes com quem tinha crescido e se dava conta – como de resto eu também, e justamente naquela mesma circunstância – de que meu lugar não era entre eles. Entretanto me obrigava a ficar perto dela para me defender sabe-se lá de que mares revoltos, de que voragens e precipícios, perigos que naquele momento, a seus olhos, eram todos representados por Antonio. Mas estar perto dela significava permanecer em seu mundo, tornar-me semelhante a ela em tudo. E, se eu me tornasse semelhante a ela, o que mais poderia esperar além de Antonio?

Nesse meio tempo os noivos chegaram entre aplausos entusiásticos. A orquestra logo atacou com a marcha nupcial. Soldei indissoluvelmente a minha mãe, ao corpo dela, a estranheza que me tomava cada vez mais. Lá estava Lila, festejada por todo o bairro, e parecia feliz. Sorria elegante, gentil, de mãos dadas ao marido. Estava deslumbrante. Nela, em seus passos, eu me mirara desde pequena, para escapar de minha mãe. Tinha fracassado. Lila continuara ali, vinculada de modo flagrante àquele mundo, do qual imaginava ter extraído o melhor. E o melhor era aquele jovem, aquele casamento, aquela festa, o brinquedo dos sapatos para Rino e o pai. Nada que tivesse a ver com meu percurso de jovem estudiosa. Me senti completamente só.

Os dois noivos foram obrigados a bailar entre os flashes do fotógrafo. Rodopiaram pela sala, precisos nos movimentos. Preciso ter em mente isto, pensei: do mundo de minha mãe nem mesmo Lila, apesar de tudo, conseguiu escapar. Já eu preciso conseguir, não posso mais ser aquiescente. Preciso eliminá-la, assim como fazia Oliviero quando se apresentava em nossa casa para impor a ela o meu bem. Estava me segurando pelo braço, mas eu precisava ignorá-la, me lembrar de que eu era a melhor em italiano, latim, grego, me lembrar de que tinha enfrentado o professor de religião, me lembrar de que sairia um artigo com minha assinatura na mesma revista em que escrevia um rapaz bonito e excelente do terceiro ano do liceu.

Nino Sarratore entrou naquele exato momento. Avistei-o antes de ver Alfonso e Marisa, avistei-o e fiquei de pé. Minha mãe tentou me segurar pela dobra do vestido, mas me desvencilhei. Antonio, que não tirava os olhos de mim, se iluminou e me lançou um olhar convidativo. Mas eu, com um movimento contrário ao de Lila e de Stefano, que agora se dirigiam ao centro da mesa onde estavam o casal Solara e o casal de Florença, rumei direto para a entrada, para Alfonso, Marisa e Nino.

## 61.

Achamos um lugar. Puxei conversas genéricas com Alfonso e Marisa, esperava que Nino se decidisse a me dirigir a palavra. Entretanto Antonio chegou por trás de mim e me falou ao ouvido:

"Guardei um lugar para você."

Sussurrei:

"Vá embora, minha mãe percebeu tudo."

Olhou ao redor, indeciso, muito intimidado. E voltou à sua mesa.

Havia um rumor de descontentamento no salão. Os convidados mais ressentidos logo começaram a notar os detalhes que não iam bem. O vinho não era da mesma qualidade para todas as mesas. Alguns já estavam no primeiro prato, enquanto outros não tinham sido sequer servidos do antepasto. Já havia quem dissesse em alto e bom som que, onde estavam sentados os parentes e amigos do noivo, o serviço era melhor do que onde se sentavam os parentes e amigos da noiva. Senti que detestava aquelas tensões. Tomei coragem e puxei Nino para dentro da conversa, pedi que me falasse de seu artigo sobre a miséria de Nápoles, esperando pedir logo em seguida, com naturalidade, notícias sobre o próximo número da revista e sobre minha meia página. Ele falou coisas muito interessantes e bem informadas sobre o estado da cidade. Fiquei surpresa com sua segurança. Em Ischia ainda tinha traços do rapaz atormentado, agora me pareceu bastante maduro. Como era possível um jovem de dezoito anos discorrer não genericamente sobre a miséria com tons aflitos, como fazia Pasquale, mas apresentando fatos concretos, de modo distanciado, citando dados precisos?

"Onde você aprendeu essas coisas?"

"Basta ler."

"O quê?"

"Os jornais, as revistas, os livros que tratam desses problemas."

Eu nunca tinha sequer folheado um jornal ou uma revista, lia somente romances. A própria Lila, na época em que ainda lia, não tinha lido outra coisa que não os velhos romances esfarrapados da biblioteca circulante. Eu estava atrasada em tudo, Nino podia me ajudar a recuperar terreno.

Comecei a lhe fazer mais e mais perguntas, e ele respondia. Respondia, sim, mas não dava respostas fulgurantes como Lila, não tinha sua capacidade de tornar tudo cativante. Construía raciocínios com olhar de estudioso, cheios de exemplos concretos, e cada pergunta minha era um pequeno empurrão que desencadeava uma avalanche: falava sem parar, sem embelezamentos, sem nenhuma ironia, duro, cortante. Alfonso e Marisa logo se sentiram isolados. Marisa disse: "Nossa senhora, como meu irmão é chato", e passaram a conversar entre si. Nino e eu também nos isolamos. Não sentimos mais nada do que acontecia à nossa volta: não sabíamos o que nos serviam nos pratos, o que comíamos ou bebíamos. Eu me esforçava em achar perguntas para ele, depois ouvia atenta suas respostas caudalosas. Mas não demorei a captar que o fio de seus argumentos era constituído de uma só ideia fixa que lhe animava cada frase: a recusa das palavras vagas, a necessidade de identificar os problemas com clareza, de cogitar soluções viáveis, de intervir. Eu sempre fazia sinal que sim, me declarava de acordo com tudo. Só assumi um ar perplexo quando ele falou mal da literatura. "Se querem bancar os vendedores de fumaça", repetiu duas ou três vezes muito zangado com seus inimigos, isto é, qualquer um que vendesse fumaça, "que façam romances, e os lerei de bom grado; mas, se for preciso mudar realmente as coisas, então o discurso é outro." Na realidade – tive a impressão de compreender – ele se servia da palavra "literatura" para atacar aqueles que estragavam a cabeça das pessoas à custa do que ele chamava de blábláblá inútil. A um tímido protesto meu, por exemplo, ele reagiu assim: "Muitos romances de cavalaria ruins, Lenu, fazem um dom Quixote; mas nós, com todo o respeito a dom Quixote, não temos necessidade, aqui em Nápoles, de nos bater contra moinhos de vento, seria só um desperdício de coragem: precisamos de pessoas que saibam como os moinhos funcionam e que os façam funcionar".

Em pouco tempo desejei poder discutir todos os dias com um rapaz daquele nível: quantos erros eu tinha feito em relação a ele, que bobagem tinha sido amá-lo, gostar dele e, apesar de tudo, evitá-lo sempre. Culpa do pai. Mas também culpa minha: eu – eu, que detestava tanto minha mãe – tinha permitido que o pai jogasse sua feia sombra sobre o filho? Me arrependi, me deleitei com meu arrependimento, com o romance em que me sentia imersa. Enquanto isso, aumentava frequentemente a voz para superar o barulho do salão, a música, e ele fazia o mesmo. Às vezes olhava para a mesa de Lila: ela ria, comia, conversava, nem sequer tinha percebido onde eu estava, com quem estava falando. Por outro lado, eu raramente olhava para a mesa de Antonio, temia que fizesse um sinal me chamando. Mas sentia perfeitamente que ele estava de olho em mim e que estava nervoso, já ficando com raiva. Paciência, pensei, o fato é que já me decidi, vou deixá-lo amanhã: não posso continuar com ele, somos muito diferentes. É verdade, ele me adorava, se dedicava inteiramente a mim, mas como um cachorrinho. Ao contrário, eu estava encantada com a maneira como Nino me falava: sem nenhuma subalternidade. Expunha-me seu futuro, as ideias que embasariam sua construção. Ouvi-lo me acendia a cabeça quase como antigamente Lila me acendia. Sua dedicação a mim me fazia crescer. Ele, sim, me teria livrado de minha mãe, ele, que não queria outra coisa senão livrar-se do pai.

Senti um toque em meu ombro, era Antonio de novo. Disse bravo: "Vamos dançar."

"Minha mãe não quer", sussurrei.

Ele rebateu nervoso, em voz alta:

"Todos estão dançando, qual é o problema?"

Dei um sorrisinho envergonhado a Nino, ele bem sabia que Antonio era meu namorado. Olhou-me sério e se virou para Alfonso. Fui.

"Não me aperte."

"Não estou apertando."

Havia uma grande algazarra e uma embriagada alegria. Dançavam jovens, adultos, crianças. Mas eu sentia o que realmente havia por trás da aparência de festa. As caras tortas dos parentes da noiva, especialmente das mulheres, demonstravam um descontentamento amargo. Tinham se sacrificado pelo presente, pela roupa que estavam vestindo, tinham se endividado, e agora eram tratados como pedintes, com vinho ruim e atrasos intoleráveis no serviço? Por que Lila não intervinha? Por que não protestava com Stefano? Eu os conhecia. Iriam conter a raiva por amor a Lila, mas no final da recepção, quando ela fosse se trocar, quando voltasse vestida com a roupa de viagem, quando distribuísse os doces, quando fosse embora toda elegante em companhia de seu marido, então estouraria uma briga monumental, que originaria ódios de meses, de anos, despeitos e insultos que envolveriam maridos, filhos, todos com a obrigação de mostrar a mães e irmãs e avós que sabiam bancar os machões. Eu os conhecia. Via os olhares ferozes dos rapazes voltados para o cantor, para os músicos que olhavam suas namoradas de modo deselegante, ou se dirigiam a elas com frasezinhas ambíguas. Via como Enzo e Carmela se falavam enquanto dançavam, via também Pasquale e Ada sentados à mesa: era evidente que, terminada a festa, eles ficariam juntos, mais tarde noivariam e com toda a probabilidade daqui a um ano, daqui a dez, estariam casados. Via Rino e Pinuccia. No caso deles tudo seria mais rápido: se a fábrica de calçados Cerullo realmente progredisse, no máximo daqui a um ano teriam uma festa de núpcias não menos luxuosa que aquela. Dançavam, se olhavam nos olhos, se apertavam com força. Amor e interesse. Charcutaria mais sapataria. Edifícios velhos mais edifícios novos. Eu era como eles? Ainda era?

"Quem é aquele?", perguntou Antonio.

"Quem você acha que é? Não o reconhece?"

"Não."

"É Nino, o filho mais velho de Sarratore. E aquela é Marisa, se lembra?"

Por Marisa não demonstrou o mínimo interesse; por Nino, sim. Disse nervoso:

"E você primeiro me leva até Sarratore para ameaçá-lo e depois fica horas conversando com o filho dele? Mandei fazer uma roupa nova para ficar vendo você se divertir com aquele cara que nem cortou o cabelo, nem colocou uma gravata?"

Me largou no meio do salão e se dirigiu a passos rápidos para a porta de vidro que dava para o terraço.

Por alguns segundos fiquei indecisa sobre o que fazer. Ir até Antonio. Voltar para Nino. Tinha em cima de mim o olhar de minha mãe, embora seu olho estrábico parecesse mirar ao longe. Tinha em cima de mim o olhar de meu pai, um olhar ruim. Pensei: se eu voltar para Nino, se não for atrás de Antonio no terraço, ele é que vai me deixar, e isso será melhor para mim. Atravessei o salão enquanto a orquestra continuava tocando e os casais continuavam dançando. Sentei em meu lugar. Nino pareceu não ter dado a mínima ao que tinha acontecido. Agora falava a seu modo torrencial da professora Galiani; estava defendendo-a de Alfonso, que eu bem sabia quanto a detestava. Estava dizendo que muitas vezes ele também acabava se desentendendo com ela – rígida demais –, mas como professora era extraordinária, sempre o encorajara, lhe transmitira a capacidade de estudar. Tentei entrar no debate. Sentia a urgência de me deixar levar por Nino, não queria que começasse a discutir com meu colega de turma exatamente como até pouco antes tinha discutido comigo. Tinha necessidade – para não correr de volta a Antonio e lhe dizer em lágrimas: sim, você tem razão, não sei o que eu sou e o que realmente quero, te uso e depois te jogo fora, mas não é culpa minha, me sinto dividida em duas metades, me perdoe – que Nino me arrastasse de modo exclusivo para dentro das coisas que ele conhecia, para dentro de suas capacidades, que me reconhecesse como sua igual. Por isso quase lhe cortei a palavra e, enquanto ele tentava recuperar o fio da meada, listei os livros que desde o início do ano a professora me emprestara, os conselhos que me dera. Fez sinal que sim, meio amuado, lembrou que a professora, tempos atrás, também tinha emprestado um daqueles textos a ele, e começou a me falar sobre isso. Mas eu tinha cada vez mais urgência de gratificações que me distraíssem de Antonio, e lhe perguntei sem nenhum nexo:

"Quando sai a revista?"

Ele me fixou com um olhar incerto, levemente apreensivo:

"Saiu há umas duas semanas."

Tive um tremor de alegria e lhe perguntei:

"Onde a encontro?"

"É vendida na livraria Guida. Mas posso conseguir uma para você."

"Obrigada."
Hesitou e então disse:
"Mas não publicaram seu texto, no final não havia espaço."
Alfonso deu imediatamente um sorriso de alívio e murmurou:
"Ainda bem."

## 62.

Tínhamos dezesseis anos. Eu estava diante de Nino Sarratore, de Alfonso, de Marisa, e me esforçava para sorrir, dizendo com falso desinteresse: "Tudo bem, fica para a próxima"; Lila estava na outra ponta do salão – era a noiva, a rainha da festa –, e Stefano lhe dizia algo no ouvido e ela sorria.

O longo e extenuante banquete de núpcias estava chegando ao fim. A orquestra tocava, o cantor cantava. Antonio, de costas, comprimia no peito o mal-estar que eu lhe causara e olhava o mar. Enzo talvez estivesse murmurando a Carmela que a amava. Rino certamente já o dissera a Pinuccia, que lhe falava olhando fundo nos olhos. Pasquale com toda a probabilidade estava dando voltas, assustado, mas Ada encontraria o jeito certo de, antes que a festa acabasse, arrancar-lhe da boca as palavras necessárias. Há tempos se sucediam brindes cheios de alusões obscenas, e nessa arte brilhava o comerciante de metais. O pavimento estava manchado de sugo que espirrara de um prato caído das mãos de um menino, de vinho que o avô de Stefano derramara. Engoli as lágrimas. Pensei: talvez publiquem minhas linhas no próximo número, talvez Nino não tenha insistido o bastante, talvez tivesse sido melhor eu mesma cuidar disso. Mas não disse nada, continuei sorrindo, achei até força para dizer:

"Além disso, eu já tinha brigado uma vez com o padre: brigar uma segunda seria inútil."

"É verdade", disse Alfonso.

Mas nada atenuava a desilusão. Eu me debatia tentando escapar a uma espécie de penumbra mental, uma dolorosa queda de tensão, e não conseguia. Descobri que tinha considerado a publicação daquelas poucas linhas, de minha assinatura impressa, como o sinal de que eu realmente tinha um destino, que o esforço do estudo com certeza conduzia para cima, a alguma parte, que a professora Oliviero tinha tido razão em me impulsionar para a frente e em abandonar Lila. "Você sabe o que é a plebe?". "Sim, professora." O que era a plebe eu soube naquele momento, e com muito mais clareza do que quando, anos antes, Oliviero me fizera aquela pergunta. A plebe éramos nós. A plebe era aquela disputa por comida misturada a vinho, aquela briga por quem era servido antes e melhor, aquele pavimento imundo sobre o qual os garçons iam e vinham, aqueles brindes cada vez mais vulgares. A plebe era minha mãe, que tinha bebido e agora se deixava levar com as costas contra o ombro de meu pai, sério, e ria de boca escancarada às alusões sexuais do comerciante de metais. Todos riam, inclusive Lila, com o ar de quem tinha um papel e o desempenharia até o fundo.

Provavelmente nauseado pelo espetáculo em ato, Nino se levantou e disse que ia embora. Combinou com Marisa de voltarem para casa juntos, e Alfonso prometeu que a acompanharia na hora e no local estabelecido. Ela pareceu muito orgulhosa de ter um cavalheiro tão cortês. Disse a Nino, incerta:

"Não quer cumprimentar a noiva?"

Fez um gesto largo, balbuciou algo sobre a própria roupa e, sem nem mesmo um aperto de mão, um gesto qualquer dirigido a mim ou a Alfonso, rumou para a porta com o habitual passo vacilante. Sabia entrar e sair do bairro quando queria, sem se deixar contaminar. Podia fazê-lo, era capaz de fazê-lo, talvez o tivesse aprendido anos antes, na época da tormentosa mudança que quase lhe custara a vida.

Duvidei de que eu fosse capaz. Estudar não adiantava: podia tirar dez nas provas, mas aquilo era só a escola; já a revista tinha farejado meu relato, o relato meu e de Lila, e não o publicara. Nino, sim, podia tudo: tinha o rosto, os gestos, o andar de quem faria sempre melhor. Quando foi embora, tive a impressão de que desaparecera a única pessoa em todo o salão que tinha a energia suficiente para me tirar dali. Depois achei que a porta do restaurante batera com um golpe de vento. Na verdade não houve vento nem choque de batentes. Ocorreu apenas o que já era previsível que ocorresse. Apareceram justo para o bolo, para as lembrancinhas, os belos e elegantíssimos irmãos Solara. Moveram-se pelo salão cumprimentando este e aquele com seu modo patronal. Gigliola atirou os braços ao pescoço de Michele e o arrastou para se sentar a seu lado. Lila, com um rubor inesperado na garganta e em volta dos olhos, puxou energicamente o marido pelo braço e lhe disse algo ao ouvido. Silvio fez um breve sinal aos filhos, Manuela os olhou com orgulho de mãe. O cantor atacou a "Lazzarella", imitando discretamente Aurelio Fierro. Rino abriu espaço a Marcello com um sorriso amigável. Marcello se sentou, afrouxou a gravata, cruzou as pernas.

O imprevisível revelou-se apenas naquele ponto. Vi Lila perder a cor, se tornar palidíssima como era desde menina, mais branca que seu vestido de noiva, e os olhos tiveram aquela repentina contração que os transformava em fissuras. Tinha diante de si uma garrafa de vinho, e temi que seu olhar a trespassasse com tamanha violência que a fizesse em mil pedaços, com o vinho a esguichar para todo lado. Mas não estava olhando a garrafa. Olhava mais longe, olhava os sapatos de Marcello Solara.

Eram sapatos Cerullo para homem. Não o modelo à venda, não aquele com a fivela dourada. Marcello tinha nos pés os sapatos comprados tempos atrás por Stefano, seu marido. Era o par que ela havia fabricado com Rino, feito e desfeito por meses, arruinando suas mãos.

# ELENA, LENU E LILA: *A AMIGA GENIAL* E A ESCRITA COMO METÁFORA DA EXISTÊNCIA-CONCRETA

## MARIA CAROLINA CASATI

"Como sempre Lila exagerou, pensei.
Estava extrapolando o conceito de vestígio. Queria não só desparecer, mas também apagar toda a vida que deixara para trás.
Fiquei muito irritada.
Vamos ver quem ganha desta vez, disse a mim mesma. Liguei o computador e comecei a escrever cada detalhe de nossa história, tudo o que me ficou na memória" (2023. p. 17)

É dessa forma que Elena-Lenu introduz a narrativa que irá desenvolver ao longo de quase duas mil páginas. Sim, pois, para muitos daqueles que estudam a obra de Elena Ferrante, a chamada *Tetralogia Napolitana* constitui uma só obra, dividida nos seguintes livros-capítulos: *A amiga genial, História do novo sobrenome, História de quem foge e de quem fica* e *História da menina perdida*. É em *A amiga genial* que tudo começa, é aqui que somos apresentados às nossas heroínas, às suas famílias e conflitos (este livro, assim como os demais, conta inclusive com uma espécie de árvore genealógica das personagens).

*A amiga genial* é uma boa obra para quem deseja começar a ler Ferrante, a narrativa perfeita para quem quer se deixar tomar pela *febre*\*. Além de trazer uma estrutura quase novelesca, com capítulos curtos que apresentam o clímax ao final, o texto é envolvente, de leitura dinâmica e fluída. A identificação com as tramas e os dramas das personagens é imediata, e nos esquecemos que tudo o que sabemos sobre Lila – essa garota tão *genial* – vem daquilo que Lenu decide revelar. Com efeito, a relação entre as duas personagens é de dependência, quase simbiose. Lenu só existe porque narra Lila. Lila só se torna conhecida quando escrita por Lenu. Segundo Ferrante (2017), "o que importa é que, sem Lila, Elena [Greco ou Ferrante?] não existiria como escritora. Qualquer pessoa que escreve, extrai os próprios textos de uma escrita ideal que está sempre à sua frente, inalcançável. É um fantasma da mente, inapreensível. Por conseguinte, o único rastro que sobra de como Lila escreve [e é] é a escrita de Lenu" (p. 310).\*\*

No caso dessas duas *amigas geniais*, a narrativa que se inicia pelo fim. Lenu já de antemão nos adverte sobre o que irá apresentar: o que "ficou na memória", uma história sobre (a suposta) rivalidade entre mulheres. Realmente, são inúmeros os textos que exploram esse tema (alô, Perrault e quase todos os *Contos da Mamãe Ganso*). Porém, em vez de apresentar uma narrativa na qual a motivação de Lenu para escrever todas essas páginas seja a vingança ou o rancor, Elena Ferrante nos traz uma belíssima obra na qual a amizade feminina – real, complexa, possível e contraditória – possibilita que duas, três, várias mulheres existam. São, portanto, outros os afetos mobilizados no texto.

---

\* Quando a tetralogia foi lançada, a expressão *Febre Ferrante* (*Ferrante fever*) surgiu para indicar a recepção calorosa da obra mundo afora. Em 2018, a rede de televisão HBO, em parceria com a rede italiana RAI, lançou uma série em streaming baseada nos quatro romances de Elena Ferrante. A empreitada foi um sucesso e já acumula fãs pelo mundo todo.
\*\* Ferrante, Elena. *Frantumaglia: os caminhos de uma escritora*. Rio de Janeiro: Intrínseca, 2017.

"Lila apareceu em minha vida no primeiro ano do fundamental e me impressionou logo, porque era muito levada. Éramos todas meio levadas naquela turma, mas apenas quando a professora não podia nos ver. No entanto ela era levada sempre, pior que os meninos" (2023, p. 24). É interessante observar como Lenu/Ferrante adapta sua linguagem de acordo com a época que está narrando. Como dissemos, a *Tetralogia Napolitana* irá apresentar os quase sessenta anos de amizade entre Lila e Lenu. E, ainda que se inicie em *A amiga genial* com uma narradora já idosa – trazendo fatos, evento e sentimentos em retrospectiva –, a partir do momento em que Lenu vai para a espiral do tempo na qual se conheceram ou eram muito pequenas, o texto também se mostra de forma mais infantil, com mais repetições. Porém, conforme os anos se passam, Lenu se torna adulta e sua escrita também amadurece, fica mais rebuscada:

"Eu gostava de descobrir nexos daquele tipo, especialmente se diziam respeito a Lila. Traçava como com um esquadro linhas entre momentos e fatos distantes entre si, estabelecia convergências e divergências. [...] era como se, por uma magia malévola, a alegria ou a dor de uma implicasse a dor ou a alegria da outra. Tive a suspeita de que até o espaço físico participava dessa gangorra". (2023, p. 254)

Ao longo de todo volume, o que vemos é uma Elena Greco tão obcecada pela amiga que, somente ao pensar nela, imaginar sobre seus dias e estar com Raffaella Cerullo, consegue existir. É mais que amizade, é simbiose.

Desde descrever o fenômeno que acometia Lila ("Em 31 de dezembro de 1959, Lila teve seu primeiro episódio de *desmarginação*. O termo não é meu, ela sempre utilizou forçando o sentido comum da palavra. Dizia que, naquelas ocasiões, de repente se dissolviam as margens das pessoas e das coisas") (2023, p. 81) até seus momentos mais íntimos ("Imaginei-a nua, como estava agora, envolvida pelo marido na cama da casa nova, enquanto o trem chacoalhava sob suas janelas e a carne violenta dele lhe entrava por dentro com um golpe preciso [...]".) (2023, p. 313), Lenu vivia "apenas" para escrever Lila. Assim, é possível dizer que, mais do que um romance sobre a amizade feminina, *A amiga genial* é uma obra que discute as possibilidades da escrita e o seu papel na construção mesma das mulheres. A própria Ferrante (2017) vai dizer que "as páginas da Série Napolitana são pensadas como o ponto de chegada de uma longa influência exercida por Lila de duas maneiras diferentes [...] através do que ela escreveu e Lenu teve oportunidade de ler e [...] através da escrita da qual Lenu, em várias ocasiões, a julga capaz e à qual tenta se adequar com uma sensação permanente de insatisfação" (p. 308).

Elena Ferrante parece, ao colocar em outra espiral de tempo e espaço Lenu e Lila por meio da escrita-narrativa-memória de Lenu, aumentar o território da realidade" materializa eventos, fatos, pessoas. Torna-as reais, concretas; as faz gente!

Em *As margens e o ditado*\*, Ferrante nos fala da sua quase obsessão pela retratação da realidade por meio da escrita. "Eu construía personagens modelando-os a partir de pessoas que conhecia ou havia conhecido. Anotava gestos, modos de falar, como eu os via e ouvia. Descrevia paisagens, o transcorrer da luz. Reproduzia dinâmicas sociais, ambiente distantes econômica e culturalmente [...] Enfim, acumulava páginas e páginas de anotações extraídas da minha experiência direta. No entanto, só colecionava frustrações" (p. 49). Elena Ferrante só colecionava frustrações porque "narrar o real é intrinsecamente difícil, é

---

\* Ferrante, Elena. *As margens e o ditado: sobre os prazeres de ler e escrever.* Rio de Janeiro: Intrínseca, 2023.

necessário levar em conta que o narrador é sempre um espelho deformador" (pp. 49-50). Ora, o que podemos fazer, então? "Não devemos desanimar: é árduo narrar com verdade, mas faça o possível" (p. 50).

Ferrante faz mais que o possível: ela *escreve-cria* a (própria) realidade, constrói uma Nápoles-mais-real-que-o-real ao escrever a cidade e Lila por meio da escrita de Lenu. É, também, por meio dessa escrita que a narradora se constrói e, por extensão, vemos a materialização da própria Elena Ferrante.

Falando sobre a Nápoles de Ferrante, aliás, é impossível não mencionar o fato de que a cidade se torna, ela também, uma personagem, mais uma amiga-mulher para Lenu e Lila. De fato, no caso da primeira, o desejo de ascensão social e a vontade de não ser como a mãe (que é um reflexo da cidade, não?) faz com que – também pela narrativa, uma vez que se torna escritora –, Lenu construa toda uma outra identidade, mais refinada, que fala a língua de Dante e não o dialeto; uma mulher que fala baixo, se veste discretamente, se comporta como uma dama e mora em outra cidade. É interessante notar que, Lila, ao contrário, permanece na cidade, à margem-*desmarginada* até o momento em que precisa de contorno, limite. E, para isso, assim como todas as ações da sua vida, o faz pelo paradoxo: para conseguir moldura, *marginar-se*, desaparece, deixa de ser indivíduo e se torna ela própria toda cenário.

Em *A ordem do discurso* (2004), Foucault argumenta que é pela palavra que construímos realidades, materializamos pessoas. Ora, se é assim, podemos afirmar que, em um texto tão primoroso como o de Elena Ferrante, não só (um)a realidade, mas seres humanos se constituem e ganham vida pela narrativa.*

---

\* Foucault, Michel. *A ordem do discurso*. São Paulo: Edições Loyola, 2004.

É nessa *frantumaglia* narrativa que também conhecemos e acreditamos que Elena Ferrante existe e é uma mulher\*. Se a discussão midiática em torno na identidade da autora por vezes ofusque seu talento, em A *amiga genial* sabemos que é por meio da escrita dessas personagens, quase como uma boneca russa, que Elena Ferrante escreve a si e se inscreve no mundo ao criar todas essas mulheres. "Ambas as escritas são minhas e, ao mesmo tempo, de Delia, de Olga, de Leda [narradoras de outras obras de Ferrante]. Escrevo pessoas, espaços, tempos, mas com palavras que me são induzidas por pessoas, espaços, tempos, em uma vertiginosa mistura de criadores e criaturas, de formas e formas [...] Eu diria que sou a autobiografia delas assim como elas são a minha" (2023, pp. 57-58).

*Maria Carolina Casati é mulher, negra, professora, escritora. Atualmente cursa o doutorado na* EACH-USP, *no Programa de Pós-Graduação em Mudança Social e Participação Política. Apaixonada pela palavra, é idealizadora do @encruzilinhas, um projeto de leitura e debate de textos sobre negritude, gênero, feminismos e militância. É mãe do TumTum, filha da Figênia e do Brogio, neta da Zélia e amiga de muitas, mas, primeiramente, do* G7.

---

\* De acordo com Ferrante, *frantumaglia* era uma palavra usada pela mãe para designar "um mal-estar que não podia ser definido de outra maneira, remetia a um monte de coisas heterogêneas na cabeça, detritos em uma água lamacenta do cérebro. A *frantumaglia* era misteriosa, causava atos misteriosos, estava na raiz de todos os sofrimentos que não podiam ser atribuídos a uma razão única e evidente" (p. 105).

ESTE LIVRO, COMPOSTO NA FONTE FAIRFIELD,
FOI IMPRESSO EM PAPEL LUX CREAM 60G/M², NA GRÁFICA COAN,
TUBARÃO, BRASIL, JUNHO DE 2025.